D0591177

HAL VAUGHAN

In bed met de vijand

Coco Chanels geheime oorlog

Vertaald door Hanneke Bos en Liesbeth Hensbroek

2011
Uitgeverij Contact
Amsterdam/Antwerpen

© 2011 Hal Vaughan
© 2011 Nederlandse vertaling Hanneke Bos en Liesbeth Hensbroek
Oorspronkelijke titel *In Bed With the Enemy*
Oorspronkelijke uitgever Alfred A. Knopf
Omslagontwerp Carol Devine Carson/Zeno
Omslagillustratie © George Hoyningen-Heune
Typografie binnenwerk Text & Image, Gieten
Drukker Wilco, Amersfoort
ISBN 978 90 254 3594 3
D/2011/0108/947
NUR 320
www.uitgeverijcontact.nl

Dit boek is opgedragen aan de mannen en vrouwen in Frankrijk
die onder het juk van de nazi's weigerden te collaboreren.
En, zoals altijd, aan Phuong.

Ik verlang naar uw verhaal, dat wonderbaar moet zijn.
– WILLIAM SHAKESPEARE, *De storm*[1]

Inhoud

Fotoverantwoording

254 Jeanne Moreau in Louis Malles film *Les Amants*, 1958. (Zenith
   International Films/Photofest)
254 Romy Schneider in de film *Boccaccio '70*, 1962, van o.a. regisseur
   Luchino Visconti. (Embassy Pictures Corp./Photofest)

Proloog

'Haar leeftijd ten spijt sprankelt ze; ze is de enige vulkaan in de Auvergne die niet is uitgedoofd (...), de briljantste, onstuimigste, meest fantastisch onuitstaanbare vrouw die ooit heeft bestaan.'[1]

Het was nog niet lang geleden dat Gabrielle Chanel te rusten was gelegd in haar designergraf in het Zwitserse Lausanne toen de stad Parijs aankondigde dat de echtgenote van de Franse president Georges Pompidou, zelf een bewonderaarster en klant van Chanel, in oktober 1972 een officiële tentoonstelling zou openen waarin het werk en leven van Chanel centraal zouden staan. Kort voor het zover was berichtte Hebe Dorsey, de legendarische moderedactrice van de *International Herald Tribune*, dat de 'hommage aan Chanel' waarschijnlijk geannuleerd of op zijn minst uitgesteld zou worden. Dorsey onthulde dat Pierre Galante, een redacteur van *Paris Match*, binnenkort met choquerende documenten uit de archieven van de Franse contra-inlichtingendienst zou komen.[2] Dorsey beweerde dat Chanel tijdens de Duitse bezetting van Parijs een affaire had gehad met baron Hans Günther von Dincklage, 'een gevaarlijke agent van de Duitse inlichtingendienst – zeer waarschijnlijk een agent van de Gestapo'.[3]

Chanel, het toonbeeld van Franse smaak, in bed met een nazispion, of erger nog, met een agent van de gehate Gestapo? Het was ongehoord. In de ogen van de Fransen, en in het bijzonder de Franse joden, oud-verzetslieden en overlevenden van de concentratiekampen van de SS, waren collaborateurs paria's, mensen op wie men spuugde. Het moest gezegd, in mondaine Parijse kringen deed al jarenlang het gerucht de ronde dat Chanel het tijdens de bezetting met een Duitser had gehouden, een zekere Spatz (Duits voor 'mus'), in het chique Hôtel Ritz, waar hoge nazi's zoals Hermann Göring en Joseph Goebbels in de watten waren gelegd door het Zwitserse management. Maar de Gestapo? Was Chanel niet eervol ontvangen op het Élysée? Zou zo'n icoon van de Franse samenleving het bed hebben gedeeld met een 'Duitse spion'? Het viel nauwelijks te geloven. Hoewel duizenden mannelijke en vrouwelijke collaborateurs hun straf waren ontlopen, riekte het in 1972 nog steeds naar verraad om moedwillig de minnares en het hulpje van een Duitse officier te zijn geweest. Het feit dat de relatie meer dan tien jaar had standgehouden ontlokte iemand de vraag of Chanel eigenlijk wel 'om politieke ideologieën gaf, en niet gewoon bemind wilde worden en dacht: barst maar met die politiek!'[4]

Het tijdstip van de geplande nationale hommage aan het leven en werk van Chanel had niet ongelukkiger gekozen kunnen zijn. Tot overmaat van ramp had de Amerikaanse uitgever Alfred A. Knopf net het boek *Vichy France: Old Guard and New Order, 1940-1944* van de Amerikaanse historicus Robert O. Paxton uitgebracht. Met deze studie over het Vichy-regime onder maarschalk Philippe Pétain had Paxton veel Franse academici tot hun grote ergernis op eigen terrein verslagen. Paxton bewees aan de hand van materiaal uit Duitse archieven – de Franse regering gaf geen toegang tot de Vichy-archieven – dat Pétains Vichy-regime zijn collaboratie met de nazi's niet noodgedwongen, maar vrijwillig was aangegaan.[5]

Voor de Pompidou-ploeg, die twee jaar later weer verkiezingen voor de boeg had, en het modehuis Chanel, dat zich teweer moest stellen tegen de claim dat zijn oprichter banden had gehad met de Gestapo, zat er niets anders op dan de 'hommage aan Chanel' uit te stellen. Er stond bovendien nog gedegen, belastend bewijs van Chanels collaboratie aan te komen in Pierre Galantes aanstaande biografie, die in Parijs en New York zou verschijnen. Galante, een oud-verzetsstrijder en echtgenoot van de Engelse actrice Olivia de Havilland, beweerde dat hij zijn informatie had gebaseerd op bronnen van de Franse contra-inlichtingendienst.

Heel Parijs had het over het boek nog voor het goed en wel was verschenen. De schrijfster Edmonde Charles-Roux, winnares van de Prix Goncourt, was zeer verbolgen over Galantes onthullingen. Ze bestempelde zijn claims als nonsens: Dincklage, stelde ze, 'zat niet bij de Gestapo'.[6] Spatz en Chanel onderhielden slechts een amoureuze vriendschap. (Madame Charles-Roux werkte destijds eveneens aan een biografie van Chanel en had waarschijnlijk geen toegang tot Galantes bronnen.)

Marcel Haedrich, een eerdere Chanel-biograaf, beweerde dat Spatz slechts een bon vivant was, die 'van eten, wijn, sigaren en mooie kleren hield (...) dankzij Chanel had hij een gemakkelijk leventje (...) hij wachtte haar in haar salon op (...) hij placht Chanels hand te kussen en te prevelen: "Hoe is het met je vandaag?"'[7] – en omdat ze Engels met elkaar spraken, zei ze altijd: 'Hij is niet Duits, zijn moeder was Engels.'[8]

In september 1972 vroeg *Women's Wear Daily*, het blad van de New Yorkse kledingindustrie, aan Charles-Roux: 'Was Chanel, de beroemdste couturière van Parijs, echt een agent van de Gestapo?' De schrijfster antwoordde: '[Dincklage] zat niet bij de Gestapo. Hij was verbonden aan een gezantschap hier [in Parijs] en gaf informatie door. Hij deed smerig werk. Maar laten we niet vergeten dat het oorlog was en hij de pech had een Duitser te zijn.' Jaren later kwam Charles-Roux erachter dat ze misleid was – gemanipuleerd door Chanel en haar advocaat René de Chambrun.[9]

In augustus 1944 ving de bevrijding van Parijs aan met bloederige straatgevechten. Duitse soldaten leverden slag met generaal De Gaulles irreguliere partizanengroepen, de Forces Françaises de l'Intérieur (FFI). Chanel noemde de sjofele bendes '*les Fifis*'. Ze kregen versterking van de communistische verzetsstrijders van de Francs-Tireurs et Partisans (FTP) en agenten van de civiele politie. Sommige strijders hadden slechts lichte politiewapens, andere revolvers en geweren uit de Eerste Wereldoorlog. Enkelen beschikten over molotovcocktails of wapens die ze hadden buitgemaakt op dode *boches*.[10] De straatvechters waren merendeels jonge studenten met knokige armen en opgerolde hemdsmouwen, en sandalen aan hun voeten. Hun FFI-, FTP- en politiearmbanden deden dienst als uniform.

In de laatste week van augustus werden ze afgelost door het door de Amerikanen bewapende leger van de Vrije Fransen onder generaal Leclerc, de schuilnaam van Philippe de Hauteclocque. Het Duitse garnizoen gaf zich over. Na vier dikwijls wrede bezettingsjaren was Parijs weer vrij, verlost van de dreiging van arrestaties, martelingen en deportaties naar de concentratiekampen. De kerkklokken luidden, fabriekssirenes klonken en de mensen dansten op straat. Op enkele provincies zoals Elzas en Lotharingen na, was Frankrijk in handen van de Vrije Fransen van generaal De Gaulle.

In de nadagen van augustus was de natie in de greep van wraakzucht. De schaamte, opgekropte angst, haat en frustratie van vier jaar kwamen tot uitbarsting. Op wraak beluste burgers schuimden de straten van de Franse steden en dorpen af. Oude rekeningen werden vereffend, de schuldigen – en veel onschuldigen – gestraft. Veel vermeende collaborateurs werden in elkaar geslagen, sommige vermoord. 'Horizontale collaborateurs', vrouwen en meisjes die het met de Duitsers hadden gehouden, werden door de straten gesleurd. Een enkeling werd gebrandmerkt met het hakenkruis, de meesten werden kaalgeschoren. Civiele collaborateurs – zelfs artsen die Duitsers hadden behandeld – werden zonder pardon doodgeschoten. Wie meer geluk had werd gevangengezet in afwachting van een proces wegens verraad. Uiteindelijk maakten De Gaulles soldaten en voorlopige magistraten een eind aan deze interne oorlog.

Chanel, het twintigste-eeuwse *monstre sacré* van de mode, stond op de nominatie voor een wraakoefening. De Fransen hadden het over een *épuration*, een 'zuivering' van de wonden nadat er zo veel mensen in hun land onder het nazibewind hadden geleden en waren gestorven.

De laatste Duitse soldaten hadden Parijs nog niet verlaten of Chanel haastte zich al om flacons Chanel No. 5 uit te delen aan de Amerikaanse GI's. En toen kwamen 'les Fifis' haar halen. Vechtlustige jongemannen namen haar voor ondervraging mee naar het hoofdkwartier van de FFI.

Binnen een paar uur was Chanel weer op vrije voeten, dankzij de interventie van Winston Churchill, die via Duff Cooper, de Britse ambassadeur bij de voorlopige Franse regering van De Gaulle, opereerde.[11] Enkele dagen daarna vluchtte ze naar het Zwitserse Lausanne, waar ze later gezelschap zou krijgen van Dincklage, nog steeds een knappe man op zijn achtenveertigste. Chanel was toen eenenzestig.

De regering De Gaulle gaf magistraten van het ministerie van Justitie al spoedig opdracht om speciale rechtbanken te vormen die verdachten van samenwerking met het naziregime moesten vervolgen – collaboratie was een misdrijf volgens het Franse Wetboek van Strafrecht. Vichy-baas Philippe Pétain en zijn eerste minister Pierre Laval behoorden tot de eersten die berecht werden. Beiden werden schuldig bevonden aan verraad en ter dood veroordeeld. Pétain werd vanwege zijn hoge leeftijd gespaard door De Gaulle, maar Laval kreeg de kogel.

Tijdens de naoorlogse zuiveringen onderzochten of berechtten Franse militaire en burgerlijke rechtbanken in totaal 160 287 zaken. Van de 7037 ter dood veroordeelde personen werden ongeveer 1500 daadwerkelijk geëxecuteerd. De overige doodvonnissen werden omgezet in gevangenisstraffen.[12]

Na de bevrijding duurde het nog bijna twee jaar voor een Frans gerechtshof een 'dringend' aanhoudingsbevel uitvaardigde tegen Chanel. Op 16 april 1946 gaf rechter Roger Serre de politie en Franse grensposten opdracht Chanel voor ondervraging naar Parijs over te brengen. Een maand later gaf hij opdracht tot een volledig onderzoek naar haar oorlogsactiviteiten. Het was overigens niet Chanels relatie met Dincklage die Serres aandacht had getrokken: de rechter had ontdekt dat Chanel diensten had verleend aan de Duitse militaire inlichtingendienst en had samengewerkt met een Franse verrader, baron Louis de Vaufreland. De Franse politie had de baron als dief en Duits agent ontmaskerd. Hij was op Abwehr-documenten aangemerkt als 'V-Mann', wat in de terminologie van de Gestapo en Duitse inlichtingendiensten betekende dat hij een agent was die alle vertrouwen genoot.[13]

Serre, een achtenveertigjarige rechter met meer dan twintig jaar ervaring in de magistratuur, had Vaufreland maandenlang aan een kruisverhoor onderworpen. Hij had ook van de Franse inlichtingendienst vernomen dat Vaufreland en Chanel met het Duitse militaire apparaat hadden samengewerkt.[14] Langzamerhand haalde Serre, een nauwgezet onderzoeker, steeds meer details over Chanel boven water: hoe ze door de Abwehr was gerekruteerd, haar samenwerking met Vaufreland en hoe zij en de Duitse spion in 1941 voor een Abwehr-missie naar Madrid waren gegaan.[15]

Tijdens haar verhoor en getuigenis beweerde Chanel dat de verhalen van Vaufreland 'verzinsels' waren. Franse politie- en rechtbankdocumenten vertellen echter een ander verhaal: terwijl Franse verzetslieden in de zomer van 1941 Duitsers liquideerden, werd Chanel door de Abwehr gerekruteerd als agent.[16] In vijftig uiterst gedetailleerde pagina's wordt beschreven hoe Chanel en de zeer betrouwbare Abwehr-agent F-7117 – baron Louis de Vaufreland Piscatory – door de Duitse agent luitenant Hermann Niebuhr, alias dr. Henri Neubauer, werden gerekruteerd om samen een spionagemissie voor de Duitse militaire inlichtingendienst uit te voeren in de zomer van 1941. Vaufreland had als taak te onderzoeken welke mannen en vrouwen bereid waren voor nazi-

Duitsland te spioneren, of daartoe gedwongen konden worden. Chanel moest als dekmantel voor Vaufreland fungeren: zij kende sir Samuel Hoare, de Britse ambassadeur in Spanje, via haar banden met Hugh Grosvenor, de hertog van Westminster.

Waarschijnlijk heeft rechter Serre geen idee gehad van de reikwijdte van Chanels collaboratie met nazifunctionarissen. Het is onwaarschijnlijk dat hij inzage heeft gehad in het rapport van de Britse geheime dienst MI6 dat de neerslag vormt van de informatie die graaf Joseph von Ledebur-Wicheln, een Duitse Abwehr-agent en overloper, in 1944 verstrekte. Ledebur vertelde dat Chanel en baron Von Dincklage in 1943 naar het door bombardementen geteisterde Berlijn waren gereisd om Chanels diensten als agent aan te bieden aan SS Reichsführer Heinrich Himmler. Ledebur onthulde eveneens dat Chanel na haar bezoek aan Berlijn een tweede missie naar Madrid had uitgevoerd in opdracht van SS-generaal Walter Schellenberg, het hoofd van de inlichtingendienst van Himmlers SS. Serre zou nooit vernemen dat Dincklage al vlak na de Eerste Wereldoorlog lid van de Duitse militaire inlichtingendienst was geworden: Abwehr-agent F-8680.[17]

Verder is het onwaarschijnlijk dat rechter Serre ooit heeft geweten hoe ver Chanels collaboratie met de nazi's in het bezette Parijs ging en dat ze een betaalde agent van Walter Schellenberg was geweest. Hij had er evenmin weet van dat Dincklage eerst voor de Abwehr en de Gestapo in Frankrijk had gewerkt, en daarna voor de Abwehr in Zwitserland en in het bezette Parijs.[18]

1

Metamorfose – Gabrielle wordt Coco

Als je zonder vleugels bent geboren, moet je hun groei in
niets in de weg staan (...)
Sta vroeg op, werk hard. Dat kan nooit kwaad: je geest blijft
bezig, je lichaam actief (...)[1]
– COCO CHANEL

Gabrielle Chanel, de vrouw die tot het toonbeeld van Franse elegantie
zou uitgroeien, werd op een zinderende augustusmiddag in 1883 geboren in een armengasthuis in Saumur, in de Franse Pays de Loire. Ze
kwam uit een geslacht van keuterboeren die aan de rand van een kas-
tanjewoud in de Cevennen woonden, maar nadat de bomen door een
schimmelziekte waren aangetast de kost moesten verdienen als rond-
trekkende venters. De naam die in het geboorteregister werd opgetekend was 'Chasnel', wellicht een verschrijving, maar waarschijnlijk gewoon een oudere spelling van de familienaam, die later verzacht werd
omdat dit prettiger klonk. (Die 's' zou nog voor verwarring zorgen in
latere politiedocumenten.)[2]

Gabrielles moeder, Jeanne Devolle, en haar vader, de straatventer Albert Chanel, trouwden pas enkele jaren na haar geboorte. Tot Jeannes
overlijden woonde het kinderrijke gezin – het echtpaar had drie dochters, Julia-Berthe, Gabrielle en Antoinette, en twee zonen, Alphonse en
Lucien – in een reeks armetierige woningen, terwijl Albert met zijn
paard-en-wagen van het ene naar het andere marktstadje trok. Toen
Jeanne in 1895 op drieëndertigjarige leeftijd overleed, verhuurde Albert
zijn zonen aan een boer. De twaalf jaar oude Gabrielle en haar zusjes

stuurde hij naar de schrale regio Corrèze in Midden-Frankrijk. Daar, in het weeshuis van het klooster dat in de twaalfde eeuw door Étienne d'Aubazine was gesticht, kwamen de meisjes Chanel onder de hoede van katholieke nonnen.

Jaren later zei Chanel over haar nederige jeugd in het klooster: 'Ik wist vanaf mijn vroegste kinderjaren zeker dat ze alles van me hadden afgepakt, dat ik dood was. Ik wist dat al toen ik twaalf was. Je kunt tijdens je leven meer dan eens doodgaan.'[3]

Geen enkele Chanel-biograaf is ingegaan op de vraag wat de twaalfjarige Chanel van het leven in het klooster vond. Ze sprak nooit over haar tijd als pupil van de nonnen of de lange jaren van katholieke tucht, het zware werk, het karige bestaan. In die tijd, eind negentiende, begin twintigste eeuw, benadrukten de katholieke doctrine en theologie zaken als zondebesef, boetedoening en verlossing. We weten bovendien dat katholieke instituten zoals Aubazine de jeugd in die tijd indoctrineerden met hun afkeer van de joden. Chanel was een product van die opvoeding en tijdgeest. Ze deed vaak antisemitische uitspraken. Marcel Haedrich, een bekende Franse auteur en hoofdredacteur van het Franse modeblad *Marie Claire*, vertelde dat hij het eens met Chanel over zijn boek *Et Moïse créa Dieu* (En Mozes schiep God) had. Chanel vroeg hem: 'Waarom Mozes? Je gelooft toch zeker niet dat die oude verhalen nog van belang zijn? Of hoop je dat de joden je verhaal goed zullen vinden? Ze kopen je boek heus niet!'[4] Toen het gesprek op de nieuwe modeboetieks kwam die in Parijs als paddenstoelen uit de grond schoten, stelde Chanel: 'Ik ben alleen bang voor de joden en de Chinezen, en meer voor de joden dan voor de Chinezen.' Haedrich merkt op: 'Chanels antisemitisme was niet alleen verbaal; het was heftig, achterhaald en vaak gênant. Ze had, zoals alle kinderen uit die tijd, de catechismus bestudeerd: hadden de joden Jezus niet gekruisigd?'[5]

Het christelijke geloof had eeuwenlang gesteld dat de joden de moordenaars van Christus waren. In de Middeleeuwen predikten Europeanen dat de 'joden ongeluk brengen' en sloten hen uit van bepaalde beroepen en gilden. In Shakespeares tijd werden joden in Engeland verbannen en als sociaal minderwaardig beschouwd, slechts geschikt voor het innen van belastingen – werk dat hen verre van geliefd maakte bij arme plattelanders zoals de Chanels. Later waren de nazi's en een aanzienlijk aantal minder fanatieke Europeanen overtuigd van het bestaan van een joodscommunistische samenzwering; ze beschuldigden de joden ervan het communisme in de wereld te hebben gebracht.

Op haar achttiende verhuisde Chanel naar een pension voor katholieke meisjes in Moulins. In die tijd woedde de discussie over de Dreyfus-affaire, een schandaal dat de Franse samenleving bijna een decennium lang verdeelde. In 1894 werd kapitein Alfred Dreyfus, een jonge joods-Franse artillerieofficier uit de Elzas, op valse gronden gearresteerd en veroordeeld wegens hoogverraad. Dreyfus werd naar een strafkolonie op Duivelseiland, voor de kust van Frans-Guyana, verbannen. Later werd zijn zaak heropend, waarna hij uiteindelijk in 1906 van alle blaam werd gezuiverd. Dreyfus keerde weer terug in het Franse leger, nu met de rang van majoor, en diende eervol tijdens de Eerste Wereldoorlog. In 1919 besloot hij zijn carrière in het leger als luitenant-kolonel.

De zaak-Dreyfus legde de antisemitische sentimenten van die tijd bloot, evenals de beslissende invloed van de katholieke Kerk en haar bondgenoten, de monarchisten en de nationalisten. Tijdens Chanels tienerjaren in het klooster en later in de katholieke gemeenschap van Moulins 'was het antisemitisme volledig opgeklopt'. Het assumptionistische dagblad *La Croix* (Het Kruis), dat door veel katholieken werd gelezen, 'ging tekeer tegen de joden'. De uitspraken van de jezuïtische priester Du Lac waren kenmerkend voor de positie van de Kerk. Du Lac was de geestelijk leidsman van de antisemitische journalist Edouard Drumont, auteur van *La France juive* (Joods Frankrijk) en de bedenker van de leus 'Frankrijk voor de Fransen' – woorden die nog steeds in de Franse politiek doorklinken, vooral in de campagnes van Jean-Marie Le Pen en zijn dochter Marine, die inmiddels de leiding heeft over het machtige, extreemrechtse Front National.

Chanel kon onmogelijk ontkomen aan de propagandacampagne van de katholieke Kerk tegen de joodse Dreyfus, maar haar rabiate angst en haat jegens de joden werden later sterk afgekeurd, ook door mensen die een wat gematigder vorm van het antisemitisme aanhingen.

Op haar twintigste ging Chanel aan de slag als naaister; in haar vrije tijd zong ze in een café, dat vooral bezocht werd door cavalerieofficieren. Daar werd ze 'Coco', een naam uit een liedje dat ze zong, of misschien wel een verkorte vorm van het Franse woord voor een vrouw van lichte zeden: *cocotte*.

En daar viel een rijke ex-officier, Étienne Balsan, uiteindelijk voor

Een in scène gezette foto waarop een 'jaloerse' Boy Capel, links in een
satijnen kimono, Léon de Laborde bedreigt, die een slaperige Chanel in
ochtendjas in bescherming neemt, ca. 1908.

haar felle zwarte ogen, opvallende profiel en slanke, bijna jongensachtige
gestalte. Chanel schoof naald en draad, de cafékoketterie en het geest-
dodende bestaan waarvoor ze leek voorbestemd terzijde en werd op haar
drieëntwintigste Balsans minnares. De volgende drie jaar woonde ze in
zijn chateau met renstal bij Compiègne, vijfenzeventig kilometer buiten
Parijs. In het dichte Forêt de Compiègne, te midden van heidegronden,
meertjes en moerassen, reden Chanel, haar minnaar en diens vrienden
op de paarden uit Balsans renstal over jachtpaden die nog gebruikt waren door de Franse koningen.

Balsan, een telg uit een rijke familie van textielfabrikanten die het
Franse leger van uniformstoffen voorzag, zorgde ervoor dat Chanel een
bekwame ruiter werd – ze reed zowel schrijlings als in amazonezit – en
bracht haar het trainen van paarden bij. Foto's van Chanel te paard to-
nen een vrouw met een trotse zit, met name die waarop ze op een prachtig voskleurig jachtpaard prijkt, een bolhoed op haar gevlochten haren,
haar houding trots en zelfverzekerd. Chanels liefde voor paarden en
haar ruiterkunst zouden haar jaren later goed van pas komen, tijdens

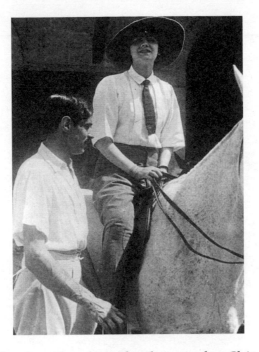

Arthur 'Boy' Capel en Chanel in rijbroek te paard op Château Royallieu,
het landgoed van Balsan in het Forêt de Compiègne. In 1908 zouden
Capel en Chanel een langdurige relatie krijgen.

de jachtpartijen met Hugh Grosvenor, alias Bendor, de hertog van Westminster, en zijn vrienden, onder wie Winston Churchill en diens zoon
Randolph.

Chanels leven was in een paar maanden tijd compleet veranderd. Een
vluchtige blik op de foto's die toen van haar zijn genomen volstaat. Chanel te paard. Chanel in de armen van de elegante Léon de Laborde, terwijl Étienne Balsan toekijkt. Chanel die door Laborde, in pyjama, in bescherming wordt genomen tegen Arthur Capel (haar toekomstige
geliefde), die gekleed in een satijnen kimono met een grote stok 'dreigt'.
Chanel poseert hier als een klein meisje dat net uit bed komt: haar git-
zwarte haar valt los over haar schouders en haar witte ochtendjas. Op
een foto die later, in de zomer van 1912, is genomen, zit de Balsan-kliek
in flodderige pyjama's en ochtendjassen aan het ontbijt: Capel, Laborde,
Gabrielle Dorziat, Balsan, Chanel, Lucien Henraux en Jeanne Léry.

In 1908 werd Chanel verliefd op Balsans paardrijmaatje en vriend Ar-

Illustratie van SEM: *Chanel overgeleverd aan de genade van Boy Capel,*
ca. 1910.

thur Capel. 'Boy', zoals zijn bijnaam luidde, was afkomstig uit de Engelse
upper class. Hij was knap, rijk en zeer levendig. In 1908 installeerde hij
Chanel in een appartement in Parijs en hielp haar bij het opzetten van
een dameshoedenzaak. Balsan was een minnares kwijt – hij had er een
heleboel –, maar zou zijn leven lang bevriend blijven met Chanel.

Boy Capel en Chanel waren nu zielsverwanten. De genereuze Capel
regelde dat het neefje van zijn minnares, André Palasse, op een goede
Engelse kostschool werd geplaatst nadat zijn moeder, Chanels oudere
zus Julia-Berthe, zelfmoord had gepleegd. Later, toen Chanel zich in de
vrouwenmode begaf, zou Capel haar boetieks in Parijs, Deauville en Biarritz financieren.

Tussen 1914 en 1918, de jaren van de Eerste Wereldoorlog, huurde
Chanel een appartement met uitzicht op de Seine en het Trocadéro. Ze
was op weg een enorm fortuin te vergaren en zou al snel driehonderd
naaisters in dienst hebben, die een kledinglijn van jersey vervaardigden.
Later opende ze haar beroemde Parijse boetiek-en-residentie op 31 Rue

Cambon, achter de elegante Place Vendôme. Daar zou ze het modehuis Chanel omvormen tot het toonbeeld van Franse stijl, raffinement en vakmanschap. De zaken floreerden; na enige tijd zou Chanel 'Les Tissus Chanel' oprichten, waar stoffen van hoge kwaliteit werden vervaardigd.

Hoewel Chanel elf jaar lang Boy Capels courtisane, geliefde en maatje was, zat het er, gezien haar nederige afkomst, niet in dat ze ook de echtgenote van deze societyman uit de Engelse upper class zou worden. In 1918 trad Boy in het huwelijk met de dochter van een Engelse lord. Niettemin bleven hij en Chanel geliefden. Vlak voor kerst 1919 was Boy op weg naar zijn echtgenote en pasgeboren kind, toen hij bij een verkeersongeluk om het leven kwam. Chanel was kapot van zijn dood, en nog meer toen ze ontdekte dat ze niet zijn enige minnares was geweest. In februari 1920 onthulde de Londense *Times* dat Capel een aanzienlijk bedrag had nagelaten aan Chanel en een andere vrouw, een Italiaanse gravin. Overmand door verdriet en het gevoel verraden te zijn, zakte Chanel weg in een diepe rouw. Vijfentwintig jaar later vertrouwde ze haar vriend en biograaf Paul Morand in haar ballingsoord in Zwitserland toe: 'Zijn dood was een verschrikkelijke klap voor me. Toen ik Capel verloor, verloor ik alles. Wat volgde was bepaald geen gelukkig leven.'[6]

2

De geur van een vrouw

Een vrouw die geen parfum gebruikt, heeft geen toekomst.
– PAUL VALÉRY

Marie Sophie Olga Zénaïde Godebska – 'Misia' voor de vrijgevochten Parijse elite – werd net als Chanel op jonge leeftijd (ze was tien) naar een katholiek klooster verbannen. Als kind verrukte ze de componisten Franz Liszt en Gabriel Fauré met haar pianospel. Onder de strenge nonnen ontwikkelde ze zich na verloop van tijd tot een getalenteerde pianiste. 'De verwaarlozing bracht Misia onafhankelijkheid bij, de eenzaamheid moed.'[1]

Op haar achttiende nam Misia, ongelukkig en ingeperkt door het kloosterleven, de wijk naar het victoriaanse Londen, waar ze een aantal affaires met oudere mannen had. Uiteindelijk keerde ze terug naar haar familie in België. Amper twintig jaar oud erfde ze een fortuin van een rijke oom. Een jaar later trouwde ze met de vijfentwintigjarige Thadée Natanson. Het stel verhuisde naar Parijs, waar Misia met haar schoonheid en haar 'boven alles staande, tegen heilige huisjes schoppende pose' van de slet moeiteloos het losse bohemienwereldje van rond de eeuwwisseling binnenzeilde. De jaren erop leidde ze een woest leven 'doorspekt met drieletterwoorden' en verleidde ze de creatiefste geesten van Parijs.[2] Marcel Proust portretteerde haar als prinses Yourbeletieff, zo oogverblindend en verleidelijk als de Ballets Russes zelf. Misia en haar echtgenoot Thadée sloten zich al snel aan bij een groep kunstenaars die destijds als onconventioneel golden. Ze werd een van de favoriete modellen van Vuillard, Bonnard, Toulouse-Lautrec en Renoir, die haar elk vele malen

Het gezicht dat wereldberoemde Franse schilders fascineerde:
Misia Godebska, 1905.

schilderden. Tegenwoordig hangen portretten van Misia achter de piano, aan tafel en in het theater, in enkele van de belangrijkste musea ter wereld. Misia voelde zich aangetrokken tot de uitvoerende kunsten en trad toe tot de wereld van het toneel en ballet. Ze raakte nauw bevriend met de Russische balletimpresario Sergej Diaghilev. Haar biografen beschrijven haar als 'tronend aan zijn [Diaghilevs] zijde, de eminente roos van de Ballets Russes'.[3]

Wie Misia kende, had toegang tot de exclusieve kring rond Diaghilev en de Parijse naoorlogse elite. Misia was echter niet de prinses die Marcel Proust van haar maakte. Tijdens haar drie huwelijken was ze Madame Thadée Natanson, Madame Alfred Edwards (Edwards was een buitengewoon rijke zakenman en notoire coprofiel die Natanson dwong Misia op te geven in ruil voor de betaling van zijn schulden), en ten slotte de echtgenote van de Spaanse schilder José Maria Sert.

Chanel maakte kennis met Misia toen ze beiden te gast waren op een diner van Cécile Sorel, een bekende actrice van de Comédie-Française. Jaren later zou Misia deze eerste ontmoeting beschrijven in haar ongepubliceerde memoires:

Igor Stravinsky Vaslav Nijinsky in het Théâtre du Châtelet in Parijs bij de première van Diaghilevs ballet Petroesjka *in 1911.*

[Ik] werd aangetrokken door een jonge vrouw met zeer donker haar (...) ze zei geen woord, [maar] straalde een charme uit die ik onweerstaanbaar vond (...) ze heette Mademoiselle Chanel. Ze kwam op mij over als iemand die gezegend was met oneindig veel gratie (...) toen ik haar verrukkelijke bontmantel bewonderde, hing ze hem om mijn schouders en zei met een beminnelijke spontaniteit dat het haar zeer zou plezieren hem aan mij cadeau te doen (...) het was zo'n aardig gebaar dat ik haar compleet betoverend vond en alleen nog maar aan haar kon denken.

Toen ik haar boetiek in de Rue Cambon bezocht, hadden twee

vrouwen daar het net over haar. Ze noemden haar 'Coco' (...) die naam bracht me van de wijs (...) de moed zonk me in de schoenen (...) ik had het idee dat mijn idool werd vertrapt. Waarom moesten ze zo'n buitengewone vrouw met zo'n vulgaire naam opzadelen? [Plotseling] verscheen de vrouw aan wie ik sinds de vorige avond had zitten denken (...) de uren vlogen wonderlijk snel voorbij (...) ik was zelf het meest aan het woord, want zij zei nauwelijks iets. Ik vond het idee dat ik afscheid van haar moest nemen ondraaglijk (...) diezelfde avond nog dineerden Sert en ik in haar appartement (...) tussen de talloze coromandelschermen troffen we Boy Capel aan.

Sert was werkelijk gechoqueerd door de verbijsterende idolatie die ik voor mijn nieuwe vriendin voelde. Het was niet mijn gewoonte me zo te laten meeslepen (...) [Bij de dood van Boy Capel] hakte [het verlies] er zo diep in bij Coco dat ze een zenuwinzinking kreeg; ik zocht wanhopig naar manieren om haar af te leiden (...) de zomer daarop namen Sert en ik haar mee naar Venetië (...).'[4]

Wat het ook was, het klikte tussen Gabrielle Chanel en Misia Sert of, zoals de Fransen zeggen, de atomen van deze twee mooie vrouwen hadden aangehaakt. Over Misia zou Chanel zeggen: 'Ik ben altijd een mysterie, en daarom interessant, gebleven voor Misia. Ze was een zeldzaam wezen dat de kunst verstond prettig te zijn voor vrouwen en kunstenaars. Ze was en is voor Parijs wat de godin Kali voor het hindoepantheon is: tegelijkertijd de godin van de verwoesting en de schepping.'[5]

Misia's biografen Arthur Gold en Robert Fizdale vatten samen hoe Misia naar hun idee tegen Chanel aan keek in die eerste jaren van hun intieme vriendschap.

Chanel dicteerde een duur soort eenvoud met haar ontwerpen – een quasi-arme look voor rijke vrouwen – en verdiende er miljoenen mee. Haar genie, haar ruimhartigheid, haar gekte, in combinatie met haar dodelijke gevatheid, haar sarcasme en haar maniakale vernietigingsdrang intrigeerden en ontstelden iedereen. Door de jaren heen zou de vriendschap tussen Misia en Chanel pieken en dalen kennen, maar ze bleven altijd een hecht tweetal dat talloze geheimen deelde, waaronder de morfine en andere drugs die ze gebruikten om door te kunnen gaan, niet met leven, maar met volhouden.

Misia voor de grap verkleed als man, ca. 1910.

Terwijl de wereld van de bevoorrechte adel op zijn eind liep, groeide Chanel uit tot een symbool van een nieuw tijdperk. Op haar vijfendertigste begon ze zichzelf opnieuw uit te vinden: Coco, een vrouw van de roaring twenties. Chanel lanceerde de sobere *casual look* in de dure vrouwenmode: reismantelpakjes van jersey met getailleerde blouses, sportieve jurken en schoenen met lage hakken.

De bladen van die tijd drukten haar creaties af. Door Chanel ontdekte Amerika jersey. In 1918 kon de ontwerpster het zich veroorloven driehonderdduizend gouden francs te besteden aan de koop van een luxueuze villa in Biarritz, het hoofdkwartier van haar bedrijf in het zuiden van Frankrijk.[6] Het blad *Harper's Bazaar* stelde in 1915 al: 'Een vrouw die niet minstens één Chanel bezit is hopeloos ouderwets. Dit seizoen ligt de naam Chanel iedere koper op de lippen.'[7]

Waar de moderedacteuren de mond vol hadden van Chanel, werden de geallieerden – Engelsen, Fransen, Italianen en vele anderen – in beslag genomen door hun strijd tegen de Duitsers. In maart 1917 begon Woodrow Wilson aan zijn tweede ambtstermijn als president van de Verenigde Staten. In april wist hij het Congres zover te krijgen dat Amerika Duitsland de oorlog verklaarde. De 'Teddies', zoals de Fransen de Amerikanen noemden, zetten onder bevel van generaal John J. Pershing, bijgenaamd 'Black Jack', koers naar Frankrijk. De Parijse rijken namen de wijk naar Deauville en Biarritz, waar de vrouwen in groten getale naar Chanels boetieks trokken om haar damesmode te passen.

Europa werd opgeschrikt door gewichtige gebeurtenissen. De bolsjewieken van Lenin en Trotski grepen de macht in Rusland tijdens de Oktoberrevolutie van 1917, Turkije gaf zich over aan de geallieerden en in Duitsland hongerde de bevolking. In 1918 wisten de geallieerden, nu met Amerikaanse versterking, het Duitse voorjaarsoffensief aan het westelijk front een halt toe te roepen. Op 11 november 1918 werd de wapenstilstand tussen enerzijds de geallieerden en anderzijds Oostenrijk-Hongarije en Duitsland getekend. De Eerste Wereldoorlog was voorbij.

Terwijl de gedemobiliseerde Duitse soldaten aan de lange trek naar huis begonnen, knalden de champagnekurken in Parijs. Chanel droeg 'ruime, losse jerseykleding die zo eenvoudig was als het jurkje van een kostschoolmeisje, en buitengewoon chic'.[8] Ze liet zich in een Rolls-Royce rondrijden terwijl haar klanten zevenduizend francs neerlegden voor een japon, wat nu zou neerkomen op een jurkje van zesendertighonderd dollar.[9]

Maar in de Europese financiële instellingen begon het inflatiespook rond te waren. Simpel gesteld betekende dit dat de prijs van een brood in Duitsland, omgerekend in Amerikaanse dollars, verdubbelde van dertien dollarcent in 1914 naar zesentwintig dollarcent in 1919.[10] Daarna verdubbelde de prijs nog eens, en nog eens, totdat hij een onvoorstelbare hoogte had bereikt. De Duitse economie stevende op een desastreuze crash af.

Duizenden kilometers van Parijs vandaan zochten twee Duitse cavaleristen moeizaam hun weg terug naar huis. Luitenant baron Hans Günther von Dincklage en luitenant Theodor Momm, twee bevriende officieren uit het Hannoverse Königs-Ulanen-Regiment, een elite-eenheid, behoorden tot de miljoenen verslagen Duitse en Oostenrijkse soldaten die na vier jaar oorlog een nieuw bestaan probeerden op te bouwen.[11]

Ze hadden allebei aan het oostelijk front gevochten, als bereden cavaleristen en later als onbereden 'karabiniers' in de modder en het geronnen bloed van de loopgraven.[12] Ze keerden terug naar een verslagen vaderland en een politieke chaos. De Oktoberrevolutie in Rusland en het oproer in de vlootbasis van het Duitse Wilhelmshaven hadden zich over het land verspreid en geleid tot het afzetten van keizer Wilhelm II. De langdurige Britse blokkade had voor hongersnood in het hele land gezorgd.

In juni 1919 ging de nieuwe Duitse Republiek akkoord met de voorwaarden van Groot-Brittannië, Frankrijk, Italië en de Verenigde Staten in het Verdrag van Versailles. De Duitsers zouden er later van overtuigd raken dat de herstelbetalingen die het verdrag oplegde de dramatische economische en financiële problemen waarmee het land te kampen kreeg hadden veroorzaakt. Adolf Hitler zou het verdrag verscheuren toen hij aan de macht kwam in een land dat getekend was door de nederlaag, een natie die hongerde naar het herstel van de Duitse grootheid. 'Een volk dat continu verscheurd wordt door innerlijke tegenstrijdigheden die onzekerheid, ontevredenheid en frustraties teweegbrengen, en dat ernaar verlangt verlost te worden van de last van individuele beslissingen en keuzen. Hun grootste luxe is iemand anders te hebben die besluiten neemt en risico's draagt.'[13]

Theodor Momms welgestelde familie bezat voor de oorlog een succesvolle textielfirma in Duitsland en België. Na zijn terugkeer in het burgerleven begin 1919 nam Momm het bedrijf in Beieren over.[14] In de loop der tijd gingen de zaken steeds beter en kwamen er fabrieken in Duitsland, Nederland en Italië. Toen Hitler aan de macht kwam, werd Momm lid van de NSDAP (Nationaalsocialistische Duitse Arbeiderspartij). In 1938 werd hij ondersteunend lid van de paramilitaire Schutzstaffel (SS).[15]

De aristocraat Dincklage, afstammeling van twee generaties officieren in het Duitse leger, nam dienst bij de militaire inlichtingendienst.[16] Zijn grootvader, luitenant-generaal Georg Karl von Dincklage, had tijdens de Frans-Duitse Oorlog (1870-1871) gevochten, toen het Duitse leger de troepen van Napoleon III versloeg en Elzas-Lotharingen annexeerde. Zijn vader Hermann was majoor van de cavalerie. Vader en zoon vochten tijdens de Eerste Wereldoorlog beiden tegen de geallieerden, Spatz aan het Russische front met zijn Königs-Ulanen-Regiment.[17] Dincklages Engelse moeder, Lorry Valeria Emily, was een zus van een hoge Duitse marineofficier, admiraal William Kutter.[18] Wat de Dincklages met veel

Luitenant Hans Günther von Dincklage (midden) en medeofficieren aan het Russische front, ca. 1917.

andere Duitsers, en zeker het Duitse officierskorps, gemeen hadden was een hang naar het *völkische*, een nationalistische, racistische krijgscultuur, die een dramatisch aspect had gekregen door het trauma van 1914-1918.[19]

Na de executie van tsaar Nicolaas II en zijn gezin in Sovjet-Rusland werd in Berlijn de revolutionaire KPD (Communistische Partij van Duitsland) opgericht. Dincklage sloot zich aan bij een groep Duitse officieren die samen met het ultrarechtse Freikorps (Vrijkorps) tegen de communisten vochten. In 1919 vermoordden leden van het Vrijkorps de intellectuele leidster van de Duitse communisten, Rosa Luxemburg. Later zou Hermann Göring de leden van het Vrijkorps 'de eerste soldaten van het Derde Rijk' noemen. Toen Heinrich Himmler jaren later hoofd van de SS werd, sprak hij lovend over het Vrijkorps: hun officieren zouden in de geest verenigd zijn met zijn SS.[20]

Volgens de Franse contra-inlichtingendienst werd Dincklage ergens na 1919 door de Duitse inlichtingendienst gerekruteerd als agent nr. 8680F, in dienst van de Weimarrepubliek.[21] Het parlementaire regime zou het tot maart 1933 volhouden, waarna de nieuwe, door de nazi's gedomineerde regering een eind maakte aan de Weimarrepubliek.

Dincklage was geknipt voor een carrière in de militaire inlichtingendienst en voor het werk van geheim agent. Hij sprak vloeiend Engels en Frans, bezat de onberispelijk goede manieren van de oude garde, gebruikte mannen en verleidde vrouwen zonder enige scrupules en zette zijn rekruten in als informanten en geheim agenten. Spatz Dincklage was een aantrekkelijke man, met blond haar, blauwe ogen, een gemiddelde lengte (1,75 m), elegante manieren en hoffelijkheid. Hij had een warme, hartelijke persoonlijkheid die beide seksen aansprak. Maar Spatz was geenszins de arische playboy die sommige biografen van hem hebben gemaakt. Hij was door zijn meesters in Berlijn getraind voor zijn taak als spion: hij was vindingrijk, oplettend, koel, gevoelig, invoelend en in staat om in zijn omgeving op te gaan. Hij liet niets merken van zijn eigenlijke bedoelingen en verleidde nuttige personen ertoe hun land te verraden door strategische en tactische informatie en documenten voor hem te verzamelen die de Duitse militaire inlichtingendiensten goed van pas kwamen.[22]

Hoewel hij een spion was, heeft Dincklage nooit echt gevaar gelopen in het Frankrijk van voor de Tweede Wereldoorlog, of later in Polen of Zwitserland. Aangezien hij onder de dekmantel van de Duitse diplomatie opereerde, genoot hij diplomatieke onschendbaarheid. Het ergste wat hem in vredestijd had kunnen overkomen was uitwijzing, maar noch de Fransen, noch de Zwitsers zagen er heil in een ruzie met het prikkelbare nazibewind uit te lokken door een van zijn diplomaten uit te wijzen.

In de winter en lente van 1919-1920 raakte Chanel in de ban van de pracht van Venetië. De stad, met slingerende kanalen en steegjes die uitkomen op schitterende, vaak zonnige *piazze* en *campi*, is in ieder jaargetijde een betoverende plek. Misia en José Maria Sert vertelden later dat Chanel er bad en huilde, verscheurd door verdriet en de vernederende wetenschap dat Boy Capels genegenheid niet slechts háár had gegolden; de Italiaanse gravin moet zeker zo hard gehuild hebben bij het nieuws. Isabelle Fiemeyer beschreef hoe Chanel in gebed verzonken was onder de koepel van de zeventiende-eeuwse Santa Maria della Salute, waar duizend kaarsen in het schemerdonker flakkerden en vijf door Titiaan geschilderde heiligen op haar neerkeken.[23]

Toen de winter overging in de lente, keerde Chanels levenslust weer terug. Onder invloed van het goede humeur van de Serts en de betovering van de stad bevrijdde ze zich van de zwartgallige, sombere stemming die bezit van haar had genomen.

In de turbulente overgangstijd van oorlog naar vrede werd de automobiel het betaalbare speeltje van de rijken en een gevaar voor voetgangers. President Woodrow Wilson kreeg de Nobelprijs voor de Vrede en Amerika werd drooggelegd. Horden welgestelde Amerikanen stortten zich op Parijs, Benito Mussolini maakte zijn entree in de Italiaanse politiek en het communisme en de Sovjetrevolutie infecteerden Europa en joegen de midden- en hogere klasse de stuipen op het lijf. In een Duits militair hospitaal in Pommeren herstelde een kleine man met een benepen snorretje intussen van de verwondingen aan zijn ogen die hij tijdens een gasaanval in Ieper aan het westelijk front had opgelopen. Zijn naam was Adolf Hitler.

Parijs was het epicentrum van de naoorlogse culturele aardbeving. De Fransen zouden deze periode *les Années folles* (de dwaze jaren) noemen, F. Scott Fitzgerald had het over de *Jazz Age* en Gertrude Stein en Ernest Hemingway over *the lost generation*. Chanel-biograaf Pierre Galante beschreef deze periode als 'de dwaze jaren, toen kunstenaars naar roem hunkerden en de gewone man vertier zocht; de vreugde in leven te zijn na de verschrikkingen van de oorlog die een einde zou maken aan alle oorlogen'.[24]

Tegen 1920 was Parijs een mekka voor iedereen die schreef, schilderde, componeerde en beeldhouwde. Beeldende kunstenaars, musici en schrijvers werden naar de stad, die nu in een jubelstemming verkeerde, getrokken. Ze wilden allemaal deel uitmaken van het nieuwe tijdperk, met volle teugen genieten van een bestaan dat overliep van vreugde, amusement en creatieve uitvindingen. De Parijse society ontmoette elkaar op terrassen, in ateliers en tijdens soirees met sprankelende gesprekken, muziek en een passie voor de kunst. De stad was 'de zwarte jaren vergeten'.[25] Fransen en expats zoals Hemingway smachtten naar iets nieuws. In de schilder- en beeldhouwkunst, in de conversaties en in de literatuur werd gehongerd naar oorspronkelijk werk. Schilders zoals Picasso, Modigliani, Braque en Marie Laurencin waren de rijzende sterren aan het firmament. Le Corbusier kwam met splinternieuwe opvattingen voor de woningbouw, Ravel en Stravinsky voor de muziek, Diaghilev en Nijinsky voor de dans, Gide, Cocteau en Mauriac voor de literatuur. De jazz symboliseerde de onbezonnen vrolijkheid van de Années folles, en met de geboorte van de massaproductie, de automobiel, de vrijgevochten *flapper girls* (charlestonmeisjes), de radio en sport voor de massa leek Utopia binnen handbereik. Rijke Europeanen ontwikkelden een credo van vooruitgang, ongebreideld individualisme en extravagantie. Het geld waarmee de zakken van de bourgeoisie waren gevuld vroeg erom uitgegeven te worden. In de Parijse wijken Montmartre en Montparnasse dronk en dineerde de schrijver Hemingway met zijn mede-expat Henry Miller; ze zogen de ambiance als sponzen in zich op en stopten er momentopnamen van in hun werk. Het echtpaar Fitzgerald arriveerde in 1921 in Frankrijk en verveelde zich dood. Zelda en Scott leerden nooit meer dan een paar woorden Frans en keerden in oktober 1921 naar huis terug, opdat hun kind in Amerika geboren zou worden. Een jaar later kwam *The Great Gatsby* uit en vestigden de Fitzgeralds zich alsnog in Parijs, waar ze in mei 1925 kennis zouden maken met Ernest Hemingway.

Het decennium had voor sommigen vreugde in petto, voor anderen verschrikkingen. In het geval van Chanel begonnen de jaren twintig met een familietragedie. Haar jongere zus Antoinette had in een brief haar hart uitgestort over haar mislopende huwelijk met een knappe Canadese officier. De man had Antoinette vanuit Frankrijk meegenomen naar een miserabel bestaan in het achterland van Ontario. De charmante, breekbare Antoinette, die aanbeden werd door Chanel, had haar zus nog geholpen de Chanel-boetieks op te zetten. Nu smeekte ze haar om geld te sturen, zodat ze terug kon naar Parijs. Ondanks het feit dat Antoinette duidelijk ongelukkig was, drong Chanel erop aan dat ze bij haar man bleef.

Maar in plaats daarvan nam Antoinette de benen met een jonge, knappe Argentijn, nog wel iemand die Chanel uit Parijs kende en die ze bij Antoinettes Canadese familie had aanbevolen. Ze hadden de man in huis genomen, en nu vluchtte Antoinette in 1920 met hem naar Buenos Aires, waar ze hetzelfde jaar nog stierf aan de Spaanse griep, die wereldwijd meer dan vijftig miljoen levens zou eisen.

Toen Chanel in het najaar van 1920 met Misia terugkeerde uit Venetië, werd ze al snel de drijvende kracht achter de mode van de Jazz Age. Ze was vastbesloten een revolutie te ontketenen in de damesmode. Chanel wilde af van de gepoederde glamourobjecten en in plaats daarvan

Chanel in 1920, het jaar waarin haar jongere zus Antoinette overleed aan de Spaanse griep.

soepele, slanke vrouwen die haar zwarte jurkjes droegen en een kast vol flexibele accessoires als de boa hadden. Ze zou een fortuin verdienen als het toonbeeld van vrouwelijke ambitie en emancipatie: vrij om geld te verdienen, te beminnen en te leven zoals ze wilde, niet meer onder de duim van welke man dan ook – 'bevrijd van vooroordelen en niet vies van homoseksuele avontuurtjes'.[26] Haar haute-couturekleding bewoog de *flapper girls* ertoe jurken met korte mouwen of zelfs mouwloze jurken te dragen en hun kousen tot net onder de knie af te stropen. Franse en Amerikaanse modebladen zoals *Mademoiselle*, *Femina* en *Minerva* roemden haar creaties: 'Chanel lanceert een verrukkelijk donkergroen sportief mantelpakje (...) lady Fellowes draagt een Chanel-jurkje van ruwe zijde in de Ritz (...) Chanel lanceert de japon van zwarte tule (...) Chanels creatie voor de avond: een witsatijnen kokerjurk met een geborduurde, met kraaltjes bezette mantel.'[27] Niettemin konden de critici venijnig uithalen: 'Vrouwen mogen niet meer bestaan (...) Wat rest zijn de jongens die Chanel heeft geschapen.'[28]

In *Harper's Bazaar* is Chanel te zien met een massa parels (een geschenk van groothertog Dimitri Pavlovitsj) en een korte, donkere tuniek met een plissérok. Op een andere foto heeft ze een huispyjama van zwarte zijde aan en bijt ze op een parel van haar halssnoer. Op weer een andere haalt ze het snoer tussen haar sensuele lippen door terwijl ze achteroverleunt in het exotische decor waar ze zo van hield: de coromandelschermen, het leer, de zijden en satijnen stoffen, gadegeslagen door een geelbruin met bronskleurig Chinees leeuwtje.

Chanel was altijd op zoek naar mannelijke veroveringen. Ze richtte haar pijlen op Igor Stravinsky, Pablo Picasso, de Russische groothertog Dimitri Pavlovitsj en Pierre Reverdy, de man van wie ze haar leven lang zou blijven houden, en hij van haar. Jammer genoeg heeft Chanel nooit wat met Ernest Hemingway gehad – misschien had zij 'Papa's' opgeblazen ego met haar vingernagels kunnen doorprikken. Hoe onafhankelijk Chanel, de creatieve motor, ook was, ze had het nodig bewonderd en bemind te worden. Altijd op zoek naar liefde, maar nooit bevredigd, kon ze niet zonder een man aan haar zij. Een van haar bon mots luidde: 'Wie zich niet bemind voelt, voelt zich afgewezen, ongeacht zijn of haar leeftijd.'[29]

Misia Sert beschouwde haar vriendin als een raadsel: 'Ze legde de rijke vrouw een duur soort eenvoud op... en verdiende er miljoenen mee. Chanels genie, haar generositeit, de façade van de selfmade vrouw, haar dodelijke sarcasme en haar wilde vernietigingsdrang waren angstaanjagend en intrigerend voor iedereen.'[30]

Of ze nu bang voor haar waren of niet, heel Parijs roemde haar talentvolle ontwerpen: haute couture voor vrouwen, kostuums voor het ballet en amusementsleven, accessoires en sieraden. De altijd pionierende Chanel creëerde een vrouwelijk personage dat de Parijse society nog niet eerder had meegemaakt.

Chanel verstond de kunst van het opklimmen op de maatschappelijke ladder, en de Parijzenaars smulden ervan. 'Een weeskind dat een thuis was ontzegd, zonder liefde, zonder vader of moeder (...) mijn eenzaamheid bezorgde me een meerderwaardigheidscomplex, het karige leven gaf me kracht, trots, de drang om te winnen en een passie voor grote daden (...) en toen het leven me weelderige elegantie en de vriendschap van een Stravinsky of een Picasso bracht, voelde ik me nooit dom of minderwaardig. Waarom? Omdat ik wist dat men in het gezelschap van zulke mensen slaagt.'[31] Dit was het beeld dat Coco van zichzelf had en de legende waarin ze de buitenwereld wilde doen geloven: het imago van een heroïsche Marianne die zich dapper verweert tegen ontmoedigende tegenslagen en daarmee roem, rijkdom, macht en de acceptatie van de elite verwerft.

Begin jaren twintig was Chanel niet meer een bekende zakenvrouw: ze was een gevierde mecenas. Ze medefinancierde *Le Sacre du Printemps*, een balletproductie van Sergej Diaghilev, en nam het gezin van de Russische componist en pianist Igor Stravinsky op in haar nieuwe huis, Bel Respiro, in de Parijse voorstad Garches. Als Chanel niet aan het stoeien was met Misia in haar nieuwe appartement op een steenworp afstand van de Champs-Élysées, dan was ze wel aan het flirten met Stravinsky. De chique flat in 20 Rue du Faubourg Saint-Honoré was door Chanel en Misia ingericht in verschillende tinten 'beige, wit en chocoladebruin'.[32] In haar designerwoning, met een tuin die zich tot aan Avenue Gabriel uitstrekte, schiep Chanel een ontmoetingsplek voor het culturele wereldje van Parijs – een grote stap vooruit ten opzichte van de dagen dat ze gewoon een gevatte gezelschapsdame in het 'cabaret' van Étienne Balsans landgoed Royallieu was. Het Parijse neusje van de zalm – kunstenaars, aristocraten, steenrijke, vaak beruchte personages uit de demi-monde – gaf acte de présence op haar lunches, diners en soirees. Chanels entourage begon de avond vaak met een drankje in Le Boeuf sur le Toit (De os op het dak), een etablissement op de rechteroever van de Seine in de Rue Boissy-d'Anglas, slechts een paar honderd meter van Chanels woning vandaan. Vanaf de dag dat Le Boeuf de deuren opende was het dé plek om je te vertonen. Het had een heel klein toneel, 'maar de grootste concentratie persoonlijkheden per vierkante meter'. Het café was het mekka van de Parijse creatieve elite, 'een plek waar mensen elkaar verwelkomden met een omhelzing en tegelijk een blik over de schouder van de ander wierpen om te zien wie er verder was (...) en waar gevatheid net zo verplicht was als champagne: "Een cocktail en twee Cocteaus."'[33] Daarna gingen Chanel en haar vrienden dan voor een souper naar Chanels huis of gingen ze dansen bij graaf De Beaumont.[34] 'Liefdesrelaties tussen schrijvers en kunstenaars (echte of would-be) en miljonairs begonnen en eindigden tijdens deze avonden. Ze dronken, dansten en beminden.'[35] En Chanel hield zich staande in dit gezelschap: de Serts, de Beaumonts, Stravinsky, Picasso, Cocteau, Diaghilev en Pierre Reverdy, een berooide moderne dichter, die bewonderd werd door kunstenaars en schrijvers zoals Jean Cocteau, Max Jacob, Juan Gris, Braque en Modigliani. Chanels nieuwe vrienden waardeerden haar 'talent, gevatheid en intelligentie (...) haar minimalistische

Sergej Diaghilev met Igor Stravinsky (1882-1971) in Sevilla in de tijd dat ze samenwerkten in de Ballets Russes, ca. 1923.

benadering van mode stond niet ver van hun abstracte ideeën over kunst af.[36]

Tussen 1921 en 1926 had Chanel een knipperlichtverhouding met Pierre Reverdy. In de loop der tijd rijpte hun relatie tot een diepe vriendschap die meer dan veertig jaar zou duren. Chanel diende de dichter vaak tot inspiratie: 'Je weet niet, lieve Chanel, hoe schaduwen het licht reflecteren; het is vanuit die schaduwen dat ik zo'n genegenheid voor je koester. P.'[37]

Maar Reverdy de estheticus, de dichtersdichter die Chanel verrukte met zinnen als 'wat zou er van dromen komen als de mensen gelukkig waren', vond de aardse dagelijkse wereld van Chanel moeilijk te verteren.[38] Nadat hij in het bijzijn van enkele vrienden een aantal manuscripten had verbrand, trok hij zich op 30 mei 1926 terug in een huisje vlak bij de benedictijnenabdij van Solesmes, waar hij meer dan veertig jaar bleef wonen met zijn vrouw Henriette.

Chanel hield van hem en hij van haar. Volgens Chanel-biograaf Ed-

*De Franse dichter, toneelschrijver en filmregisseur Jean Cocteau
(midden), met van links naar rechts Lydia Sokolova (geboren
Hilda Munnings), de Engelse danser en choreograaf Anton Dolin,
Leon Woizikowsky en Bronislava Nijinska na de eerste opvoering van
Le Train bleu in Groot-Brittannië, in het Coliseum Theatre in Londen.
Kostuums ontworpen door Chanel.*

monde Charles-Roux ging Reverdy, die zich dat jaar tot het katholicisme had bekeerd, in ballingschap omdat hij op zoek was naar inspiratie en God. Het was onvermijdelijk dat hun wegen zich scheidden.

Hoewel ze zich aanvankelijk gekwetst voelde, accepteerde Chanel haar lot na verloop van tijd. Echt kwijtraken zou ze Reverdy niet: af en toe kwam hij naar Parijs en op de een of andere wijze was hij er altijd voor haar.

Tijdens hun lange vriendschap schonk Chanel Reverdy kracht, vertrouwen in zijn creatieve talent en materiële bijstand. Ze was gul en tactisch. Ze kocht heimelijk zijn manuscripten op, financierde hem via zijn uitgever en stond garant voor zijn werk.[39] Ondanks haar eigen succes raakten Reverdy's donkerste angsten en sombere blik op het leven een melancholieke snaar in Chanel – een herinnering aan haar jeugd, want Reverdy, zoon van een wijnboer, was van haar eigen slag. Hoewel Reverdy voor een quasimonastiek bestaan had gekozen, leek hun relatie nooit te eindigen.

Reverdy was niet beschikbaar, maar de knappe Russische groothertog Dimitri Pavlovitsj wel. In 1916 was hij uit de gratie gevallen bij zijn nauwe verwant Nicolaas II, de tsaar van Rusland. Nicolaas was niet gecharmeerd van de langdurige homoseksuele affaire die de 21-jarige gardeofficier had met zijn aantrekkelijke, biseksuele, zich graag in vrouwenkleren hullende neef prins Felix Joesoepov. (Prins Felix koos Dimitri als handlanger bij de moord op Grigori Raspoetin, de Russische monnik die in hofkringen en het Russische parlement werd gevreesd om zijn invloed op de tsarina.)[40] Dimitri werd naar het Perzische front verbannen – achteraf gezien een geluk bij een ongeluk, een straf die hem waarschijnlijk het leven heeft gered, aangezien de chaos van de bolsjewistische revolutie van 1917 hem zo bespaard bleef. Uiteindelijk nam Dimitri de wijk naar Frankrijk, met medeneming van slechts weinig bezittingen, maar wél met een koffer vol kostbare sieraden, waaronder fantastische parelsnoeren. Sommige zouden om Chanels hals belanden en het begin van een nieuw modeaccessoire van Chanel inluiden: het imitatiesieraad.

Eenmaal in Frankrijk treurde de lange, elegante, graag drinkende Russische troonpretendent Dimitri Pavlovitsj samen met andere Russische ballingen over de uitroeiing van de Romanovs. Dimitri kon echter ook levendig en vol humor zijn. Zijn knappe trekken, groene ogen, lange Romanov-benen en charme verleidden Chanel. Hij was precies wat ze nodig had na Reverdy's intensiteit en een korte flirt met Stravinsky.

Toen de groothertog eind 1920 zijn entree deed in het intieme leven van Chanel, doopten Parijse grappenmakers haar nieuwe avontuur 'Chanels Slavische periode'. Als hommage aan haar nieuwe minnaar wilde Coco een authentieke Russische lijn creëren. Ze huurde Dimitri's zus, groothertogin Marie, en haar verbannen Russische adellijke vriendinnen in. De voormalige hofdames van de tsarina leverden borduur-

*Groothertog Dimitri, Chanels geliefde, in 1910. Dimitri hielp Chanel
bij de lancering van haar succesvolle parfum Chanel No. 5.*

en kraalwerk voor veel minder geld dan Franse naaisters ervoor vroegen.
Ze maakten verbluffende combinaties van borduur- en bontwerk, zoals
de met Russisch sabelbont afgezette witte mantel met borduursels die
Chanel zelf droeg in een nummer van het blad *Vogue* uit 1920.

Chanel breidde haar Slavische collectie uit met een component die
nog niet eerder vertoond was op het Europese vasteland: op de Russische
boerendracht geïnspireerde jurken, gedragen in combinatie met lange
parelsnoeren, sommige met een tuniek met een vierkante hals en half-
lange mouwen, oriëntaalse borduursels, capes van gebreide chenille en
een oogverblindende watervaljurk met kristallen en gitten. En voor wie
iets klassiekers zocht, bracht Chanel een moderne kledinglijn: wollen
tricots, japonnen van fijne Franse katoenen mousseline, tule voor overdag en lamé of lurexkant voor een avondje uit – allemaal erg chic. Net
als haar eerdere jerseylijn was Chanels 'Russische look' een groot succes.
De lijn verkocht zo goed dat Chanel algauw vijftig Russische naaisters
en daarnaast ontwerpers en technici in dienst had, die allen onder haar
kritisch oog in het inmiddels uitgebreide atelier in de Rue Cambon
werkten.

De groothertog schonk Chanel iets wat zeldzamer en kostbaarder was dan een parelsnoer. Net zoals Boy Capels gebreide Engelse truien Chanel op het idee hadden gebracht ook zoiets voor vrouwen te maken, hielp Pavlovitsj haar bij het creëren van de Russisch-Slavische collectie – en van een parfumlijn.

Tijdens de Eerste Wereldoorlog vertrouwden vrouwen voor persoonlijke hygiëne nog op de loogzeep die hun grootmoeders ook gebruikten. Later gebruikten ze geuren die uit verschillende bloemensoorten werden gewonnen – viooltjes, rozen, oranjebloesem, jasmijn – of van dierlijke oorsprong waren. Als ze wat mondainer waren en een avondje uitgingen, poederden ze hun gezicht en deden een bloemig geurtje op. Mannen gebruikten Bay Rum- of Roger & Gallet-eau de toilette, die gul werd aangebracht om nare geurtjes te maskeren. In Parijs deed nu het gerucht de ronde dat Chanel een 'geheime, fantastische eau Chanel' op de markt zou brengen. Het geheim zou al bekend zijn geweest bij de vijftiende-eeuwse Medici's uit Florence. Vrouwen dachten dat de geparfumeerde vloeistof hun huid jong zou houden, terwijl mannen er scheerwondjes mee aanstipten.[41]

Jongere Françaises waren tegen die tijd al gezwicht voor Chanels zwarte jurkjes, truien en korte plissérokken, dus waarom zou ze geen nieuwe geur koppelen aan wat al in de mode was? Een vrouw die een geurpareltje aanbracht achter haar oor, op haar pols of in de welving van haar hals ging het immers om de zoete geur van succes. Die actie belichaamde de woorden van de dichter Paul Valéry: 'Een vrouw die geen parfum gebruikt, heeft geen toekomst.' Waar het om ging was: weten hoe je je moest kleden en de duizend-dollar-allure van een Parijse gastvrouw uitstralen.

Met behulp van Dimitri en een bevriende Russische chemicus ging Chanel aan de slag en bedacht een geur die deel zou worden van de folklore van het interbellum: een welriekend embleem voor *les garçonnes*, de geëmancipeerde 'jongensmeisjes' met hun unisexallure, die de tango en de charleston dansten, soms opium rookten en de kunst van Cocteau en Picasso omarmden. Deze vrouwen hadden korte, mannelijke kapsels, droegen herenjasjes, dassen, culottes en mouwloze hemdjurkjes, die voor die tijd choquerend kort tot net over de knie reikten en charlestonfranjes hadden. Het juiste parfum zou inderdaad een perfect geheel kunnen vormen met make-up, snelle auto's, sport, reizen en de charleston.

De kenmerkende flacon van Chanel No. 5 in een illustratie van de Franse tekenaar SEM (Georges Goursat), ca. 1921. De fles werd in 1959 in de collectie van het New York Museum of Modern Art opgenomen.

Toen Dimitri Chanel voorstelde aan Ernest Beaux, een van zijn uitgeweken Russische vrienden en de voormalige officiële parfumeur van de tsaar, was een nieuwe modeonderneming geboren. De in Moskou geboren Beaux was St.-Petersburg na de Oktoberrevolutie van 1917 ontvlucht om tegen de 'roden' te vechten. Hij had zich aangesloten bij het antibolsjewistische leger van Wit-Rusland en was in het hoge noorden beland, vlak bij de poolcirkel, waar de zon rond middernacht scheen en waar de meren en rivieren een verfrissend parfum ademden. In Frankrijk was hij al snel een gerespecteerd chemicus en specialist in het samenstellen van exotische geuren. Beaux was op dat moment juist aan het experimenteren met synthetische verbindingen die de natuurlijke mengsels moesten versterken. In zijn laboratorium in de Zuid-Franse stad Grasse, die bekendstond als het parfumcentrum van de wereld, verrichtte Beaux onder het wakend oog en het verfijnde reukvermogen van Chanel wonderen. Hij was er zeker van dat hij de frisheid van een zonnige pooldag in zijn reageerbuisjes kon vangen.

Chanel vond de destijds gangbare parfums van viooltjes, rozen en oranjebloesem in extravagante flacons banaal. Ze zei tegen Beaux dat ze een parfum wilde waar alles in zat – een geur die de vrouwelijkheid van de vrouw zou oproepen. Beaux had het geniale idee synthetische componenten zoals aldehyde toe te voegen, die de natuurlijke ingrediënten versterkten en het parfum stabiliseerden. Zo bleef het langer boven de huid hangen, in tegenstelling tot puur natuurlijke geuren.

In 1921 liet Beaux Chanel twee geurenreeksen keuren, genummerd van 1 tot 5 en van 20 tot 24. Chanel koos als eerste het tweeëntwintigste monster uit, dat nadien ook op de markt werd gebracht. Maar de geur die haar écht verrukte was nummer vijf: die zou ze tegelijk met haar collectie van 1921 uitbrengen, besloot ze. Het nieuwe parfum kreeg de naam 'Chanel No. 5'.

De formule voor Chanel No. 5 is nog steeds geheim; slechts een handvol ingewijden is op de hoogte. Wel is duidelijk dat hij buitengewoon complex is: het parfum is samengesteld uit ongeveer tachtig ingrediënten. Het belangrijkste is de jasmijn van zeer hoge klasse, die alleen in Grasse te krijgen is.

Chanel verwierp het soort barokke flacons dat haar concurrenten gebruikten: voor haar geen cupido's of bloemige vormen. In plaats daarvan koos ze een geometrische, vierkante, minimalistische flacon: haar moderne verpakkingsconcept.

De naam die Chanel koos, haar geluksgetal 5, was revolutionair. Hij was veelzijdig en riep de vijfkoppige goden van het hindoeïsme of de vijf visioenen van Boeddha in gedachten. (Chanel zou het getal 5 keer op keer eren. Zo werden haar collecties zonder uitzondering op 5 februari en 5 augustus aan het publiek gepresenteerd.)

Voor de promotie van haar nieuwe uitvinding vertrouwde Chanel met ware boerenslimheid op mond-tot-mondreclame. Ze testte Chanel No. 5 uit door vrienden uit te nodigen voor een diner in een duur restaurant nabij Grasse. Telkens wanneer er gasten langs hun tafel wandelden, kneep ze heimelijk in een verstuiver, en elke keer weer reageerden de gasten aangenaam verrast. Chanel keerde tevreden naar Parijs terug en lanceerde haar nieuwe onderneming in alle rust. Ze zei er niets over tegen de pers, maar gebruikte de geur zelf, spoot de kleedkamers ermee in en deed wat flacons cadeau aan high-societyvriendinnen. Al snel had heel Parijs het erover.

Chanel gaf Beaux opdracht het parfum in productie te nemen. 'Het succes was boven alle verwachting,' zei Misia Sert later, 'alsof je een loterij wint.'[42] Beaux' luchtje, een parfum voor vrouwen met een geur die bedoeld was voor vrouwen, werd in een art-decoflacon gestopt, voorzien van een etiket met de aanduiding 'No. 5' en twee verstrengelde, gespiegelde C's, en op 5 mei 1921 officieel gelanceerd in de boetiek van Chanel in de Rue Cambon. De creatie van Chanel en Beaux zou de wisselvallige jaren van de Grote Crisis en de Tweede Wereldoorlog doorstaan. Chanel No. 5 was een geur waarvoor grootmoeders en moeders met liefde een klein fortuin neertelden en waarvan jonge vrouwen hoopten dat ze hem ooit zouden kunnen betalen.

De volgende drie jaar slaagde Chanel erin haar parfum met behulp van groothertog Dimitri als luxegeur te promoten. Al snel daagde echter het besef dat ze haar bescheiden onderneming moest uitbreiden, wilde ze de groeiende vraag naar No. 5 kunnen uitbuiten.

En zo doste Chanel zich op een zondag in het vroege voorjaar van 1923 uit voor een dagje op de Hippodrome de Longchamp in het Bois de Boulogne, waar de Seine zich rond de westrand van Parijs plooit. De renbaan was en is nog steeds een elegante ontmoetingsplek, waar men op zondag naartoe ging om te kijken en bekeken te worden, om de 'pony's' over de baan te zien rennen en chic te dineren na op het paard van een 'gentleman-eigenaar' gewed te hebben.

Chanel kwam die middag echter niet voor de paarden, maar voor Pierre Wertheimer en zijn geld. Théophile Bader, die contact hield met 'de wereld van de opsmuk', had de afspraak geregeld. Bader, de kroonprins van de Franse detailhandel en eigenaar van het beroemde Parijse warenhuis Les Galeries Lafayette, wilde zich verzekeren van een regelmatige levering van het parfum uit het laboratorium van Beaux, en wel zo veel dat hij zijn klanten tevreden kon stellen. 'U hebt een parfum dat een veel grotere markt verdient. Ik wil u aan Pierre Wertheimer voorstellen, de eigenaar van de Bourjois-parfums. Hij heeft een grote fabriek in Frankrijk en een belangrijk distributienetwerk,' liet hij Chanel weten.[43] (Het is niet bekend of Bader aan Chanel heeft verteld dat de Wertheimers zijn zakenpartners waren.)

Chanels gesprek met Pierre Wertheimer op Longchamp schijnt kort en bondig te zijn geweest: 'U wilt parfums voor mij produceren en distribueren?'

'Waarom niet?' luidde het antwoord. 'Maar als u wilt dat het parfum onder de naam Chanel wordt gemaakt, dan moeten we een vennootschap aangaan.'[44]

In de tijd die nodig was om de juridische kant van de zaak af te ronden droeg Chanel de eigendoms- en productierechten van de Chanel-parfums, inclusief de formules en methoden die voor de door Beaux ontwikkelde geuren werden gebruikt, over aan het nieuwe Franse bedrijf Les Parfums Chanel SA. In ruil daarvoor werd Chanel president van de nieuwe onderneming, met een belang van tweehonderd volgestorte aandelen met een waarde van elk vijfhonderd Franse francs. Haar eigendomsrecht vertegenwoordigde tien procent van het volgestorte kapitaal. Ze kreeg ook tien procent van het kapitaal van alle bedrijven buiten Frankrijk die haar parfums maakten. Het grootste deel van het resterende kapitaal, zeventig procent van de uitstaande aandelen, ging naar de Wertheimer-clan, die de productie zou financieren en garant stond voor de wereldwijde distributie van het parfum vanuit zijn zakelijke hoofdkwartier in New York. Baders gevolmachtigden Adolphe Dreyfus en Max Grumbach ontvingen twintig procent van de aandelen. Men kan zich afvragen of Chanel wist dat Bader in feite een soort vindersloon kreeg via deze tussenpersonen.

Chanels nonchalance ten aanzien van de deal die ze met Pierre Wertheimer sloot en het feit dat ze haar contracten liet opstellen door de advocaat van de Wertheimers balanceren op het randje van commerciële roekeloosheid. Misschien lag ze na haar hopeloze relatie met Pierre Reverdy en de verse breuk met groothertog Dimitri gewoon te zeer overhoop met zichzelf om serieus aandacht te besteden aan de zaak. Hoe het ook zij, tussen 1923 en 1937 zat Chanel gevangen in een wervelwind van hyperactiviteit. Ze was 'Mademoiselle Ballet': ze gooide haar creatieve energie in het ontwerpen van kostuums voor Sergej Diaghilevs balletten – *Le Train bleu*, *Orphée*, *Oedipe roi* – en talloze andere theaterpro-

*Pierre Wertheimer, de jongste van de gebroeders Wertheimer, in 1928.
De familie verwierf een meerderheidsbelang in Chanels
parfumonderneming in 1924.*

ducties, vaak met een choreografie van Diaghilev en Vaslav Nijinski.
Haar kostuums voor *Le Train bleu* gingen prachtig samen met de subtiele seksuele grensoverschrijdingen in de dans, waarin gespeeld werd
met genderstereotypen, androgynie en homoseksualiteit, en waarin nu
eens vrouwen masculine trekken kregen. Het ballet was een openlijke

De dichter Pierre Reverdy in 1940. Chanel hield zeer veel van hem;
ze bleven ruim vijftig jaar bevriend.

verkenning van avant-gardistische perversiteit – Chanel moet genoten hebben van haar betrokkenheid bij de productie.

Dankzij de productiecapaciteit, de marketingexpertise en het distributienetwerk van de Wertheimers was Chanel No. 5 tegen het eind van de jaren twintig een wereldwijd succes, en al helemaal aan de overkant van de Atlantische Oceaan. Het parfum zou het meest winstgevende item in Chanels explosieve carrière worden en een niet-aflatende geldstroom genereren, die zowel haar als de Wertheimers een fabelachtige rijkdom zou bezorgen. Toch zou er nog een wereldwijde crisis en later een oorlog overheen gaan voor het economische belang en de complicaties van haar alliantie met de Wertheimers tot Chanel doordrongen. Toen ze haar overeenkomst met de familie tekende, had ze er geen idee van – en dat kon ze ook niet hebben voorzien – dat Chanel No. 5 een bron van rijkdom zou worden.

Wie waren de Wertheimers? De joodse familie Wertheimer kwam uit de Elzas en was na de Duitse nederlaag in de Frans-Duitse Oorlog (1870-1871) verdeeld geraakt. Émile was in Elzas gebleven, dat nu deel uitmaakte van het verenigde Duitse Rijk. Julien en Ernest Wertheimer behoorden tot de Elzassers, vijftien procent in totaal, die voor de Franse nationaliteit hadden gekozen. Ernest was de 'neus'. In 1898 had hij E. Wertheimer & Cie. opgericht en met Julien aan zijn zijde een meerderheidsbelang verworven in A. Bourjois & Cie., de fabrikant van *poudre de riz* Bourjois (gezichtspoeder), zeep en andere schoonheidsproducten, die wereldwijd werden afgezet. De broers verwierven ook een productiefaciliteit in Pantin, dicht bij de slachthuizen van de Parijse voorstad La Villette, die bekendstond als 'de stad van het bloed'. Wrang genoeg zouden tijdens de Duitse bezetting van Parijs vele duizenden mannen, vrouwen en kinderen door de Franse en Duitse politie vanaf het spoorwegemplacement van Pantin naar Duitsland worden afgevoerd, een gewisse dood tegemoet.

Kort daarop investeerden de broers, net als andere Franse joden, in Les Galeries Lafayette, een warenhuis dat met veel succes zou worden bestierd door Théophile Bader, eerst op de Boulevard Haussmann in Parijs en later ook in andere Franse steden. De Bourjois-producten voor dames en heren waren zeer welkom op de planken van de Galeries.

Chanel was geen gewiekste zakenvrouw. Alleen al het idee van commercie, contracten en papierwerk vond ze 'doodsaai'. Ze zou de rest van haar leven een chaotische haat-liefdeverhouding met de geslepen zakenman Pierre Wertheimer hebben. Ze zou gaan geloven dat ze was uitgebuit en op klagende toon zeggen: 'Hij heeft me genaaid', om er op een typische Chanel-manier fluisterend aan toe te voegen 'die schat van een Pierre'.[45] Vier jaar na het tekenen van de overeenkomst met de temperamentvolle modeontwerpster namen de Wertheimers een advocaat in de arm om de contacten met Chanel te onderhouden, zodat zij zelf op afstand konden blijven.

Niettemin had Chanel, de armlastige pupil van de nonnen van de Congregatie van het Heilig Hart, een goudader aangeboord in de een-enveertigjarige Paul en de zesendertigjarige Pierre. De twee broers hadden tussen 1905 en 1920 wereldwijd ongeveer honderd distributiepunten voor hun producten opgezet.

Hoewel ze van haar nieuwe faam en rijkdom genoot, moest Chanel nog geaccepteerd worden door de hoogste Franse kringen en was ze nog niet 'gezalfd' door de Engelse *royals*. Ze was nog steeds een persoon die zich door haar promiscuïteit buiten de beschaafde kringen plaatste, ondanks het feit dat ze sinds 1910 'een revolutie had ontketend in de Franse mode'.[46] Haar amoureuze activiteiten konden Pierre Wertheimer niets schelen. Hij was volledig op de hoogte van de roddels die over haar de ronde deden. Pierre was heimelijk verliefd op Gabrielle Chanel, die op haar vierenveertigste nog onweerstaanbaar was en er tien jaar jonger uitzag. Ondanks de ruzies, juridische gevechten en problemen die nog zouden volgen, zou Pierre de rest van zijn leven gecharmeerd blijven van Chanel. Uiteindelijk zou hij haar reddende engel zijn.

In de winter van 1924-1925 reisde Chanel met Sarah Gertrude Arkwright Bate naar Monte Carlo. Sarah, die door iedereen Vera werd genoemd, was door haar moeder in de steek gelaten, waarna ze het surrogaatkind was geworden van Margaret Cambridge, de markiezin van Cambridge, een dochter van de hertog van Westminster en een nauwe verwante van koning Edward VII en sir Winston Churchill. Vera had vanaf haar kindertijd nauwe betrekkingen gehad met de Britse koninklijke familie. Ze had Chanels aandacht getrokken met haar knappe uiterlijk, lichte huid, voorname houding en Engelse connecties. Niemand viel zo in de smaak bij de Londense high society als zij. Als jonge vrouw had Vera talloze bewonderaars, een hele stroom van Archies, Harolds, Winstons en Duffs aan haar zijde. Chanel huurde deze vijfendertigjarige lieveling van de Engelse koninklijke familie in om voor haar modehuis de public relations in de hogere kringen van Londen en Parijs te verzorgen.

De Côte d'Azur was een levendige, bruisende plek om kerst en oud en nieuw te vieren. Rijke Europeanen van het vasteland gingen er informeel om met de Engelse elite, met de Churchills en de Grosvenors, die tijdens de economisch voorspoedige *twenties* van een ongehoorde luxe genoten in badplaatsen als Monte Carlo, Deauville en Biarritz. Paul en Pierre Wertheimer gaven de voorkeur aan de renbanen van Tremblay, Ascot en Longchamp. Het was een voorspoedig jaar geweest voor de broers: hun investering in Félix Amiot had zich uitbetaald toen de Franse regering Amiots bedrijf nationaliseerde, wat de Wertheimers een onverwacht grote winst van veertien miljoen francs had opgeleverd. (Amiot, een toekomstige zakenpartner, zou het fortuin van de Wertheimers in de slechte tijden die nog wachtten veiligstellen.)

Een jaar eerder, in 1923, had Adolf Hitler met de zogenoemde Bierkellerputsch gepoogd de macht in Duitsland te grijpen. Dat was mislukt: Hitler was gearresteerd, berecht voor hoogverraad en tot vijf jaar gevangenisstraf veroordeeld met de mogelijkheid tot voorwaardelijke vrijlating na negen maanden.

In cel 7 van de gevangenis van Landsberg dicteerde Hitler een deels biografische, deels politieke verhandeling aan zijn volgelingen. *Mein Kampf* (dat als 'Mijn strijd' of 'Mijn kamp' kan worden vertaald) verhaalde van Hitlers 'vierenhalf jaar [strijd] tegen leugens, domheid en lafheid'. Het eerste deel, dat begin 1925 zou verschijnen, werd de bijbel van de Duitse nationaalsocialistische beweging, de NSDAP, met het credo van de nazi's: nationalisme, antisemitisme en anticommunisme. Hitler zou de partij hetzelfde jaar nog reorganiseren. Zijn vaak briljante redevoeringen vonden steeds meer gehoor bij miljoenen Duitsers en Oostenrijkers, onder wie veel ontevreden veteranen uit de Eerste Wereldoorlog. Enkele maanden later, in 1926, zou Joseph Goebbels tot gouwleider van Berlijn worden benoemd.

Terwijl Frankrijk en Groot-Brittannië in 1924 vrolijk Kerstmis vierden, begon de Duitse maatschappij steeds meer scheuren te vertonen door de chaos en de hyperinflatie. In 1919 was een Amerikaanse dollar 5,20 Duitse marken waard; in december 1924 waren dat er 4,2 biljoen. Voor een brood moesten nu een onvoorstelbare 429 miljard Duitse marken worden neergeteld. Een kilo verse boter kostte 6 biljoen mark. Pensioenen werden waardeloos. Steeds meer werknemers wilden per dag uitbetaald worden, opdat hun loon niet de volgende dag al gedevalueerd zou zijn. Duizenden mensen werden dakloos. De Duitse cultuur stortte ineen, en met haar de Duitse middenklasse.

3

Coco's gouden hertog

Mademoiselle is meer dan een Grande Dame, ze is een
Monsieur.

– FRANSE *VOGUE*, MAART 2009[1]

De affaire begon toen Vera Bate tijdens de kerstperiode van 1923 voor
cupido speelde. Ze smeekte Chanel haar te vergezellen naar een diner
dat haar jeugdvriend gaf, de hertog van Westminster. Het zou gehouden worden op zijn zeiljacht in de haven van Monte Carlo. (Eén biograaf beweert dat de hertog Vera royaal heeft betaald voor deze intro-
ductie.)[2] Chanel wees de uitnodiging bits af, maar toen kwam haar
vriend groothertog Dimitri op bezoek, die Chanel op haar nummer zette: 'Ik zou het niet erg gevonden hebben om op het jacht uitgenodigd
te worden.' Een paar avonden later werden Vera en Dimitri met Chanel
in hun kielzog – die wellicht veinsde dat ze er geen zin in had – naar
de schoener Flying Cloud overgezet. Het jacht, dat op een zeventien-
de-eeuws piratenschip leek, was gedecoreerd met schitterende kerstversiering.

Een voor de gelegenheid ingehuurd zigeunerorkest speelde terwijl de
hertog Chanel rondleidde over zijn viermaster met het geschrobde dek
van wit eiken en smetteloos witte zeilen. Benedendeks bevonden zich
de hutten, in de stijl van een Engelse cottage, met grenen en eiken pa-
nelen en ingericht met Queen Anne-meubilair en handbedrukte gordijnen. Aan de scheepswanden hingen fraaie schilderijen en prenten. Het
decor paste bij Bendor, geboren Hugh Richard Arthur Grosvenor. Bendor was één meter tachtig lang en breed gebouwd. Hij was een oorlogs-

held, een ruiter die graag op herten en wilde zwijnen joeg en een altijd charmante gastheer, met onberispelijke manieren en zeer veel geld. Langzaam maar zeker zou de hertog Chanel voor zich winnen.

Het is niet moeilijk zich voor te stellen waarom Bendor zich tot Chanel aangetrokken voelde: ze was tenger, had een olijfkleurige huid, was geraffineerd, geestig en slim, en had een scherpe tong. Met haar tweeenveertig jaar speelde ze nog vaak de sexy stoeipoes en straalde ze een weelderige eenvoud uit. Ze was zonder meer partij voor iemand die zijn charmes inzette bij zowel de strengere Engelse dames als de meer welwillende meisjes.

Tijdens een luisterrijk diner dansant in een variétérestaurant in Monte Carlo had Bendor deze vrouw opgemerkt die om mannelijke aandacht vroeg: haar neusvleugels wijd opengesperd in een plotselinge furie, haar raspende stem steeds luider, om weer in een toegeeflijke onverschilligheid terug te vallen. Soms poeslief, dan weer verleidelijk, vaak een feeks – Chanels stemming kon nogal eens omslaan. Bendor kreeg weke knieën van haar. Later omschreef ze hem als 'een zeer gulle en hoffelijke man, zoals veel goedgemanierde Britten – tenminste, tot ze in Frankrijk zijn aangekomen. De beschaafdheid zelve als er dames in de buurt waren – en als die er niet waren: een vlegel en een gewiekste jager (...) hij had mij tien jaar in zijn greep.'3

Chanel was druk met het ontwerpen van kostuums voor *Le Train bleu*, een dansopera van Diaghilev en Cocteau, die zijn debuut zou hebben bij de Ballets Russes in Parijs. Aan boord van de Flying Cloud met zijn kerstversiering moeten Bendor en zijn gasten het wel over Cocteaus denkbeeldige blauwe trein gehad hebben. De plot van de opera had alles in zich wat de hertog behaagde – hij hield van zowel Parijs als de Rivièra en zou een paar maanden later naar het ballet gaan en de kostuums van Chanel bewonderen.

De echte trein was eigendom van de Franse spoorwegen, die een lijndienst boden aan de Britse en Franse elite die het grauwe, natte, koude Londen of Parijs wilde ruilen voor de zonovergoten Côte d'Azur. Het stuk van Cocteau ging over romances aan zee, gigolo's en hun vrouwen; ze waren door Chanel in strandkledij, tennis- en roeioutfits, golfbroeken en gestreepte truien gestoken. De cast danste op muziek van Darius Milhaud; de decors waren van Henri Laurens, het doek was het werk van Pablo Picasso. De hele productie was bedoeld als nieuwe kunst en puur vermaak.

De vakantie was snel voorbij. Chanel en Vera keerden naar Parijs terug om Chanels voorjaarscollectie en de kostuums voor *Le Train bleu* af te maken. Coco bleef volhouden dat ze geen tijd had voor Bendor, of hield dat in ieder geval Vera voor, die nog steeds optrad als koppelaarster van de hertog. Vanuit Eaton Hall, het enorme landgoed van Bendor in het dorp Eccleston bij het Engelse Chester, maakte de hertog Chanel het hof met *billets-doux* die door zijn lakeien naar Parijs werden gebracht, samen met mandjes aardbeien, krokussen, gardenia's en orchideeën, allemaal door hemzelf geplukt in de kassen en tuinen van Eaton Hall. Hij overlaadde haar zelfs met verse Schotse zalm, die hij op zijn eigen landgoed ving en naar Parijs liet vliegen.

Niet lang na hun uitstapje met Bendor in Monte Carlo, en ondanks het feit dat Bendor Chanel van een afstand hartstochtelijk het hof bleef maken, regelde Vera een afspraakje voor Chanel met een knappe, ietwat verwijfde dertigjarige vriend van Bendor, tevens Vera's neef en jeugdvriend: de blauwogige Edward, Prince of Wales. Op de avond voor Goede Vrijdag ontmoetten Chanel en de kroonprins elkaar tijdens een gedenkwaardig diner, gegeven door markies Melchior de Polignac en zijn vrouw Nina Crosby. Het diner vond plaats in Chez Henri, een chic restaurant in Parijs, bij de Cercle Gaillon, achter de Parijse Opéra. Chanel bracht opnieuw iemand het hoofd op hol. Edward, bij familie en goede vrienden bekend als 'David' of 'Bunny', werd smoorverliefd en smeekte Coco om hem 'David' te noemen.

De volgende avond, een paar uur vóór een ander diner waar ze beiden voor waren uitgenodigd, kwam David bij Chanel langs voor een cocktail. Jaren later benadrukte Diana Vreeland, ooit de hoofdredactrice van *Vogue*, dat de 'hartstochtelijke, doelbewuste, vurig onafhankelijke en vrijwel onbereikbare Chanel' en de Britse kroonprins 'een romantisch moment hadden samen'.[4]

Maar Bendor gaf het niet op. De hertog, die zelfs de meest geduchte tegenstander kon verslaan, verscheen een paar weken later in Parijs, op een avond vroeg in de lente. Joseph, de butler van Chanel, deed open en zag een enorm boeket bloemen waarachter het gezicht van de bezorger schuilging. Volgens de overlevering zei de butler, terwijl hij in zijn zakken naar kleingeld zocht, tegen de bezorger: 'Zet daar maar neer.' Toen hij zich naar de man draaide om hem zijn fooi te geven, herkende hij de hertog van Westminster.[5] Niet lang daarna, ongetwijfeld aangespoord door Bendor, ging kroonprins Edward bij Chanels appartement aan de Rue du Faubourg Saint-Honoré langs om een goed woordje voor Bendor te doen.

Chanel had nog steeds haar bedenkingen over Bendor. Ze zei tegen lady Iya Abdy: 'Ik werd bang van de hertog.' Chanel wist van zijn seksuele escapades – en zij wilde dat er van haar werd gehouden als van een gelijke. 'Ik ben niet zo'n vrouw die aan verschillende mannen toebehoort.'[6]

Vera Bate introduceerde Chanel bij de beau monde rond de Engelse koninklijke familie: de hertog van Westminster, kroonprins Edward, Winston Churchill en de crème de la crème van de Engelse samenleving die toegang had tot Buckingham Palace. Chanel en Bendor, twee zeer verschillende mensen, mijlen van elkaar verwijderd, vaak antagonistisch, stonden op het punt een avontuurlijke liefdesrelatie van vijf jaar aan te gaan. Chanel was 'een soort assepoester (...) een flirt (...) die deed of ze helemaal op je gefixeerd was, en dan opeens: pfft! Weg was ze!'[7] Bendor was 'de boekanier op zoek naar avontuur (...) een man die zijn echtgenotes en zijn vrouwen liefhad – maar die vooral de liefde liefhad'.

Chanel was er maar al te zeer van doordrongen hoe de conventionele Franse samenleving haar zag en kwaadsprak over haar. Voor deze Fransen was ze 'de voormalige demi-mondaine' die werd onderhouden door groothertog Dimitri, terwijl ze het tegelijk openlijk aanlegde met Franse politici, met de Engelse kroonprins Edward en (volgens een Frans politierapport) met Harold Harmsworth, lord Rothermere, die samen met zijn broer Alfred eigenaar was van de Londense *Daily Mail*.[8] In een van haar vele sarcastische buien zei Chanel tegen haar vrienden: 'Ik wilde een vrouw met een harem zijn, en van mijn drie "kerels", de prins van Wales, groothertog Dimitri en de hertog van Westminster, verkoos ik de man [Bendor] die mij zou beschermen – de eenvoudigste man.'[9]

Laat in het voorjaar van 1924 gingen Bendor en Chanel stiekem aan boord van de Flying Cloud, die voor anker lag in de haven van Bayonne aan de Golf van Biskaje. Ze zou later van hun eerste dagen samen zeggen: 'Hij had een jacht, en dat is ideaal als je ervandoor wilt gaan om een liefdesaffaire te beginnen. De eerste keer ben je nog onhandig, de tweede keer kibbel je wat, en als het de derde keer niet goed gaat, kun je bij een haven uitstappen.'[10] Die eerste dagen moeten fantastisch zijn geweest, want Bendor had een betoverende wereld geschapen. Toen ze de Middellandse Zee bereikten, werd er een orkest uit Monte Carlo aan boord gehaald, zodat ze iedere avond konden dansen – iets waar Bendor gek

Lady Dunn met Chanel en hond Gigot, ca. 1926.

op was. Hij bedolf Chanel onder de edelstenen en andere cadeaus. Chanel vertelde een vertrouwelinge: 'Ik hield van hem, of dacht dat ik van hem hield, wat op hetzelfde neerkomt.'[11]

De buitensporige rijkdom van Bendor maakte hem zeker aantrekkelijker voor Chanel. Deze neef van koning George v bezat Eaton Hall, een landgoed van vierenveertighonderdvijftig hectare, waar een leger aan hoveniers het hele jaar door rozen, anjers, orchideeën en exotische vruchten en groenten cultiveerde. Een spoorlijntje door het landgoed stond in verbinding met het hoofdspoor. Bendor had zelfs een eigen trein, die van Eaton Hall naar Londen reed, waar hij Grosvenor House bezat (later verhuurd aan de ambassade van de Verenigde Staten) en Bourdon House. Daarnaast betrok hij inkomsten uit huizen rond Kensington Gardens, eveneens in Londen, en uitgestrekte pachtgronden in Australië en Canada.

Voor zijn zeereizen kon Bendor kiezen tussen de Cutty Sark, een omgebouwd marineschip, en de ruime schoener Flying Cloud. Hij bezat renstallen, jachthuizen in Schotland en Frankrijk, Rolls-Royces en Bentleys. Tot de familiejuwelen behoorden de Westminster-tiara en de Arcot-diamanten.

Bendor was, net als zijn levenslange vriend Winston Churchill, geboren in een wereld waarin de Britse edelen als een soort halfgoden werden beschouwd (ook door henzelf). Hij en andere telgen uit de landadel groeiden op met de wetenschap dat ze later het grootste rijk ter wereld zouden besturen.

Een van Bendors vriendjes, ook van adel, omschreef de hertog als 'een vrolijke kerel, net een newfoundlander-puppy, die erg van luidruchtig vermaak en sport houdt, met paarden, auto's en dames. Het snelle leven doet hem duidelijk goed, want hij blaakt van gezondheid en kracht.'[12] Churchill vond dat Bendor 'uitmuntte in de jacht en alles wist over het gedrag van jachtdieren (...) tijdens de oorlog én de jacht een moedige metgezel (...) hij liep niet met zichzelf te koop en gaf niet veel om uiterlijk vertoon; hij was iemand die goed nadacht, wijs was en in staat een gedegen oordeel te vellen. Ik waardeerde zijn opinie ten zeerste.'[13]

Een Franse dame omschreef Bendor als 'een echte victoriaan die alleen oog had voor zijn jachtgeweer, zijn jacht-, spring- en renpaarden en zijn honden – terwijl de Engelse vrouw uit zijn tijd alleen maar kinderen hoefde te baren en haar meester moest behagen (...) een man die een suikerzakje in de hete koffie liet vallen en met een chronometer in de hand mat hoe lang het duurde voor de suiker gesmolten was (...) een man die er plezier in schepte om diamanten onder het kussen van zijn minnares te leggen (...) een man die vrouwen grof kon bejegenen'.[14]

Hoe Chanel vóór 1925 ook over het communisme mag hebben gedacht, Bendor bracht haar bij hoe slecht het was en versterkte haar antipathie tegen de joden. Hij rilde bij het woord 'marxisme'. Hij was ook notoir homofoob. Toen zijn homoseksuele zwager als leider van de Liberal Party vrije vakbonden bepleitte, verried Bendor zijn geaardheid aan koning George v, waardoor het huwelijk van zijn zuster kapotging, net als de politieke carrière van zijn zwager.[15]

Chanel kon zelf ook uitgesproken homofoob zijn. Zo zou ze, toen ze in de winter van 1946 in ballingschap leefde in het Zwitserse Sankt Mo-

Bendor, hertog van Westminster, en Chanel op de renbaan tijdens de Grand National, mei 1924. Chanels liefdesrelatie met Bendor duurde vijf jaar, hun vriendschap een leven lang. Ze waren beiden bang voor het communisme, antisemitisch en pro-Duitsland.

ritz, tegen Paul Morand gezegd hebben: 'Homoseksuelen? Hangen die niet altijd bij vrouwen rond: "Mijn popje, mijn schatje, mijn engeltje", hen continu wurgend met hun gevlei? Ik heb gezien hoe jonge vrouwen in het verderf zijn gestort door deze afschuwelijke nichten: drugs, echtscheidingen en schandalen. Ze laten geen middel onbenut om een concurrent uit te schakelen en wraak te nemen op een vrouw. Die nichten willen vrouwen zijn – maar daar zijn ze beroerd in. Ze zijn charmant!'[16]

In de zomer van 1924, toen Bendors tweede vrouw, Violet Rowley, officieel van hem scheidde, bracht Bendor Chanel naar Eaton Hall voor een seizoen vol soirees, tennispartijtjes, paardrijtochten op het platteland en

Een lachende Chanel (links) met Vera Bate (later Vera Lombardi),
ca. 1925, na een vispartij op het Schotse landgoed van Bendor.
Vera vertelde Winston Churchill dat ze Chanel in 1943 in Madrid bij de
Britten had aangegeven als nazi-agent.

ontspanning in de prachtige tuinen. De herfst werd doorgebracht met jagen in Frankrijk en zalm vissen in Schotland. Op de typische Chanel-foto's uit deze periode is een breed glimlachende vrouw van eenenveertig te zien; Chanel was zeven jaar jonger dan Bendor. Ze lijkt er, gehuld in haar eigen versie van de Fair Isle-trui, van overtuigd dat ze de beroemdste Engelse lords en lady's om haar vinger kan winden. Op een andere foto, genomen door baron Adolf Gayne de Meyer, de schepper van de Amerikaanse modefotografie, poseert ze met een 'prachtige' parelketting om – een cadeau van Bendor.[17] Op een foto in *Vogue* staat een glimlachende Chanel in een klassiek jersey pakje met een vestjasje, haar fraaie nek omhangen met parelstrengen.[18] Op een zeldzame foto rookt

Met Winston Churchill op Eaton Hall, het landgoed van de hertog van Westminster, begin winter 1929. Ze zouden levenslang bevriend blijven.

ze een sigaret – een gewoonte die ze nooit heeft opgegeven. (Ze rookte 'voortdurend' Camels, als ze die kon krijgen.)[19]

Op weer een andere foto poseren Chanel en Vera Bate in slobberbroeken en dikke tweedjasjes, net terug van het vissen. Ze aaien een jachthond. Chanel heeft een visharpoen vast, met een kurk op de punt.[20] Er bestaat ook een mooie foto uit november 1929 van Winston Churchill en Chanel, arm in arm tijdens een jachtpartij op Eaton Hall.[21]

Bendor en Chanel keerden vaak naar Parijs terug voor gala's en de opera. Toen de hertog zich liet zien op een repetitie van *Le Train bleu* schreef een roddeljournalist van de *London Star* in oktober 1924: 'Er doen allerlei geruchten de ronde over de toekomst van de hertog (...) toen de problemen tussen de hertog en zijn hertogin begonnen, werd beweerd dat de volgende hertogin een zeer mooi meisje zou zijn met vooraanstaande ouders (...) Nu gaat het verhaal dat het een slimme, charmante Française is die de baas is van een zeer exclusief modehuis in Parijs.'[22]

Wat de hertog wenste kreeg hij, en niets wat Chanel wilde werd haar ontzegd. 'Mijn echte leven begon met Westminster,' zei ze op een zwak moment. 'Eindelijk had ik een schouder om op te leunen (...) het woord "snobistisch" was hem vreemd. Hij was de eenvoud zelve.'[23] Zo'n dertien jaar eerder hadden Chanel en Étienne Balsan door het Forêt de Compiègne gereden, waar Chanel drie jaar als courtisane op het Château de Royallieu zou verblijven. Nu werd Coco ontvangen als de officieuze meesteres van Eaton Hall. Vera Bate was vaak in de buurt om haar vriendin wegwijs te maken in de Engelse manieren en gebruiken. Maar Chanel zou Chanel niet zijn geweest als ze niet iedereen Frans liet spreken – zelfs Bendor, die de taal met een afschuwelijk accent sprak – en zelf in het geheim Engels studeerde.

Het leven met Bendor leek, in ieder geval een tijdlang, één grote vakantie. Ze waren de hoffelijke gastvrouw en -heer van koninklijke introductiebals met vaak vijftig tot zestig gasten. Op deze muzikale diners speelde een orkest tot diep in de nacht, de orkestleden in rode jasjes en lakleren schoenen gestoken. Een bataljon aan bedienden en kamermeisjes, butlers, koks, keukenpersoneel, tuinlieden en begeleiders voor alle sporten werkte de klok rond voor de gasten van de hertog – niemand hoefde een vinger uit te steken op Eaton Hall. Percy Smith, Bendors strenge en veeleisende rentmeester, zwaaide de scepter over de vierenvijftig slaapkamers, de stallen en de zeventien Rolls-Royces. Hij was verantwoordelijk voor het personeel, het gebouw en de meesterwerken van Rubens, Rafaël, Rembrandt, Hals, Velázquez en Goya die er de muren verfraaiden.

Chanel deelde Bendors liefde voor paardrijden, jagen, vissen, zeilen en vrolijke feesten. In hun onophoudelijke zoektocht naar plezier negeerden Chanel en Westminster de onrusten onder de arbeiders in de tweede helft van de jaren twintig en de Grote Crisis van de jaren dertig – dat was allemaal helemaal niet interessant. Chanel was nu immers een lid van de bevoorrechte klasse. Voor de hertog, Chanel en hun kliek speelde het orkest gewoon door. Ze gingen net als altijd naar de ultrachique, exclusieve Embassy-club om te dansen op de muziek van het orkest van Ambrose. Maître d'hôtel Luigi hield altijd een tafeltje vrij voor Bendor en Chanel, met zicht op het balkon en de gedraaide houten trap.

Ook in 1928 ging het sprookje gewoon door. Chanel joeg met Churchill op wilde zwijnen op het jachtterrein van Westminster in Mimizan, ten zuiden van Bordeaux. De *Daily Mail* plaatste er een artikel over, met een foto van Churchill, destijds Chancellor of the Exchequer, zijn zoon

Chanel in jachttenue met Winston Churchill en zijn zoon Randolph,
Frankrijk, 1928. Churchills vriendschap en bewondering voor Chanel
zouden zo'n dertig jaar standhouden. Sommige historici beweren dat
Churchill ervoor heeft gezorgd dat Chanel na de bevrijding van Parijs in
1944 niet werd aangeklaagd als nazicollaborateur.

Randolph en Coco met overjas, bolhoed, laarzen en rijzweepje. Ze staat als een koningin tussen de twee Churchills in, omringd door een troep beagles. Chanel heeft bij het uitgeknipte stukje geschreven: 'Een erg mooie foto (...) de veer in je hoed ontbreekt er nog aan. *Daily Mail*, 11 jan. 1928.'[24] Churchill zegt erover in een brief aan zijn vrouw Clementine:

De beroemde Chanel kwam langs en ik vond haar erg innemend – een uiterst capabele en prettige vrouw –, Benny [Bendor] heeft met een erg sterke persoonlijkheid van doen. Ze heeft de hele dag als een bezetene gejaagd, reed na het diner met de auto naar Parijs en is vandaag bezig met het passen en verbeteren van japons op eindeloze rijen mannequins. Tweehonderd modellen moeten over minder dan drie weken klaar zijn. Ze doet dat allemaal met haar eigen vingers: spelden, knippen, naaien. Sommige moeten wel tien keer veranderd worden. Ze wordt bijgestaan door Vera Bate, geboren Arkwright. Als hoofd personeel? *Non.* Als een van de naaste medewerkers? *Non. Elle est là. Voilà tout.*[25]

Later schreef hij aan Clementine vanuit Stack Lodge in Schotland: 'In plaats van Violet [Bendors tweede vrouw] is Chanel hier (...) ze vist van 's ochtends vroeg tot 's avonds laat en heeft in drie maanden vijftig zalmen gedood (soms van wel tien kilo). Ze is echt een prettige vrouw – een fantastisch, sterk mens, geschikt om over een man en zijn rijk te heersen. Met Benny gaat het erg goed en volgens mij is hij dolgelukkig dat hij zijn gelijke heeft gevonden. Haar talent en zijn macht zijn in goede balans met elkaar.'[26]

Churchill, die duidelijk verzot op haar was, omschreef Chanel goed. Haar creatieve energie leek onuitputtelijk. Ze speelde tennis, reed paard, ging vissen, bevredigde Bendors lusten en keerde dan terug naar haar paspoppen om betoverende outfits te ontwerpen, zoals haar eenvoudige, maar sexy 'little black dress', het wereldberoemde zwarte jurkje, dat bejubeld werd door de modekenners. Janet Wallach, Chanel-biograaf en *fashion director*, zegt in dit verband: '[Chanel] creëerde stijlvolle kleding die zowel comfortabel als luxueus en chic was; en ze gaf vaak feestjes voor een uitzonderlijk aantal vrienden. Haar interesses liepen uiteen van sport tot het intellect – ze [beweerde zelfs] dat ze alle boeken in haar bibliotheek gelezen had.' Samenvattend zegt Wallach: 'Ze was rap van geest, nog rapper van tong en had een humor waar ze zelfs de meest uitgeputte man nog mee kon vermaken.'[27]

Chanel had het talent om alles waarmee en iedereen met wie ze in contact kwam te gebruiken; ze ontwikkelde een levensstijl die geënt was op de mores en het elan van Westminster. Maar haar carrière en ambities dreven een wig tussen het stel. Bendor miste haar als ze weg was en hij kon er niet tegen dat zij zo veel tijd aan haar werk spendeerde. Chanels vriendin lady Abdy zei: 'Ze had twee grote liefdes (...) zichzelf (...) en haar modehuis (...) al het andere was niet meer dan pure hartstocht, een zwakte, avonturen zonder toekomst, uitgekiende affaires.'[28]

Mademoiselle wist maar al te goed dat Bendors wens om 'voor haar te zorgen' in feite betekende: je hebt geen andere verplichtingen dan mij.

Bendor, die gefrustreerd werd door haar afwezigheid, smeekte Vera om hem te helpen Chanel in Londen te houden. Hij wilde Chanel ervan overtuigen dat ze een boetiek in Londen moest openen. Daar zou ze dan haar werk kunnen doen – aangenaam dicht bij hem.[29]

Het modehuis van Chanel in Londen was meteen een succes. De hertogin van York, de toekomstige koningin van Engeland, en een hele stoet vooraanstaande Engelse dames van adel, zowel hofdames als de beau monde, werden haar klanten. Iedereen had het over Chanel. En in haar ateliers in Parijs creëerde Chanel de *toque*, de pillbox. Het was het perfecte accessoire bij haar japon van zwarte crêpe de Chine met lange mouwen – de beroemde 'little black dress'.

In deze Londense periode introduceerde ze haar eerste versie van het klassieke jersey mantelpakje, dat bestond uit een vestjasje, een trui met lage ceintuur en een plissérok. Elk patroon en kledingstuk dat ze zag, vormde een inspiratiebron voor haar, van Bendors tweedpakken tot zijn matelots en zijn vesten. De vooruitstrevende, vindingrijke Chanel droeg zelf broeken met wijde pijpen en kraagloze truien met een ronde hals, wat een sexy, ontspannen look uitstraalde. Op een foto die gemaakt is tijdens haar show in haar vakantieverblijf La Pausa, kijkt Chanel glimlachend en blij de camera in, een fraaie riem om haar middel en haar Deense dog Gigot (een cadeau van Bendor, de naam betekent 'lamsbout') aan haar zij.[30]

Ondanks de onvrede bleef Bendor Chanel met cadeaus bestoken: kunstwerken, edelstenen, een huis in Mayfair en twee hectare grond bij Roquebrune op Cap Martin, tussen Menton en Monte Carlo. Bendor kocht het in 1928 voor 1,8 miljoen francs (nu meer dan drie miljoen dollar) en droeg het op 9 februari 1929 over aan Chanel.[31] Daar bouwden ze La Pausa, boven op Roquebrune bij Monte Carlo – hun droomvilla. (Toen Chanel de villa ergens in 1929 af had, waren de totale investeringen in La Pausa opgelopen tot zes miljoen francs – evenveel als bijna twaalf miljoen dollar in 2010).[32]

Chanels metamorfose was nu compleet. Ze was ruim veertig. Het verlaten kind, de arme wees, de concubine was veranderd in een sprookjesprinses van middelbare leeftijd.

De enige zoon van de hertog was op veertienjarige leeftijd gestorven en Bendor smachtte naar een mannelijke erfgenaam. Al in 1926 begon Bendor er bij Chanel op aan te dringen dat ze haar carrière zou opgeven en een fulltime-echtgenote en metgezellin zou worden. Het is echter maar moeilijk te geloven dat hij echt van plan was Chanel te huwen, een hertogin van haar te maken, de moeder van een erfgenaam van zijn hertogdom. De kans dat Chanel op veertigjarige leeftijd nog een kind zou baren was natuurlijk ook gering. Ze zou later aan een Duitse journalist vertellen waarom ze nooit getrouwd was geweest: 'Vanwege mijn werk, denk ik. De twee mannen van wie ik hield, hebben dat nooit begrepen. Ze waren rijk en begrepen niet waarom een vrouw, juist een rijke vrouw, zou willen werken. Ik zou Maison Chanel nooit hebben kunnen opgeven. Het is mijn kind. Ik heb het opgebouwd vanuit het niets. Ik heb ooit tegen de hertog van Westminster gezegd: "Waarom zouden we trouwen? We zijn toch al samen (...) de mensen accepteren dat." Ik wilde een man nooit meer tot last zijn dan een vogeltje.'[33]

Chanels vrienden vonden haar verlegen in de buurt van kinderen. Ze begreep ze niet en wist niet hoe ze met ze moest praten.[34] Desondanks hadden Chanel en Boy Capel haar neefje André Palasse officieus geadopteerd – en hem vervolgens naar een Engelse kostschool gezonden voor de best mogelijke opleiding. Later werd Chanel een liefhebbende tante en surrogaatmoeder voor Andrés oudste dochter Gabrielle 'Tiny' Palasse – 'Gabrielle' ter ere van Chanel.

Chanel noch Bendor heeft ooit echt op een huwelijk gestaan. Om haar onafhankelijkheid te bewijzen retourneerde Chanel uiteindelijk haar ongebruikte chequeboek aan Bendors secretaris. 'Ik heb mijn eigen geld gebruikt.' Ze wilde beslist niet gezien worden als een vrouw die door een man – welke man dan ook – werd onderhouden.[35]

Toen Bendor prinses Stéphanie von Hohenlohe, een getalenteerde sportvrouw en oogverblindende Weense schone, uitnodigde met hem te gaan vissen in Schotland, reageerde Chanel door met haar voormalige geliefde de dichter Pierre Reverdy in Parijs af te spreken – wat Bendor witheet van jaloezie maakte. Hij verklaarde dat 'Chanel gek was' terwijl hij haar appartement bombardeerde met brieven. Chanels reactie: 'Ik wil alleen wilde bloemen van jou, geplukt door jouzelf.' Waarop de hertog haar met bloemen overstelpte – en met sieraden, verstopt onder de bloemblaadjes.[36]

Het valt te betwijfelen of de beeldschone, rijke Stéphanie ooit een concurrent van Chanel is geweest. De Weense prinses was deels van joodse afkomst – en Bendor was een fanatiek antisemiet. Op een berucht moment waarop Bendor zijn boekje te buiten ging, refereerde hij aan de Britse koninklijke familie als 'die joden', in de foutieve veronderstelling dat de prins-gemaal van koningin Victoria, Albert van Saxe-Coburg-Gotha, van joodse afkomst was. Na een aantal glazen whiskey en ten overstaan van een lid van de familie Rothschild zei Bendor herhaaldelijk: 'Ik kan die verrekte joden niet uitstaan.'[37] Hoe ironisch dat Stéphanie een paar jaar later, tijdens het naziregime, door Hitler 'lieve prinses' werd genoemd. SS Reichsführer Heinrich Himmler loste het probleem van haar joods-zijn op door Stéphanie uit te roepen tot 'ere-ariër'. Vanaf 1932 werkte ze in Londen als agent voor de inlichtingendienst van de nazi's: ze fungeerde als contactpersoon tussen Britse pro-nazi's en machtige mannen en vrouwen uit de Londense upper class en politiek: Bendor, de prins van Wales, lord Rothermere van de *Daily Mail*, lady Margot Asquith, lady Ethel Snowden, lady Londonderry. In 1937 speelde Stéphanie een rol in het tot stand brengen van ontmoetingen tussen Hitler en lord Halifax (Edward Wood), de hertog van Windsor (de ongekroonde koning Edward VIII) en zijn bruid Wallis Simpson. Alle drie waren ze fanatieke anticommunisten, bang voor Sovjet-Rusland en actief voorstanders van een verzoening met nazi-Duitsland – in hun optiek een noodzakelijke Europese verdediging tegen de communistische horden.

Het einde van de sprookjesaffaire tussen de hertog van Westminster en Chanel naderde langzaam maar zeker. Chanel koesterde haar vrije geest. Ze was op zoek naar de ware liefde, en toen ze dacht dat ze die had, bleek die onmogelijk te zijn. Dat kwam doordat Chanel een eigenzinnige, zelfstandige vrouw was; na bijna vijf jaar had ze domweg genoeg van Bendors levensstijl. Hij was op zijn beurt niet meer zo gecharmeerd van de hare. Bendor zag er steeds meer tegen op om tijd door te brengen met haar uitgekookte vrienden in Parijs: de grapjes en plagerige opmerkingen van Cocteau, Diaghilev en zijn minnaar Serge Lifar gingen zijn pet te boven. Toch bleef de egocentrische hertog aan Coco hangen, ondanks hun schreeuwende ruzies over zijn regelmatige ontrouw. Uiteindelijk herinnerde Churchill Bendor aan zijn koninklijke verplichtingen, de noodzaak een erfgenaam te produceren en het feit dat Chanel nooit door het hof zou worden geaccepteerd.

Al die tijd beseften Chanel en Bendor blijkbaar niet dat de Franse politie en de Sûreté hun gangen natrokken. Uit een rapport blijkt het volgende:

Serge Lifar als Vestris, in een kostuum van Chanel, met Marie-Laure de Noailles op het 'Bal du Tricentenaire de Racine', georganiseerd door graaf De Beaumont, juni 1939. Lifar was een van de favoriete balletdansers van Luftwaffe-chef Hermann Göring. Na de bevrijding van Parijs was Lifar doodsbang opgepakt te zullen worden door het Franse verzet; hij verborg zich in Chanels kledingkast in haar appartement aan de Rue Cambon.

De hertog reist regelmatig naar Frankrijk, [en] naar het Château de Woolsack (in Mimizan, Landes). Als hij in Parijs is, verblijft de hertog in het appartement van Chanel. De voormalige demi-mondaine [Chanel] heeft uitstekende relaties met politieke en diplomatieke kringen. De hertog van Westminster, een gescheiden man, heeft grote belangstelling voor de *petites mains* [de coupeuses] van het modehuis Chanel. De afgelopen zomer hebben een paar [werkneemsters van Chanel] hun vakantie doorgebracht op het Château de Woolsack, waar ze vorstelijk werden onthaald. Dat gebeurt elk jaar weer.[38]

Vera Bate scheidde in 1929 van haar Amerikaanse man en trouwde vervolgens met Alberto Lombardi, een Italiaanse prins en officier van de cavalerie. Ze werd Italiaans staatsburger. De Franse Sûreté breidde haar speurwerk uit en ging ook de gangen van Vera en haar nieuwe echtgenoot na. In rapporten worden hun telefoongesprekken, reizen en onderlinge relaties met Chanel en Bendor vermeld. In 1930 vertrok Vera bij Chanel om voor een concurrent te gaan werken, het Parijse modehuis Molyneux. En plots verhuisde ze naar Rome met haar man, die inmiddels kolonel bij de Italiaanse cavalerie was geworden. De Sûreté verdacht hem ervan voor de Italiaanse militaire inlichtingendienst te werken.[39]

De jaren gingen voorbij. Bendor bleef op zoek naar nieuwe veroveringen, maar wilde het ook nog niet opgeven bij Chanel. Later verklaarde Chanel: 'Ik heb nooit geprobeerd hem te vangen. Als je van adel bent, rijk, extreem rijk, dan word je een prooi, nagejaagd wild: een haas, een vos. Die Engelse lady's zijn geweldige jagers – ze jagen voortdurend. Ik heb nooit gedacht: deze man hier wil ik; ik zal 'm krijgen – waar is mijn geweer?'[40]

In de zomer van 1929 kwam hun relatie tot het onvermijdelijke einde. Chanel en Misia Sert hadden toegestemd om Bendor gezelschap te houden aan boord van de Flying Cloud. Het moet een prachtige, oneerbiedige ironie zijn geweest: enerzijds Bendors veertig man personeel, het kolossale meubilair, de grote hemelbedden en extravagantie, en anderzijds de twee intieme, sarcastische Parijse vrouwen die als ondeugende duiveltjes waren en al giechelend drugs gebruikten. De jool eindigde abrupt toen er plotseling een telegram uit Venetië kwam, waarin stond dat Diaghilev op sterven lag.

Zodra de Flying Cloud Venetië had bereikt, snelden Misia en Chanel naar Grand Hôtel des Bains aan het Lido. Daar troffen ze een doodzieke Diaghilev aan, die alle zorg kreeg van zijn minnaars, de dansers Boris Kochno en Serge Lifar. Diaghilev was doodsbang voor de dood. Hun bezoek leek hem op te beuren. Chanel liet Misia bij hem achter om voor hem te zorgen en keerde terug naar Bendor. Misia benaderde een rooms-katholieke priester met het verzoek Diaghilev absolutie te geven. De priester weigerde in eerste instantie, omdat Diaghilev Russisch-orthodox was. Misia werd razend en de priester gaf toe. Diaghilev, de Dostojevski-achtige figuur, de magiër van de balletkunst, de man die Fokine, Nijinsky, Massine en Balanchine groot had gemaakt, kon sterven.

Misia was er kapot van. Later verkondigde ze dat 'een deel van mij met hem gestorven was'. Lifar en Kochno konden de dood van hun meester niet verdragen; ze waren wanhopig. Chanel keerde, gedreven door een angstig voorgevoel, terug naar Venetië, waar ze met Misia een mis regelde, gevolgd door een begrafenisdienst. In het wit gekleed begeleidden Misia, Chanel, Lifar en Kochno de kist van Diaghilev op een gondel door de grachten van Venetië naar het graf van de impresario op het dodeneiland San Michele.[41]

Bendor stond erop dat Chanel naar zijn schoener terugkeerde. Maar de romantiek was verdwenen, de passie allang weg. Bendor kon zijn eigen driften niet weerstaan. Hij was een jager, altijd op zoek naar andere vrouwen – en Chanel kon dat niet tolereren. Ze hadden constant ruzie. Misschien is het een van de mythen rond Chanel – een van de vele over haar jaren met Bendor –, maar niettemin is deze anekdote typerend: het stel zou ruzie hebben gemaakt aan boord van de Flying Cloud, die voor anker lag bij Villefranche aan de Côte d'Azur. De hertog was vervolgens van boord gegaan en met een adembenemend smaragden halssnoer teruggekeerd. Onder een perfecte maan liet hij de stenen in de handpalm van Chanel glijden, waarna zij het kostbare sieraad zonder blikken of blozen in zee liet verdwijnen.[42]

Nadat ze de minnares van de rijkste man van het Verenigd Koninkrijk was geweest, keerde Chanel voor even terug bij de mediterrane Pierre Reverdy, de gekwelde dichter. Met zijn donkere huid en dikke zwarte haardos kon Reverdy doorgaan voor Gabrielles verloren liefde: de vader die ze nauwelijks had gekend. In tegenstelling tot de hertog was Reverdy een zielsverwant – zijn afkomst vertoonde veel gelijkenis met de hare. Toen hij zich leek te gaan vervelen in het appartement in de Rue du Faubourg Saint-Honoré, zocht Chanel een studio voor hem in de buurt. Maar Reverdy liet zich niet vangen. Hij vluchtte al snel naar Solesmes, keerde na een paar weken toch weer terug naar Chanel en sloeg kortstondig aan het slempen met Cocteau, Max Jacob (de joodse dichter die katholiek werd), Blaise Cendrars, Leger en Braque.

Reverdy ging nu liever met Amerikaanse jazzmusici, waarvan er inmiddels veel in Parijs zaten, om dan met Chanels vriendenkring. Coco haatte het nachtleven: 'het slechte eten, de slechte drank, en de idioten die steeds maar weer opnieuw hetzelfde vertellen, alleen om iets te zeggen te hebben'.[43] Ze vergezelde Reverdy zelden en ging liever vroeg naar bed om de volgende dag weer vroeg aan het werk te kunnen.

Uiteindelijk troonde Chanel Pierre mee naar La Pausa, in de hoop dat een verandering van klimaat en de schoonheid van haar mediterrane retraite hun romance van wat magie konden voorzien.

Tijdens die bezoeken aan La Pausa hielp Reverdy Chanel aan een reeks stelregels, die jaren later in *Vogue* gepubliceerd zou worden. Al eerder had ze artikelen geschreven voor Parijse vrouwenbladen: *Le miroir du monde*, *Les femmes et le sport* en *Le nouveau luxe*. Nu, op middelbare leeftijd, wilde ze iets literairs gaan doen, net zoals ze als jonge vrouw wilde zingen en pianospelen. Enkele van haar stelregels: 'Onze woningen zijn onze gevangenis – de vrijheid vind je in de inrichting.' 'Men kan aan lelijkheid wennen, maar nooit aan verwaarlozing.' 'Werkelijke generositeit is het accepteren van ondankbaarheid.' De frasen leken een beetje op de pasklare poëzie van Reverdy.[44]

Weer terug in Parijs raakte Reverdy opnieuw gefascineerd door, maar ook afkerig van de glitter en glamour rond Chanel. Ondanks zijn hekel aan de Parijse elite accepteerde hij Chanels geld en leek hij er genoegen in te scheppen haar in verlegenheid te brengen door bij diners binnen te komen vallen en vervolgens weer weg te gaan. Uiteindelijk besefte Chanel dat Reverdy nooit in haar wereldje zou passen, hoezeer ze ook van hem hield. Het paar besloot, als vrienden voor altijd en geliefden voor af en toe, dat het tijd was om uit elkaar te gaan. Reverdy liet een paar ontroerende dichtregels voor Chanel achter: 'Ik hou van je en ik verlaat je/ Ik moet verdergaan/ Misschien komen we elkaar weer tegen/ Wisselen we herinneringen uit, praten we over andere tijden/ Dan kom jij bij me terug/ En lachen we.'[45] (Later, bij de bevrijding van Parijs, zou de verzetsstrijder Reverdy Chanels oorlogscollega Louis de Vaufreland arresteren wegens collaboratie met de nazi's.)

Onder de Parijse elite had de breuk met Reverdy niet dezelfde impact als Chanels breuk met Bendor. 'Stel je voor,' zei Misia. 'Die arme boerenmeid ontsnapt aan haar provinciale milieu, maar weigert te trouwen met de hertog van Westminster.'[46] Als kind droomde Chanel er al van aan het benauwde kloosterleven te kunnen ontsnappen. Door hard te werken en met haar intuïtieve gevoel voor goede smaak, vrouwelijke charme en koppige, rebelse ambitie had Chanel de armoede achter zich kunnen laten en was ze een wereld vol zijde, satijn, sieraden, ongekende rijkdom en bekendheid binnengetreden. Ze zat op fluweel toen ze besloot zonder Bendor verder te gaan. 'Je moet zorgen dat je niet vergeten wordt, maar op de kar blijft zitten. Op de kar zitten de mensen over wie men praat. Je moet een plek vooraan zien te krijgen en ervoor zorgen dat je er niet af wordt gewipt.'[47]

Bendor werd opnieuw verliefd. In de lente van 1930 nam hij zijn verloofde, Loelia (spreek uit 'Lielia') Ponsonby, half zo jong als hij en de welgemanierde dochter van de chef protocol van de koning, mee naar Parijs, om kennis te maken met Chanel. Je kunt je afvragen of Bendor met opzet zo wreed was of dat hij gewoon geen rekening hield met Loelia's gevoelens. Hoe dan ook, hij stond erop dat Chanel met haar sprak en hem zou vertellen of de dame geschikt voor hem was. Terwijl de hertog door de kamers zwierf van het huis dat hij zo goed kende, aan de Rue Saint-Honoré, verscheen een mondaine, elegante Chanel, behangen met sieraden en gekleed in een marineblauw pakje met een witte blouse, voor de achtentwintigjarige Loelia, die zich 'klungelig en slonzig' voelde.[48] Loelia herinnerde zich Chanel als:

klein, donker en beweeglijk (...) de verpersoonlijking van haar eigen mode (...) behangen met allerlei kettingen en armbanden, die rinkelden als ze bewoog. Haar zitkamer was weelderig en ze zat in een grote fauteuil, met een paar grote kamerschermen van coromandel als passende achtergrond. Ik zat, nogal ongelukkig, op een krukje aan haar voeten (...) ik denk niet dat ik of mijn tweedpakje de test doorstond. Om maar iets te zeggen te hebben vertelde ik haar dat Mrs. George Keppel me een Chanel-ketting had gegeven als kerstcadeautje. Ze vroeg me terstond de ketting te beschrijven.

'Nee,' zei ze koud, 'die ketting komt zeker niet uit mijn collectie.'[49]

Sommige biografen stellen evenwel dat Bendor pas een paar dagen na zijn huwelijk met Loelia naar Parijs kwam voor een bezoek aan Chanel.

In het najaar van 1929 stortte de Amerikaanse Beurs in. Amerikaanse aandelen lieten wereldwijd al snel een gigantisch verlies zien van zesentwintig miljard dollar. In Amerika, Groot-Brittannië en op het vasteland van Europa leidden de verliezen tot de vernietiging van menig fortuin. In Duitsland hadden politiek geweld, algemene stakingen, de angst voor het communisme en de hyperinflatie uiteindelijk grote politieke instabiliteit tot gevolg, waardoor Adolf Hitler met zijn nazi's steeds meer invloed kreeg. Uit angst voor Hitler en de Duitse agressie begonnen de Fransen aan de bouw van de Maginotlinie langs een deel van de Frans-Duitse grens.

Groothertog Dimitri trouwde met een rijke jonge vrouw uit New York en Bendor verlangde op zijn vijftigste nog steeds naar een zoon. Desondanks bleef hij een knipperlichtrelatie houden met Coco en gedroeg zich als een verwende, in de watten gelegde, aan seks verslaafde, genotzuchtige 'bon vivant'.

Door de beurskrach van Wall Street op Zwarte Donderdag, 29 oktober 1929, stortten de Amerikaanse industrie en handel in: het begin van de crisisjaren. Al snel luidde de doodsklok voor de Republiek Weimar doordat er een einde kwam aan de Amerikaanse leningen en investeringen in Duitsland. In Frankrijk waren de eerste tekenen van economische vertraging al zichtbaar.

Dincklage en zijn Duitse, half joodse vrouw Maximiliane, bijgenaamd 'Catsy', woonden inmiddels in het mediterrane dorp Sanary-sur-Mer aan de zonovergoten Côte d'Azur.[50] Voor het echtpaar Dincklage was het een groot geluk dat ze een opdracht in Frankrijk hadden gekregen, ver van het economische tumult in Duitsland en de chaos in Berlijn.

Dincklage had deze zeer goed betaalde post gekregen op een moment dat bijna zes miljoen Duitsers zonder werk zaten. Dat hij uit een familie met een lange militaire traditie kwam had zeker geholpen. Maar daarnaast had de tien jaar dat hij als undercoveragent voor de militaire inlichtingendienst had gewerkt hem de vriendschap opgeleverd van generaal Walther von Brauchitsch, de man die later door Hitler tot opperbevelhebber van het Duitse leger, de Wehrmacht, zou worden benoemd.[51]

Omdat Dincklage vloeiend Frans en Engels sprak, werd zijn dekmantel zonder meer geloofd: hij was een tennis spelende zonaanbidder die graag plezier maakte en af en toe als onafhankelijke Duitse handelaar werkte. Dat hij een kokette en beeldschone vrouw met joods bloed had hielp daarbij zeker. Het stel voelde zich prima op zijn gemak bij de lokale bevolking en de groeiende kolonie Duitse vluchtelingen. Uit het gemeentearchief van Sanary-sur-Mer blijkt dat Maximiliane von Dincklage in 1930 een verblijfsvergunning kreeg van de Préfecture de Police, tegelijk met een hele stoet Italianen en Duitsers. Thoman Mann, Aldous Huxley en Sybille Bedford, de halfzus van Catsy, verbleven hier ook. Later werd Sanary een toevluchtsoord voor steeds meer Duitse intellectuelen en joden die Duitsland en Hitlers bruinhemden waren ontvlucht.

Wanneer de Dincklages in Sanary waren, leidden ze een genotzuchtig leven aan de mediterrane kust, met volop zon, verse vis en plaatselijke wijn. Zoals de auteur Marta Feuchtwanger, aan het begin van de jaren dertig een Duitse bannelinge in Sanary, schreef: 'We waren aan zee. Vanaf de klif kon je de diepblauwe baaien zien en verder in zee een eiland. Er was ook een privéstrand (...) van postzegelformaat. De rotsen waren begroeid met kreupelhout: rozemarijn, salie en tijm. De geur (...) was bedwelmend.'[52]

In Sanary-sur-Mer werd de rust hooguit verstoord door het ketsen van de metalen *boules* wanneer de plaatselijke bevolking en haar gasten petanque speelden, of door de golven die door de wind tegen de kust braken. Zon, zee, plezier en goed gezelschap, besprenkeld met de heerlijke plaatselijke wijn, stonden garant voor een heerlijke tijd in dit oord. Sanary lag op enkele kilometers van de haven van Toulon, het hoofdkwartier van de Franse mediterrane handels- en oorlogsschepen. De vlootbasis zou de komende jaren Dincklages doelwit worden. Dincklage werd via de Duitse ambassade betaald met geld van de Duitse militaire inlichtingendienst, dat door koeriers naar Frankrijk werd gebracht. Met dat geld betaalde hij zijn tussenpersonen, kocht hij corrupte ambtenaren om en konden hij en Catsy hun prettige leventje bekostigen. Spatz en Catsy werden door hun bazen in Berlijn betaald voor het opzetten van een spionagenetwerk. Ze moesten geheim agenten rekruteren, die betaald of gechanteerd werden om te infiltreren in de vlootbasis in Toulon, waar geheime plannen en codeboeken van de Franse marine lagen opgeslagen. Nadat ze zich in Sanary gevestigd hadden en de basis en oorlogsvloot hadden geobserveerd, gingen Spatz en Catsy op zoek naar potentiële rekruten – mannen en vrouwen die bereid waren Frankrijk te verraden.

De Dincklages waren niet de eerste Abwehr-agenten die in Frankrijk op missie gingen. Volgens het Franse ministerie van Binnenlandse Zaken, de Sûreté Générale, waren acht jaar eerder drie agenten van de

Duitse militaire inlichtingendienst, te weten Herr von Brinkmann, graaf Von Brennkendorf en majoor Roll (er worden geen voornamen genoemd), in Frankrijk aangekomen, ieder met vijfhonderdduizend Franse francs op zak. Volgens een bron in het opperbevel van het Poolse leger hadden ze opdracht een spionagenetwerk in Parijs op te zetten en te infiltreren in het Franse opperbevel om zodoende de oorlogsplannen van de Fransen te verkrijgen. Er wordt nergens vermeld dat de drie spionnen gearresteerd werden.[53]

Dincklage was geknipt voor zijn taak als leider van de Abwehr-missie aan de Côte d'Azur. Zijn bazen in Berlijn hadden een man met uitstekende geloofsbrieven en van goede komaf gekozen. Dincklage was immers de kleinzoon en zoon van hooggeplaatste officieren die de Duitse keizer in twee oorlogen hadden gediend. Zijn moeder, Lorry, was van Engelse komaf. Haar broer, Dincklages oom, was een admiraal van de Duitse marine. De sociale vaardigheden van het oude Europa waren hem met de paplepel ingegoten. Hij was op de proef gesteld tijdens de Eerste Wereldoorlog, ook in de loopgraven aan het Russische front. In een andere plaats en tijd zou hij een ideale rekruut zijn geweest voor de Amerikaanse CIA of de Britse geheime dienst MI6.

Maximiliane had een joodse moeder, wat haar de mogelijkheid verschafte de rol van Duitse anti-nazi te spelen – een goede dekmantel voor een spionageopdracht in Frankrijk.[54] En ook Maximiliane had goede geloofsbrieven.[55] In een document van de Duitse burgerlijke stand staat dat Dincklage in 1927 getrouwd was met Maximiliane, de dochter van een joodse moeder en een aristocratische vader, een luitenant-kolonel in het Duitse leger.[56] Het rapport stelt verder dat Dincklage in 1929 afzwaaide uit militaire dienst, maar dit was verzonnen door zijn bazen bij de Abwehr in Berlijn: het diende als dekmantel. Dincklage had zijn cavalerie-uniform eenvoudigweg verwisseld voor de burgerkleding van een geheime-inlichtingenofficier. De Franse militaire inlichtingendienst noteerde al voor de Tweede Wereldoorlog dat 'Dincklage, alias Spatz (...) vanaf 1920 een officier [was] van de Duitse militaire inlichtingendienst, bekend als de "Abwehr"'.[57]

Het zou even duren voor de Sûreté, de Franse militaire inlichtingendienst, en het Deuxième Bureau, de contra-inlichtingendienst, beseften hoe groot de omvang was van Dincklages clandestiene werk aan de Côte d'Azur. In een geheim document van de Sûreté, getiteld 'Verdachte Duitsers in Sanary', staat dat Dincklage, destijds bijzonder attaché aan

Maximiliane von Schoenebeck, bijgenaamd 'Catsy', de echtgenote van baron Von Dincklage, ca. 1930, toen ze spioneerde voor Duitsland bij de Franse vlootbasis in Toulon.

de Duitse ambassade in Parijs, in het zuiden van Frankrijk operaties ten uitvoer bracht. 'Hij woonde in steeds weer andere villa's in het mediterrane oord Sanary-sur-Mer, dertien kilometer van Toulon; uiteindelijk verbleef hij vele jaren in Villa Petite Casa.' Het rapport gaat verder: 'Het echtpaar Dincklage hield de villa aan, zelfs als ze niet aan de Côte d'Azur waren.'[58]

De Dincklages hadden een actief sociaal leven in Sanary. Ze raakten bevriend met hun buren, onder wie de Engelse pacifistische auteur Aldous Huxley en zijn vrouw Maria. Sybille Bedford, Catsy's halfzus, schreef vanaf 1932 in haar dagboek over hun avonturen, waarin Dincklage en Catsy in het casino speelden en dineerden bij Aldous en Maria Huxley. 'De Huxley-picknicks werden gehouden bij zonsondergang op een strand of in een olijfboomgaard of op een klif (...) we aten gebraden konijn, courgettebloemen en dronken kannen gekoelde punch (witte wijn, citroen, rum) die Aldous zelf maakte.'[59]

Tot de vrienden van Dincklage in Sanary behoorden ook een hoge officier in de logistieke dienst van de Franse marine, Charles Coton, en zijn joodse verloofde Alida Salomon. Coton omschreef Sanary als 'een lief haventje vol acteurs, schrijvers, schilders en beeldhouwers. Er hing een hartstochtelijke, intellectuele sfeer.' Iedereen kwam samen in de twee havenkroegen. 'We dansten in de Marine en praatten in de Nautique.'[60] Coton schreef later wat hij over Dincklage dacht: 'De baron, bekend als Spatz, was een uitstekend tennisser; we speelden vaak samen. Van wat ik weet had hij Duitsland verlaten omdat het regime hem niet aanstond en omdat hij en zijn vrouw er om raciale redenen moesten vertrekken – zijn vrouw was joods (...) Of het waar is of niet weet ik niet, maar in Sanary ging het gerucht dat hij een Duitse spion was, en dat hij daarom in Sanary woonde, want dat lag zo dicht bij de haven Toulon. Met mij heeft hij echter nooit over militaire aangelegenheden gesproken.'[61]

Deze laatste opmerking van Coton was een regelrechte leugen. In 1933 trokken agenten van de Franse contra-inlichtingendienst zijn gangen al na omdat ze Coton ervan verdachten een van Dincklages spionnen op de vlootbasis in Toulon te zijn. Later werd dit vermoeden bevestigd en zou Coton een koerier van Dincklage worden; hij reisde op en neer tussen Toulon en Parijs.[62]

In 1930 haalden Dincklages Berlijnse bazen hem weg uit Sanary en gaven hem een tijdelijke functie als diplomaat aan de Duitse ambassade in Warschau. Daar raakte hij bevriend met Bernard de Plessix, een collega-diplomaat van de Franse ambassade aldaar. Auteur Francine du Plessix Gray, dochter van Bernard en zijn vrouw Tatiana, weet nog dat haar ouders met Dincklage bevriend raakten in Warschau. Plessix Gray schrijft dat haar vader en moeder Dincklage 'een charmante *chargé d'affaires* aan de Duitse ambassade' vonden. Er is echter geen enkel document in de archieven van het Duitse ministerie van Buitenlandse Zaken te vinden waarin Dincklage als chargé d'affaires (zaakgelastige) wordt vermeld – de term voor een diplomaat die als tijdelijke vervanging optrad bij afwezigheid van de ambassadeur.

Niettemin staat vast dat Spatz heel 1931 in Warschau was. De diners en feesten voor de diplomaten gingen gewoon door, hoewel de stad verscheurd werd door intriges en in een economische crisis belandde na het failliet van de Oostenrijkse bank Credit-Anstalt en de Duitse Danatbank en de officiële sluiting van alle Duitse banken. De financiële crisis zorgde in Polen voor een politieke verschuiving naar rechts, geleid door

De Franse luitenant bij de marine Charles Coton en zijn vrouw Alida (Léa) halverwege de jaren dertig. Het paar behoorde tot de Abwehr-kring van Dincklage die voor Duitsland spioneerde op de Franse vlootbasis in Toulon.

generaal Józef Pilsudski. Nog duidelijker was de politieke verschuiving naar extreemrechts in Duitsland, waar in 1931 de multimiljonairs Alfred Hugenberg, Emil Kirdorf, Fritz Thyssen en Kurt von Schröder overeenkwamen de achthonderd leden tellende NSDAP van Adolf Hitler financieel te steunen.[63]

In 1932 werd Franklin Delano Roosevelt de tweeëndertigste president van de Verenigde Staten. In datzelfde jaar legde Dincklage zijn diplomatieke ambt in Warschau neer en keerde hij naar Sanary-sur-Mer terug voor zijn spionagewerk. Catsy was daar tijdens zijn afwezigheid gebleven.

Chanel was nu bijna vijftig. Ook op middelbare leeftijd was ze nog steeds intrigerend, verleidelijk en ambitieus, 'ze trok zowel mannelijke als vrouwelijke kunstenaars aan'. Het waren moeilijke tijden in Frankrijk. Rijke Amerikanen waren inmiddels ver te zoeken. Aan de Côte d'Azur sloot een kwart van de luxehotels. Maar Maison Chanel deed het tussen 1931 en 1935 nog steeds goed. De omzet verdubbelde bijna; in 1931 had Chanel vierentwintighonderdveertig vrouwen in dienst, in 1935 bijna vierduizend. In dat jaar werden er achtentwintigduizend japonnen verkocht in Europa, het Midden-Oosten en Amerika. In Engeland drukte Chanel haar stempel op de mode toen Engelse debutantes haar nieuwe ontwerpen gingen dragen: katoenen avondjaponnen in piqué, kant en organdie, met innovatieve ritsen.

Amerika lonkte.

4

Uitstapje naar Hollywood

God maakt sterren. Ik geef ze alleen bekendheid.
– SAMUEL GOLDWYN[1]

Op een zomerdag in 1930 stelde groothertog Dimitri Chanel in Monte Carlo voor aan Samuel Goldwyn. Goldwyn wilde graag dat Chanel de kleding ontwierp voor zijn beroemdste filmsterren: Joan Blondell, Madge Evans en Gloria Swanson. Op het hoogtepunt van de Amerikaanse economische crisis, toen dertien miljoen burgers zonder werk zaten, bood Goldwyn Chanel een miljoen dollar (nu ongeveer veertien miljoen dollar) als ze een paar weken in Hollywood wilde doorbrengen.[2] Goldwyn deed zijn aanbod op het moment dat Amerikaanse, Franse en Duitse modebladen Chanels haute couture de hemel in prezen. Het tijdschrift *Vogue* was zelfs zo ver gegaan dat het niet minder dan vier topmodefotografen had ingehuurd – Cecil Beaton, Edward Steichen, Horst en Hoyningen-Huene – om haar creaties vast te leggen op de gevoelige plaat.

Voor Chanel was de tijd rijp om Parijs te verlaten, iets nieuws te proberen. Haar grootste rivaal, Elsa Schiaparelli, etaleerde haar creaties praktisch onder Coco's neus aan de Place Vendôme, om de hoek van Chanels atelier aan de Rue Cambon. De 'Italiaanse tovenares' was erop gespitst 'Chanel te kortwieken (...) met haar plotselinge fantasie, surrealisme en extravagantie, die de jaren dertig kenmerkten'. Kunst en fotografie waren van grote invloed op de mode en Schiaparelli deed van zich spreken door met Salvador Dalí samen te werken aan surrealistische truien en vilten hoeden in de vorm van een lamsbout.[3]

Hollywood zou een uitdaging zijn voor Chanel, en een reis naar Amerika betekende dat ze er even tussenuit kon en ver weg was van Schiaparelli. Chanel was overtuigd van haar eigen kunnen en talent – ze was immers een gevestigde, beroemde leverancier van kleding, sieraden en parfum, 'de best verkochte geur ter wereld'. Chanel had de vrouw 'uit haar opgesmukte kleding en hoeden [gekregen] (...) en in jersey sportkleding met nautische details en in de strandpyjama weten te hijsen – ideeën die ze volgens eigen zeggen had afgekeken van de kledij van Bendor en andere mannen'.[4]

Maar de modebusiness liep niet meer zo vlot: de economische crisis deed zich voelen in Europa. Goldwyn bood meer dan geld, hij was een publiciteitsgenie, dat voor het modehuis Chanel een deel van de Amerikaanse confectiekledingmarkt kon bemachtigen – uiteraard zonder het label van Chanel Paris erop.

Later zou Chanel zeggen: 'Hollywood is de hoofdstad van de slechte smaak. Het voelde als een avond in de Folies-Bergère. Zodra men het eens is dat de meisjes met hun veren beeldschoon zijn is alles eigenlijk gezegd – en als alles "super" is: superseks, superproductie, dan lijkt alles op elkaar – en dat is zo vulgair.'[5] Maar Chanel kon de deal niet weerstaan: een slordige miljoen, en de goed geoliede publiciteitsmachine van Goldwyn op de koop toe.

Ondanks haar uitgesproken afkeer van joden tekende Chanel een proefperiode met Goldwyn, geboren Schmuel Gelbfisz en voormalig inwoner van het getto van Warschau. Eén auteur vertelt dat Goldwyn zijn best deed om alle joden zo ver mogelijk bij Chanel vandaan te houden. Chanel gedroeg zich op haar beurt keurig en zei: 'Er zijn grote joden, Israëlieten, en er zijn *youpins*' (een denigrerend Frans woord voor joden).[6]

De 'talkies' uit die tijd, de geluidsfilms die en masse werden geproduceerd, konden de ontwikkelingen op modegebied ternauwernood bijbenen. Rokken op knielengte en uniseksmode waren plotseling niet meer hip, omdat nauwsluitende japonnen nu je van het waren, of zo leek het althans. 'Wat vorig jaar jeugdig leek, lijkt dit seizoen ouderwets nu de langere rokken met een hogere taille beter, verzorgder en bevalliger lijken te staan.'[7] Er moest iets veranderen. Goldwyn, meester in het opbouwen van een imago, schiep weer een andere Hollywood-fantasie. Zijn sterren zouden voortaan door Chanel worden gekleed zodat de 'vrouwelijke [bioscoopgangers] in onze films konden zien wat de laatste mode van Parijs was'.[8]

Chanel besloot dat Marie Sophie Godebska, haar Poolse 'Misia', mee moest naar Hollywood, al was het maar om Goldwyn te charmeren in zijn moedertaal Pools. En Misia kon wel wat afleiding gebruiken. Ze was verwikkeld in een vunzig schandaal, een Parijs verhaal over orgies in de libertijnse late jaren twintig. Misia en haar echtgenoot José Maria Sert waren verliefd geworden op een negentienjarige, zeer aantrekkelijke Georgische prinses en beginnend beeldhouwster: Isabelle Roussadana Mdivani, beter bekend als Roussy.[9] Roussy, ongekend mooi en manipulatief, was naar Parijs gekomen met haar gevluchte ouders en studeerde aan de kunstacademie toen de vijftigjarige José verliefd werd op haar. Cupido sloeg opnieuw toe toen ook Misia voor haar charmes viel. De Parijse tongen begonnen zich te roeren: 'Een onafscheidelijk trio (...) een duister trio (...) ze drogeren haar – gebruiken haar.' Roussy's 'Tataarse charme heeft het echtpaar Sert in haar greep'.[10] Chanel had haar vriendin gewaarschuwd dat ze maar beter niet met vuur kon spelen. Maar Misia stemde stilzwijgend toe dat José Maria Roussy's bed deelde. Vervolgens ging het gerucht in Parijs dat Misia intiem was met Roussy, en dat Chanel intiem was met Misia. Over dat laatste schrijven de biografen van Misia: 'Coco en Misia werden zo vaak in elkaars gezelschap gezien en hun vriendschap was zo vol hartstocht, dat men zei dat ze geliefden waren.'[11]

Homoseksuele en heteroseksuele affaires waren gemeengoed in Chanels coterie, net als het gebruik van morfine, cocaïne en andere drugs. De Serts, Cocteau, zijn nieuwe minnaar, de Franse acteur Jean Marais, Serge Lifar, Étienne de Beaumont, de schilder Christian Bérard en kunstenaar en redacteur Paul Iribe waren allen stevige drugsgebruikers. Tegen 1935 was ook Chanel afhankelijk van de morfine. Wispelturig en grillig als ze was, betaalde ze de medische kosten om Cocteau van de morfine af te krijgen, maar omschreef hem ook in een interview voor een tijdschrift als 'een snobistische pederast die zijn leven lang niets anders deed dan mensen bestelen'.[12]

Hoewel ze beiden vurig katholiek waren, scheidde José Maria Sert van Misia voor de civiele rechtbank. José, toch al van middelbare leeftijd, ging er vervolgens vandoor met de op dat moment tweeëntwintigjarige Roussy, na een burgerlijk huwelijk te hebben gesloten in Den Haag. Misia was er kapot van.[13]

Gehoor gevend aan het tromgeroffel van Goldwyns sterrenfabriek, zette Chanel in de lente van 1931 samen met Misia met haar gebroken hart, en een bataljon mannequins, assistenten en coupeuses, koers naar de Nieuwe Wereld aan boord van het stoomschip Europa van de Norddeutscher Lloyd. Het luxueuze lijnschip vertrok uit Calais en legde de route af met een snelheid van 27,5 knopen. Vijf dagen later kwam het in New York aan. Op de passagierslijst stond bij Chanel het geboortejaar 1889 in plaats van 1883. Ze had het op de een of andere manier voor elkaar gekregen zes jaar van haar leeftijd af te smokkelen; het zou niet de laatste keer zijn dat ze over haar leeftijd zou liegen.

In een suite in Hotel Pierre aan Fifth Avenue, met uitzicht over Central Park, sprak Chanel met de pers. In de woorden van de *New York Times*: 'niet als een enthousiaste filmster, maar als een gewiekste zakenvrouw'.[14] Ze was gekleed in een eenvoudig, sportief jasje van rozerode jersey met een gebreide witte blouse met een typische Chanel-kraag en manchetten van witte piqué: 'Een tengere, charmante brunette met bobkapsel vertelde de verslaggevers [via een tolk] dat binnenkort lang haar weer in de mode kwam. Als een paar mooie vrouwen hun haar weer laten groeien, zal de rest vanzelf volgen.'[15]

Schrander als altijd, charmant en zeer Frans, probeerde ze subtiel haar imitatiesieraden aan de man te brengen: 'Een lange streng parels was een aantal keren om haar hals geslagen en ze droeg een armband van veelkleurige halfedelstenen. Ze houdt van stras, vertelde ze met veel stijlvolle gebaren (...) Ze draagt deze sieraden overdag veel op haar jurken, maar is van mening dat er weinig sieraden gedragen moeten worden bij formele kleding.'[16]

De verslaggever van de *New York Times* dacht dat Chanel 'ietwat van haar stuk [was] gebracht door de grote schare interviewers en leden van het ontvangstcomité waarmee haar suite uitpuilde'. Maar dit was niet het geval: Chanel was ziek, ze had griep. Dat weerhield haar er overigens niet van om de verslaggevers en gasten te besproeien met een wolkje van een tot dan toe naamloze – of liever nummerloze – nieuwe geur. Ze onthulde dat ze nooit naar de film ging, dat écht parfum mysterieus is en dat mannen die parfum gebruiken weerzinwekkend zijn.[17] Vervolgens suggereerde ze, zonder verdere uitleg: 'Als je blond bent, gebruik dan blauw parfum.'[18]

Chanel reisde al snel door naar de westkust. Goldwyn had goed uitgepakt voor een triomfantelijke intocht in Hollywood. Er stond een spe-

Met Ina Claire, in de tijd dat Chanel in Hollywood de sterren van Goldwyn kleedde, 1931.

ciaal wit treinstel klaar dat haar naar het zonnige Californië zou brengen, waar een galareceptie ter ere van Chanel en haar entourage werd gehouden op het perron van het station van Los Angeles. Greta Garbo en Marlene Dietrich waren aanwezig om haar wang te kussen, waarna Chanel tijdens een soiree bij de studio kennismaakte met de Hollywood-kopstukken van dat moment. Terwijl de flitslampen ploften werd ze met zoete woordjes gevleid en gekust door Erich von Stroheim, Claudette Colbert en Katharine Hepburn, die *Little Women* aan het draaien was. Op de achtergrond keken drieduizend figuranten toe vanaf gigantische filmsets.

Het was een groots gebeuren, en waarschijnlijk erg saai voor Chanel, maar de nieuwsjagers smulden ervan. Chanel-biograaf Pierre Galante, redacteur van *Paris Match*, schreef later dat ze echte champagne dronken, kaviaar aten en 'de Parijse mannequins stonden aan te gapen en moesten lachen om de Franse scherpzinnigheid'.[19] De pers telegrafeerde overtrokken berichten over Chanels entourage en haar kennismaking met Garbo: 'Twee vorstinnen ontmoeten elkaar.'[20] Terwijl de Pools sprekende Misia een kruiperige Goldwyn vleide – ze noemde Sam 'moeder' –, leerde Chanel de gewoontes van Hollywood kennen. Volgens Ga-

Gloria Swanson in de film Tonight or Never *uit 1931, in een
door Chanel ontworpen outfit.*

Robert Greig en Gloria Swanson (gekleed door Chanel) in de film
Tonight or Never, *1931.*

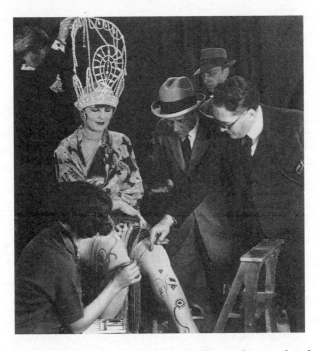

Paul Iribe (geheel rechts) in 1924 in Hollywood, waar hij de film
Changing Husbands *regisseerde. Iribe en Chanel werden in 1931 verliefd*
toen hij haar met haar zaken hielp. Hij was de hoofdredacteur van het
rechtse blad Le Témoin, *waarin zijn bijzondere illustraties van Chanel te*
zien waren. Iribe stierf in 1935, met Chanel aan zijn zij.

lante 'moesten de steracteurs en -actrices vroom en gedwee zijn en altijd
glimlachen, anders werden ze de laan uit gestuurd. Nu Amerika miljoenen werklozen kende, moest iedereen die in de filmstudio's werkte zich
aan strenge regels houden – scheiden was verboden en filmsterren werden voor het bioscoopjournaal en de filmbladen gefotografeerd in eenvoudige woningen of terwijl ze hun kerk of dominee bezochten.' Hollywood dicteerde dat 'acteurs zo sterk [waren] als politieagenten, zo
zuiver als padvinders en zo gematigd als quakers. Maar ondanks de
Amerikaanse "fatsoensnormen" die de studiodetectives probeerden op
te leggen, waren achter de schermen zwelgpartijen, drugsmisbruik en
orgies aan de orde van de dag.'[21]

Coco genoot erg van de technische aspecten van het filmen en nam alles in zich op: de enorme opnamestudio's, de lichttechniek, de make-up.

Ze ontwierp kostuums terwijl haar personeel de acteurs aankleedde, precies zoals ze ook de hoofdpersonen van vele balletopera's in Parijs had gekleed. Haar assistenten zetten uitbundige, opgepofte creaties in elkaar waarop de technici zich konden uitleven. Chanel wist waar ze goed in was, maar kende ook haar beperkingen. 'Ik ben nooit een echte kleermaakster geweest; ik heb veel bewondering voor mensen die kunnen naaien; ik kreeg het niet geleerd; ik prik aldoor in mijn vingers.'[22]

Chanel had gehoopt dat ze haar strenge normen in Hollywood kon toepassen, maar de correspondent van de Londense *Sunday Express* schreef dat de loungepyjama een uiting van 'slechte smaak was; een dame zou er nog niet dood in mogen worden gevonden'. Niettemin liep Gloria Swanson in de eerste scènes van *Tonight or Never*, de derde Hollywoodfilm die Chanel zou aankleden, in een loungepyjama rond.[23] Chanel en haar medewerkers hadden bewondering voor de stylistes in Hollywood, al vonden ze hun aankleding kitscherig. Het was vanaf het begin duidelijk dat Chanels Hollywood-avontuur gedoemd was te mislukken. Ze vertelde aan biograaf Charles-Roux: 'In Hollywood heerste een infantiele sfeer; op een dag werden we bij een beroemd acteur thuis verwacht en hij had alle bomen in zijn tuin blauw geverfd, ter ere van ons (...) ik moest erom lachen, maar het raakte Misia. Erich von Stroheim maakte alleen indruk vanwege de persoonlijke wraak die hij nam – een Pruis die joodse ondergeschikten vervolgde, en Hollywood was voornamelijk joods. Die joden uit Midden-Europa vonden de acteur [Von Stroheim] een nachtmerrie die hen maar al te bekend voorkwam.'[24]

Uiteindelijk vond Chanel zichzelf te verfijnd voor de glitter en glamour van de Hollywood-films, de weelderige schijnvertoningen, de smaak van de filmbonzen en hun coterie van acteurs en actrices, en de torenhoge ego's van de diva's van het witte doek. Haar slanke jersey pakken met witte boorden en manchetten waren niet aantrekkelijk genoeg. Haar visie straalde niet de flagrante opwinding uit die de spelers en regisseurs nastreefden om hun films te verkopen. De kleding die in het gewone leven zo elegant was, leek karakterloos op het witte doek. Chanel bekende beschroomd: 'Ik hou alleen van politiefilms.' Haar kostuums kregen weinig kritieken en de films waaraan ze had meegewerkt flopten.

Voordat Chanel terugvoer naar huis, bezocht ze New York nog een keer. De grote stad beviel Chanel. Ze ontmoette er Carmel Snow van *Harper's Bazaar* en Margaret Case van *Vogue* – vrouwen die de Ameri-

Chanel ontwierp kostuums voor The Rules of the Game, *Jean Renoirs meesterwerk uit 1939, met Mila Parély (rechts) en Nora Gregor.*

kaanse vrouw jarenlang zouden voorschrijven wat ze moest dragen.

Chanel wilde meer. Ze bezocht Saks Fifth Avenue, Lord and Taylor, Macy's en Bloomingdale's. Maar het warenhuis dat haar echt fascineerde was het paradepaardje van de *prêt-à-porter*: S. Klein On the Square aan Union Square in Manhattan.

Chanel ontdekte daar het principe van de zelfbediening: vrouwen uit alle beroepen en etnische achtergronden pasten kledingstukken onder het toeziend oog van kauwgom kauwende verkoopsters, omringd door bordjes met teksten als NIET STELEN!, ONZE DETECTIVES HOUDEN U IN DE GATEN! en PLAK GEEN KAUWGOM ONDER DE WASTAFELS!.

Dit was een Amerika dat Chanel nog niet kende. Ze bekeek de duizenden jurken die een Franse snit hadden, maar van een andere stof wa-

Van links naar rechts: Madge Evans, Ina Claire en Joan Blondell in de film The Greeks Had a Word for Them *uit 1932. De actrices droegen kleding van Chanel.*

ren gemaakt. Hier werd gigantisch veel geld verdiend door iets na te maken en enorm te investeren in reclame en promotie. Het was een belangrijke les in grootschalige merchandising.

Na nauwelijks een maand in Amerika voer Chanel weer naar huis op het Franse lijnschip Paris, samen met een stoet Amerikanen, onder wie Franklin D. Roosevelts moeder. Coco's korte avontuur in Amerika smaakte bitterzoet. Ze kon een leuk bedrag op haar bankrekening storten en alle publiciteit had haar op de Amerikaanse markt een voorsprong gegeven, maar haar verblijf in Hollywood was geen daverend succes geweest. Na alle tamtam en pr had Chanel uiteindelijk slechts een paar actrices gekleed: Gloria Swanson in Goldwyns *Tonight or Never*, de Goldwyn Girls in de musicalkomedie *Palmy Days* en Ina Claire, Joan Blondell en Madge Evans in *The Greeks Had a Word for Them*. Volgens *The New Yorker* verliet Chanel Hollywood 'verongelijkt'. Het blad beweerde dat de filmbonzen Chanels kostuums niet sensationeel genoeg hadden gevonden: 'Bij Chanel ziet een dame eruit als een dame', maar 'Hollywood wil dat een dame eruitziet als twee dames'.[25]

5

Paul af, Spatz op

Worstelend met de duivel (...) die het verraderlijke gezicht
van hoop en wanhoop heeft.

   – T.S. ELIOT, 'ASH WEDNESDAY'

Bij haar terugkeer uit Hollywood snakte Chanel naar een verandering
van omgeving. Ze ging naar Londen om zich onder te dompelen in 'een
bad van adeldom'.[1] Bendor, nog altijd in de ban van Chanel, leende haar
gratis een achttiende-eeuws pand met negen slaapkamers, weelderige
stucplafonds, kroonlijsten en grenen lambriseringen op 9 Audley
Street, dat als hoofdkwartier voor haar groeiende zaken in het Verenigd
Koninkrijk kon fungeren. Hij gaf meer dan achtduizend pond uit om
het huis naar haar smaak op te knappen. Daarnaast leende hij 39 Grosvenor Square uit voor een benefietexpositie van Chanels ontwerpen ten
gunste van het British Legion. Dagelijks kwamen vijf- tot zeshonderd
bezoekers Chanels jurken bekijken, ook al was niets te koop. De ontwerpster werd welkom geheten door de Churchills, onder wie de le-
venslustige jonge Randolph, die haar naar de opening van de expositie
escorteerde.

Chanels leeftijd begon zichtbaar te worden. Haar trekken waren
scherper, haar halsspieren gespannen. Hard werken, het onophoudelijk
roken van Camels en het bereiken van de middelbare leeftijd wreekten
zich. Ze loenste licht, maar was te ijdel om in het openbaar een bril te
dragen. (Op een zeldzame foto van Roger Shall uit de jaren dertig is Chanel met een bril op te zien, terwijl ze een van haar modeshows vanaf de
trap van de Rue Cambon bekijkt.)[2] Niettemin vond modecoryfee Diana

Vreeland Chanel in de jaren dertig 'stralend, met een donkere gouden teint, een breed gezicht met snuivende neusvleugels, net een stiertje, en jukbeenderen met de dieprode kleur van Dubonnet'.[3] Hoe ze er ook uitzag, Chanel was nu een vorstin en genoot van haar macht. Ze was aanvallend in haar woorden, spottend, en ratelde erop los: 'Ik ben timide. Timide mensen praten veel omdat ze niet tegen stilte kunnen. Ik flap er altijd iets uit, hoe idioot ook, om de stilte maar op te vullen. Ik ratel maar door, van het een op het ander, zodat de stilte geen kans krijgt. Ik praat heftig. Ik weet dat ik onuitstaanbaar kan zijn.'[4]

De drang om geld te verdienen was er met het klimmen der jaren niet minder op geworden. In 1931 schreef Janet Flanner in een profiel in *The New Yorker* dat Chanel 'ieder jaar niet alleen haar concurrenten, maar ook zichzelf probeert te verslaan (...) Haar *chiffre d'affaires* [omzet] van het afgelopen jaar is publiekelijk [niet door haarzelf] op honderdtwintig miljoen francs gesteld, oftewel bijna vierenhalf miljoen dollar'. Dit zou nu op zestig miljoen dollar neerkomen. Flanner kon met moeite aan haar informatie komen: 'Aangezien ze – heel verstandig – nooit iets loslaat, nooit interviews geeft en nooit iets toegeeft, en ze haar geld heel slim over verschillende banken in verschillende landen verdeelt, is het onmogelijk een accurate schatting te maken van het fortuin dat Chanel heeft vergaard. In de Londense City gaat echter het gerucht dat ze zo'n drie miljoen pond bezit [ongeveer tweehonderddertig miljoen dollar nu], wat in Frankrijk, en voor een vrouw, gigantisch veel is.'[5]

Bij gebrek aan preciezere cijfers valt Chanels financiële talent misschien nog het accuraatst af te leiden uit een uitspraak van het bankiershuis Rothschild, een slagvaardige Europese instelling die zelfs nog winst wist te behalen uit de Slag bij Waterloo. Het bankiershuis zou naar verluidt plechtig hebben verklaard: 'Mademoiselle Chanel weet hoe ze een zekere vijfentwintig procent winst kan behalen.'[6]

Chanel kon niet tellen zonder haar vingers te gebruiken, maar toch was ze ervan overtuigd dat de Wertheimers haar belazerden met de winst uit de verkoop van haar parfums. Ze werd steeds wrokkiger over de overeenkomst die ze in 1924 had gesloten, toen de Wertheimers de controle kregen over de Société des Parfums Chanel, het bedrijf dat haar parfum- en cosmeticalijn bezat. De volgende vijfentwintig jaar zou ze klagen: 'Ik heb in 1924 iets getekend. Ik heb mezelf laten bedriegen.'[7] Haar accountants probeerden haar ervan te overtuigen dat de boeken

*Suzanne en Otto Abetz en René de Chambrun (midden) verlaten in
september 1941 het ziekenhuis in Versailles, waar minister Pierre Laval
herstelt van de verwondingen die hij bij een aanslag op zijn leven heeft
opgelopen.*

van de Société des Parfums Chanel in orde waren en dat de schaarse dividenden niets met bedrog te maken hadden, maar met de enorme investeringen die nodig waren om van Chanel No. 5 een wereldmerk te maken. Maar Chanel was ervan overtuigd dat ze bestolen werd door een stel piraten – joodse piraten.

Ze nam een jonge Frans-Amerikaanse advocaat in de hand, René de Chambrun, een rechtstreekse afstammeling van de familie Lafayette met een dubbele nationaliteit. In 1930 droeg ze Chambrun op de Wertheimers te bestoken met een reeks rechtszaken: een zwakke poging om de controle over het bedrijf weer in eigen handen te krijgen. De zaak sleepte zich vijf jaar voort; Chanel verloor. Chambrun zou tot ver na de Tweede Wereldoorlog Chanels vriend en advocaat blijven en tijdens de Duitse bezetting een belangrijke rol spelen in haar oorlogsavonturen. Na de oorlog werd Chambrun beschuldigd van collaboratie met de nazi's.

Chanels creativiteit zwakte nooit af. Ze liet de tweedstoffen, de sportieve kleding en de *garçonne*-look achter zich en prees nu vrouwelijke jurken aan als middagdracht. Ze hulde zich voor haar overvloedige avondparty's in wolken tule en kant. Hoewel er een wereldwijde economische crisis heerste, kwam Chanel met een collectie imitatiesieraden die geïnspireerd waren op de echte juwelen die ze van Bendor had gekregen.[8] Het was een eerbetoon aan haar vindingrijkheid en aan de goede smaak van Étienne de Beaumont, graaf Fulco della Verdura en de Parijse ambachtslieden die ze inhuurde. Jaren terug had Beaumont, een Franse aristocraat van de hoogste orde, haar uitgenodigd op zijn weelderige Parijse soirees, maar sommige high-societydames in het gezelschap hadden haar te min gevonden. Later had ze tegen de schilderes Marie Laurencin gezegd: 'Al die vrouwen met blauw bloed, ze halen hun neus op voor mij, maar ik krijg ze nog wel zover dat ze voor me door het stof kruipen.' Ze dreef de spot met deze vrouwen, maar eigenlijk benijdde ze hen.[9]

Nu lanceerden Beaumont en Fulco della Verdura een oogverblindende Chanel-lijn van imitatiesieraden. De ontwerpster had een greep gedaan in de glinsterende geschenken van haar minnaars die in haar kluis lagen. De edelstenen werden uit hun vatting gelicht en dienden als voorbeeld voor de Chanel-sieraden: een kopie van een antiek Russisch halssnoer van verschillende strengen parels met een stervormig medaillon van bergkristallen, clusters van saffierblauw glas en turquoise knopjes aan goudkleurige kettingen, een witte of zwarte emaillen manchet afgezet met stenen van geslepen glas en een Indiaas collier met rode bijenkorfjes, balletjes van groen glas, groene blaadjes en parels – een imitatie van de zeldzame robijnen en smaragden die Bendor haar ooit gegeven had. De lijn was een eclatant succes. Nu was het Chanel die de societydames vertelde hoe het moest: 'Het is walgelijk om met miljoenen om je hals te lopen omdat je nu eenmaal rijk bent. Ik hou alleen van imitatiejuwelen (...) omdat ze provoceren.'[10] Toen de imitatiesieraden eenmaal goed liepen, bracht ze ook een collectie sieraden met échte diamanten op de markt: diamanten broches, kettingen, armbanden en haarclips.

In januari 1933 werd Adolf Hitler, de voorman van de NSDAP, rijkskanselier van Duitsland. Hij nam snel stappen om zijn macht te consolideren, 'dictator' te worden (in maart) en toegewijde volgelingen op sleutelposities te benoemen. Hermann Göring kreeg opdracht een geheime staatspolitie, de Gestapo, op te zetten en later ook een moderne luchtmacht, de Luftwaffe. De zesendertigjarige Joseph Goebbels was de tweede man in de partij, een 'niet-aflatende jodenvervolger en boekverbrander' en meesterpropagandist.[11] Toen Hitler hem als rijksminister van Volksvoorlichting en Propaganda benoemde, kwamen alle media onder de controle van één man: de radio, de pers, de uitgeverij, maar ook de film en andere kunstvormen.

Begin 1935 benoemde Hitler admiraal Wilhelm Canaris als chef van de Abwehr, de Duitse militaire spionagedienst. Canaris werkte enthousiast mee met zijn nazibazen: zo stelde hij voor de joden te verplichten een gele ster te dragen, zodat ze makkelijk te herkennen waren.[12] Later werd de Abwehr opgeslokt door Himmlers SS onder Walter Schellenberg.[13]

Een van de eerste acties van Goebbels was het aanstellen van Abwehrmeesterspion baron Hans Günther von Dincklage als 'speciaal attaché' bij de Duitse ambassade in Parijs. Gedekt door zijn diplomatieke onschendbaarheid zette Dincklage in Frankrijk een netwerk voor nazipropaganda en spionage op.[14] Hij zou zijn diplomatieke status tot na de Tweede Wereldoorlog behouden.

Dincklage was bekend bij de Franse inlichtingendienst en hogere politiefunctionarissen. Die verzamelden al sinds 1919 gegevens over Abwehr-agent F-8680, die sinds 1929 vanuit verschillende bases aan de Rivièra opereerde. In hun rapportages valt te lezen dat Dincklage zich na zijn terugkeer uit het Poolse Warschau bij zijn echtgenote Catsy voegde. Samen gooiden ze hun aantrekkelijke uiterlijk en charmes in de strijd om nieuwe agenten te rekruteren, die de hogere Franse marinekringen in Toulon en het Tunesische Bizerte moesten infiltreren. Tegen 1932 hadden de Dincklages hun intrek genomen in La Petite Casa in Sanary-sur-Mer.[15]

Catsy's halfzuster Sybille Bedford zei over Dincklages aantrekkingskracht: 'Spatz Dincklages geheime charmes wekten de schijn nonchalant te zijn (...) en hij had een schoonheid die zowel vrouwen als mannen aansprak.'[16] Tegen 1930 had Catsy Spatz' tennispartner, de Franse marineofficier Charles Coton, al tot een intieme, langdurige relatie verleid.

Later zou ze bovendien haar oog laten vallen op Pierre Gaillard, een genieofficier bij de Franse marine, die voor de Dincklages spioneerde op de strategische Franse vlootbasis aan de Cap Blanc bij Bizerte. De twee marineofficieren werden de ruggengraat van het spionagenetwerk van de Dincklages in het Middellandse Zeegebied. Coton werd de geheime koerier van de Dincklages tussen Sanary-sur-Mer, Toulon en Parijs.[17]

Met Hitler in het zadel als rijkskanselier nam Dincklage in oktober 1933 zijn officiële taken bij de Duitse ambassade ter hand. Hij had een grijze Chrysler twoseater en had samen met Catsy zijn intrek genomen in een appartement in een van de chique buurten van Parijs. Het was een nieuw avontuur voor Dincklage. Hij had nu een kantoor in de Duitse ambassade in de Rue Huysmans, waar hij onder de dekmantel van zijn diplomatieke betrekking en gefinancierd door Berlijn aan zijn valsepropagandacampagnes en spionageoperaties werkte. De ambassade bood rechtstreekse, beveiligde communicatie met Dincklages bazen in Berlijn en de diplomatieke koeriersdienst bezorgde de lijvige rapporten en knipselmappen die de spionnen voor het hoofdkwartier samenstelden. De Dincklages waren al snel thuis in Parijs. Enkele weken na hun aankomst leverden twee verhuiswagens uit Berlijn de meubels af bij hun appartement.[18] Hun Duitse hulp Lucie Braun, een door de Abwehr getrainde agente, voegde zich bij het stel. Braun kreeg een Frans identiteitsbewijs waarop stond dat ze voor een geaccrediteerde diplomaat van de Duitse ambassade werkte.[19]

De Franse politie en militaire inlichtingendienst hielden de nieuwe levensstijl van de Dincklages in de gaten. Ze hadden twee appartementen in zeer chique, dure wijken van Parijs – niet echt iets wat een Oostenrijkse vluchteling, zoals Dincklage zich soms afficheerde, zich kon veroorloven.[20] In 1934 bestempelde de Sûreté van het ministerie van Binnenlandse Zaken Dincklage als een nazipropagandist die agenten had in het Duitse toeristenbureau, dat gevestigd was aan de Avenue de l'Opéra. Dincklage had ook Duitse ingenieurs als technici in fabrieken in de voorsteden van Parijs geplant om industriële inlichtingen te verzamelen.[21]

In 1934 kwam het naziapparaat in Berlijn met orders aan de Abwehreenheden om samen te werken met de Gestapo en de SS. Abwehr-agenten zoals de Dincklages kregen opdracht nauwe betrekkingen te onderhouden met alle naziorganisaties die betrokken waren bij spionage en

Een aantrekkelijke baron Von Dincklage (ca. 1935) bij de Duitse ambassade in Parijs, in de tijd dat hij samenwerkte met de Gestapo.

contraspionage. In een laatste order aan Hitlers politie- en inlichtingendiensten werd de Abwehr-agenten verteld dat ze mensen moesten rekruteren en opleiden die met de Gestapo wilden samenwerken bij spionageactiviteiten.[22] Als onderdeel van deze consolidering kregen Duitse rijksburgers die in het buitenland woonden vanuit Berlijn en de plaatselijke consulaten te horen dat ze zich bij een nazicel moesten aansluiten. In Parijs was Dincklage, die nu door de Franse politie werd aangemerkt als iemand die 'leiding geeft aan een Duitse politiedienst', ook betrokken bij de eerste nazicel in Frankrijk. Zijn groep kwam wekelijks om negen uur 's avonds bijeen op het adres 53 Boulevard Malesherbes. In 1934 werd de hulp van de Dincklages, Lucie Braun, aangemerkt als het 239e lid van de Parijse cel, die toen 441 leden telde.[23]

De Franse militaire contra-inlichtingendienst, het Deuxième Bureau, had tegen die tijd al een lijvig achtergronddossier over Dincklage en zijn vrouw aangelegd. De organisatie ontving informatie over de levensstijl en operaties van het stel in Parijs en Sanary-sur-Mer. 'Dincklages vrouw Maximiliane [was] de dochter van de voormalige kolonel van de Duitse cavalerie Von Schoenebeck en Melanie Herz. Het echtpaar woonde op 64 Rue Pergolèse, dat ze voor achttienduizend francs per maand huurden [het equivalent van negentienduizend dollar in 2010].' Het rapport wemelt van de details: 'Dincklage is voortdurend op reis; zijn vrouw verblijft vaak in Sanary in de villa La Petite Casa. In Parijs krijgt het echtpaar op elk uur van de dag en de nacht bezoek van Charles Coton en Pierre Gaillard', want de Dincklages 'zoeken voortdurend het gezelschap op van Franse marineofficieren'.[24]

De Franse autoriteiten besloten de acties van de Dincklages te saboteren. Omdat ze Hitler niet wilden schofferen door een Duits echtpaar met diplomatieke accreditatie uit te wijzen wegens spionageactiviteiten, wendde de Franse contra-inlichtingendienst zich tot de pers. Op 27 november 1934 bracht Inter Press, een telegrafische nieuwsdienst, een onthutsende reportage over Dincklage en zijn ondergrondse netwerk. Rond dezelfde tijd werd bekendgemaakt dat Winston Churchill in het Britse parlement waarschuwde voor de 'bedreiging' die Hermann Görings Luftwaffe vormde. In het Inter Press-bericht werd onthuld dat 'baron Dincklage, Hitlers agent in Parijs, vervangen is (...) hij werd in zijn eigen ambassade aan de kaak gesteld als lid van Hitlers geheime politie (...) hij is nu betrokken bij speciale missies in Tunesië [toen onder Frans mandaat]. Een naaste vriend van Dincklage (Charles Coton) is een hoge bureauofficier van een Franse marine-eenheid die gestationeerd is op de Franse vlootbasis in Bizerte, Tunesië. Coton komt regelmatig naar Parijs. Op 16-17 november [1934] kwam Coton naar het appartement van de Dincklages met drie koffers, die naar zijn zeggen van het echtpaar Dincklage waren (...) Daarop kwam enkele dagen later de Vietnamese bediende van Pierre Gaillard, een vriend van de Dincklages, naar het appartement van de Dincklages met een doos sleutels om de koffers te openen; toen de Dincklages naar hun appartement terugkeerden, namen ze twee van de koffers mee – [wellicht zijn ze daarna naar Londen gereisd].'[25] De Franse functionaris, Pierre Gaillard, bleek een van Maximilianes minnaars te zijn. In de rapportage werden ook andere leden van het Franse spionagenetwerk van de Dincklages bij naam genoemd: madame Christa von Bodenhausen (haar geliefde was een Franse marineofficier), de Duitse journalist Hanck en Krug von Nidda, een notoire nazi die tijdens de bezetting de Duitse ambassadeur in Vichy zou worden. Ernest Dehnicks van het Duitse consulaat-generaal was eveneens een agent van Dincklage. Tot slot werd in de reportage bevestigd dat 'het Duitse toeristenbureau op 50 Avenue de l'Opéra, Parijs, verdacht wordt van handelingen tegen het landsbelang' – een eufemisme van de Franse overheid voor spionage.[26]

In 1934 nam Chanel haar intrek in een suite in de Ritz met een open haard en een sobere slaapkamer. De Ritz stond voor goede smaak, raffinement en comfort en was vermaard om zijn Franse haute cuisine. Chanels suite keek uit over de Place Vendôme. Net om de hoek lag de Rue Cambon, waar ze boven haar atelier een vierkamerwoning creëerde. De ruimte was ingericht met voorwerpen en meubels die haar dierbaar waren: de coromandelschermen van Boy Capel, kristallen kroonluchters, oriëntaalse tafeltjes en een paar bronzen dieren. Via de achteringang van de Ritz kon Chanel naar haar salon en appartement oversteken zonder dat ze langs de boetiek van de verafschuwde Schiaparelli aan de Place Vendôme hoefde te lopen.

Chanel was verliefd op een knappe, donkere Bask van dezelfde leeftijd: de buitengewoon creatieve illustrator en ontwerper Paul Iribe, geboren Iribarnegaray. Iribe had veel succes gehad in Hollywood: hij had een film geregisseerd en als artdirector voor Cecil B. DeMille gewerkt. In Frankrijk was hij de populaire illustrator van een boek met erotica gebaseerd op de mode van Paul Poiret. Iribe schreef en illustreerde voor *Vogue*, ontwierp stoffen, meubels en tapijten en werkte als binnenhuisarchitect voor rijke klanten. Zijn veelzijdige talent en provocatieve gevatheid hadden de aandacht van Chanel getrokken.

Met geld van Chanel blies Iribe het maandblad *Le Témoin* nieuw leven in en maakte er een gewelddadig, ultranationalistisch weekblad van. Een van Chanels biografen noemde Iribe een man uit de bourgeoisie met elitaire opvattingen, die gedreven werd door een irrationele angst voor vreemdelingen.[27] Wie zijn nummers van *Le Témoin* leest, zou haast denken dat Frankrijk het eeuwige slachtoffer van een grote internationale samenzwering was. Het tijdschrift was een timide echo van de fascistische en antisemitische pers in Frankrijk, van het soort bladen dat steun betuigde aan de Franse stormtroepers – de 'mannen met de bivakmutsen' – van La Cagoule en aan gelijkgestemde groepen in Italië en Duitsland. Volgens biograaf Charles-Roux markeerde Chanels bemoeienis met *Le Témoin*, met Iribe als redacteur en artdirector, haar overgang van politieke onverschilligheid naar een visie op de toekomst die gevormd was naar Iribes denkbeelden – gecombineerd met de ideeën en vooroordelen die ze tijdens haar jeugd op het platteland en in het katholieke klooster had opgedaan. Iribe had het lef om Chanel in het nummer van 24 februari 1933 af te beelden als een zieltogende Marianne, compleet met Frygische muts, haar naakte lichaam omringd door boosaardige mensen met duidelijk joodse trekken.[28] Frankrijk, zo stelde Iribe in *Le Témoin*, was het slachtoffer van een samenzwering van 'vijanden in de eigen gelederen', die 'Samuel' of 'Levi' heetten, 'vreemdelingen' zoals Léon Blum en de 'joodse vrijmetselaarsmaffia', de Sovjet-Unie en het 'rode gepeupel'. Los van zijn extreme politieke denkbeelden waren Iribes kunstzinnige bijdragen aan *Le Témoin* echter adembenemend.

Iribe was dus de eerste man die Chanel politiek bewust maakte. Ze betrok hem in haar zakelijke leven en liet hem delen in de macht die ze altijd zo zorgvuldig voor zichzelf had gehouden. Ze was weer 'gelukkig' en verliefd.[29] Iribe was haar vertrouweling, haar 'ridder'.[30] Chanel vroeg hem om samen met René de Chambrun aan de zaak Wertheimer te werken. In Parijs deed het gerucht de ronde dat ze zouden gaan trouwen.

Aan het eind van de zomer van 1935 hadden Chanel en Iribe een groot gezelschap te gast in La Pausa. Op foto's van die gelegenheid is het een prachtige, zomerse namiddag, een van die dagen aan de Rivièra waarop de goudkleurige gloed, een licht briesje uit de heuvels in de omgeving en de zilte geur van de Middellandse Zee een bedwelmende sfeer scheppen. Chanels gasten lijken regelrecht uit een schets van haar zomercollectie in een modeblad te zijn gestapt: ze dragen espadrilles, Franse matrozenshirts met horizontale strepen en losse pantalons van jersey – een idee dat Chanel van de bemanning van de Flying Cloud, het schip van de hertog van Westminster, had geleend. Iribe, die door de Franse schrijfster Colette een 'zeer interessante demon' werd genoemd, was uit Parijs overgekomen.

De volgende dag – een schitterende septemberdag – zat Chanel in de schaduw van een stokoude olijfboom ontspannen naar een partijtje tennis van Paul Iribe te kijken, terwijl een briesje de bladeren beroerde. Ze genoot van de atletische prestaties van haar minnaar. Haar Deense dog Gigot luierde naast haar. En plotseling stortte Chanels wereld ineen: Iribe viel voor haar ogen met een asgrauw gezicht op de grond. Geschokt keek ze toe hoe hij op een draagbaar werd afgevoerd. Paul Iribe, de zoveelste 'man van haar leven' van wie de roddelbladen dachten dat hij met Chanel zou trouwen, was dood. Chanel was er 'kapot' van.[31]

Er volgde een lange winter vol verdriet. Vanaf dat moment, tot aan het einde van haar leven, zou Chanel zich elke avond voor ze naar bed ging een injectie met Sedol, een middel op morfinebasis, toedienen. 'Ik heb het nodig om het vol te houden,' zei ze hierover.[32] Net als na de

Nu Hitler aan de macht was, werd Duitsland geteisterd door
gewelddadige jodenvervolgingen. In 1935 publiceerde Chanels
antisemitische minnaar Paul Iribe deze liggende Marianne
(het zinnebeeld van Frankrijk) met Chanels gelaatstrekken in
Le Témoin. *Hitler houdt Chanel in zijn armen terwijl drie mannen*
en een vrouw met joodse trekken toekijken. Het onderschrift luidt:
'Wacht, ze leeft nog.' Het tijdschrift, waarvan Iribe hoofdredacteur was,
werd gefinancierd door Chanel.

dood van Boy Capel zakte ze weg in een gat en gebruikte ze het middel
om zichzelf te kalmeren.

Gabrielle Palasse Labrunie kan zich nog een zomerbezoek aan La Pausa herinneren toen haar tante telkens weer met haar zware accent een
Engels liedje zong: *'My baby has a heart of stone (...) not human, but*
she's my own (...) To the day I die I'll be loving my woman.'[33] Madame
Labrunie vond dat de trieste woorden Chanels leven typeerden.

Coco was haar energie en levenslust kwijt. Zonder Iribe had ze geen
emotionele verbintenis; het was het begin van haar jaren van ongenoe-
gen. Ze wilde weg uit de Parijse mallemolen. In Londen, een geliefd toe-

vluchtsoord, woonde ze in het gezelschap van Randolph Churchill de Royal Ascot, de jaarlijkse paardenraces, bij. De Londense *Daily Mail* citeerde haar: 'Jullie vorstin krijgt iets zeer moeilijks voor elkaar. In een tijd waarin de ene na de andere bizarre, extravagante mode – niet altijd even smaakvol – de wereld verovert, weet zij een koninklijke gratie en waardigheid te bewaren die behoudend zijn zonder ouderwets te zijn.'[34]

Tegen de zomer van 1934 leek Hitlers terreurcampagne geen grenzen meer te kennen. In Oostenrijk hadden de nazi's kanselier Engelbert Dollfuss vermoord. In Berlijn en Beieren hield Hitler persoonlijk toezicht op de moord op de bruinhemden van Ernst Röhm, nu zijn politieke tegenstanders. Om zijn oppermacht te vieren brachten Hitlers organisatoren tijdens de Rijkspartijdag tweehonderdduizend kaderleden met eenentwintigduizend vlaggen op de been in een afgeladen Neurenberg. Een uitgelaten menigte luisterde naar de uitroepen van haar Führer: 'Wij zijn sterk, en wij zullen nog sterker worden!'[35]

In hetzelfde jaar richtte Hitler zijn aandacht op de antinazistische, in Zwitserland opgeleide, liberale koning van Joegoslavië, Alexander, een solide bondgenoot van Frankrijk en een dwarsligger bij de plannen die Hitler met Europa had. In de zomer van 1934 reisde Dincklage naar Joegoslavië af. Het Franse Deuxième Bureau traceerde hem in de hoofdstad Belgrado, amper drie maanden voordat Bulgaarse nationalisten koning Alexander doodschoten toen hij in de haven van Marseille aankwam voor een staatsbezoek aan Frankrijk. Agenten van de Franse inlichtingendienst onthulden: 'Dincklage (...), een voormalige attaché van de Duitse ambassade in Parijs, was afgelopen zomer voor zaken in Joegoslavië.' Dincklage schreef aan zijn vroegere collega's van de ambassade: 'De zaken in Joegoslavië zijn net als overal elders bikkelhard.'[36]

Drie maanden later schreef de Franse ambassadeur in Berlijn, André François Poiret, aan sir Eric Phipps van de Britse ambassade in dezelfde stad dat 'de Duitsers beslist niet zo onschuldig zijn inzake deze moordaanslag als ze ons willen doen geloven' en dat Göring er iets mee te maken had gehad toen hij een bezoek bracht aan Belgrado.[37]

In maart 1935 schoof Hitler het Verdrag van Versailles terzijde (twee jaar later zou hij het verwerpen) en voerde de dienstplicht in, waarmee de numerieke macht van het Duitse militaire apparaat verdrievoudigde. De Franse inlichtingendiensten kregen nu toestemming de aanval in te zetten op het groeiende Duitse spionage- en propagandanetwerk, dat valse en misleidende informatie verspreidde in Frankrijk. Dincklage werd als hun hoofddoelwit aangemerkt.

'Gestapo über alles' (de Gestapo boven alles) luidde de dramatische kop van een artikel in het Parijse weekblad Vendémiaire van 4 september 1935. Het verhaal, duidelijk het werk van de Franse contra-inlichtingendienst, besloeg drie kolommen. In het nummer van 11 september volgde nog een lange reportage. Beide stukken gingen over Dincklages activiteiten als Gestapo-agent (in die tijd maakten de Fransen nog geen onderscheid tussen de Abwehr en de Gestapo) en als speciaal attaché van de Duitse ambassade. In vijfduizend woorden ontmaskerde Vendémiaire het werk van nazi- en Gestapo-agenten in Frankrijk. De redacteuren onthulden dat Dincklage een officier van de Gestapo was, op de een of andere wijze betrokken was geweest bij de moordaanslag op koning Alexander van Joegoslavië en in september 1934 een bezoek aan de Gestapo in Berlijn had gebracht, bij welke gelegenheid hij 'een Gestapo-officier genaamd Diehls een lijst [had overhandigd] met de adressen van Duitse ballingen in Frankrijk'. Daarnaast had hij aangeboden de nazi's lijsten te bezorgen met de namen van voormalige Duitse communisten in Frankrijk. Later werd onthuld dat Rudolph Diehls een goede vriend van Hermann Göring was, die hem een hoge nazipost had bezorgd nadat hij als chef van de Gestapo het veld moest ruimen voor Himmler.[38]

Het krantenartikel is een bijna letterlijke kopie van een rapport uit oktober 1934 van het Franse 'Deuxième Bureau op het hoofdkwartier van het leger'. Hierin staat dat Dincklage honderdduizend francs per maand ontving (het equivalent van ongeveer honderdvijfduizend dollar nu) om 'zijn corrupte activiteiten' te financieren. Vendémiaire deed verder verslag van Dincklages missies als agent van Duitsland aan de Côte d'Azur, in Parijs en op de Balkan. Tijdens een missie in Tunis huurde Dincklage dissidente moslims in voor een heftige propaganda-aanval op het Franse koloniale regime.

Aangezien Frankrijk zich voorbereidde op een oorlog met Duitsland, stonden de Franse autoriteiten (zeer waarschijnlijk het Deuxième Bureau) de schrijver Paul Allard toe vrijwel hetzelfde verhaal te publiceren als dat in Vendémiaire. In Allards Quand Hitler espionne la France (Toen Hitler Frankrijk bespioneerde) valt te lezen dat Goebbels' propagandaman in Parijs, Dincklage, er bij zijn Berlijnse bazen op aandrong hem positieve anekdotes over het gezinsleven van SS-officieren te sturen, opdat die verhalen in Franse pro-nazibladen konden worden geplaatst.[39]

Tijdens de Rijkspartijdag van 1935 in Neurenberg werden de tegen de joden gerichte 'Neurenberger wetten' afgekondigd. Van de ene op de andere dag was Maximiliane von Dincklage haar burgerrechten kwijt, want volgens deze wetten was ze joods. Voor Alfred Rosenberg, de rassenfilosoof van de nazi's, waren de wetten de vervulling van zijn wens dat het Duitse 'meesterras', volgens hem een homogene arisch-noordse beschaving, beschermd zou worden tegen de veronderstelde 'raciale dreiging' van het 'joods-semitische ras'. De wetten verboden onder andere huwelijken tussen joden en ariërs. Dincklage moet geweten hebben dat het decreet eraan zat te komen: drie maanden eerder was hij in Düsseldorf gescheiden van de vrouw met wie hij vijftien jaar getrouwd was geweest.

De kersverse vrijgezel Dincklage bracht de zomer in de buurt van Toulon door in het appartement van zijn Engelse minnares en haar zus.[40] Toen de artikelen in *Vendémiaire* verschenen, vertrok hij haastig naar Londen. Vanuit de tijdelijke oase van zijn appartement in Mayfair Court aan Stratton Street schreef hij een brief aan de Duitse ambassadeur in Parijs – een zwakke poging hem te overreden om bij de Franse autoriteiten protest aan te tekenen tegen de publicatie van de artikelenreeks in *Vendémiaire*.[41] Het mocht niet baten; de ambassadeur vroeg zijn aide de camp een antwoord op te stellen aan zijn voormalige attaché. Hieronder volgen fragmenten van de briefwisseling:

Aan de edelachtbare ambassadeur,
Ik heb zojuist in een Franse winkel (...) de *Vendémiaire* van 4 september 1935 aangeschaft. Volgens mijn inschatting moet de auteur van het bijgesloten document (...) beslist betaald zijn door anti-Duitse bronnen (...) De dag voor de moord op de koning van Joegoslavië [was ik] in Tunis (...) [U] moet schrijven (...) aan de autoriteiten dat [de informatie] onjuist en compleet ongefundeerd [is gepresenteerd]. Ik ben momenteel verwikkeld in het opbouwen van een [onleesbaar] en deze verklaring zou in mijn nadeel kunnen werken. Ik verzoek oprecht dat Herr Koester (...) de Franse autoriteiten naar waarheid [bericht opdat] de fouten opgehelderd worden (...) Een groot deel van mijn werk, mijn vele reizen naar

Frankrijk en (...) mijn tijd op de ambassade (...) hebben (...) goede resultaten opgeleverd voor Duitsland en Frankrijk. Ik betuig u mijn respect en hoogachting, meneer de ambassadeur, en verblijf, uw trouwe (...)
[getekend] Dincklage

De Duitse ambassade in Parijs antwoordde hierop:

Parijs, 13 september 1935
Geachte heer Dincklage,
De ambassadeur heeft me geïnstrueerd u te bedanken voor uw vriendelijke woorden. Hij gelooft niet dat een interventie in de zaak die u heeft uitgelegd momenteel [onleesbaar] is: de geruchten die eerder de ronde deden zijn afgenomen, en het nemen van maatregelen om de geruchten te corrigeren, hetzij in Quai d'Orsay [de locatie van het Franse ministerie van Buitenlandse Zaken], hetzij in de plaatselijke pers, zou slechts met zich meebrengen dat oude verhalen een nieuwe betekenis krijgen en de bezorgdheid zou toenemen. Mochten de geruchten niettemin opnieuw de kop opsteken, dan zal de ambassadeur de gelegenheid te baat nemen de kwestie die u zorgen baart op te nemen met het ministerie van Buitenlandse Zaken ter plaatse.
Met vele groeten verblijf ik, altijd uw trouwe correspondent.
[getekend] Fühn[42]

Voorafgaand aan Dincklages vertrek naar Engeland had het Deuxième Bureau in een geheim rapport uit 1935 onthuld dat diens hulp, een lid van een nazicel in Parijs, nu vanuit de basis van de Dincklages in Sanary-sur-Mer opereerde: 'Een vrouw genaamd Lucie Braun, volgens Dincklage zijn secretaresse, eveneens van het personeel van de Duitse ambassade in Parijs (...) [wordt] verdacht van handelingen tegen het landsbelang.' Het Bureau geloofde dat Lucie Braun vóór Dincklages vertrek naar Londen in de buurt van Toulon woonde, in Sanary, dat een grote Duitse gemeenschap kende. Verder meldt het rapport dat Dincklage op 9 februari 1935 bezoek kreeg van zijn oom William Kutter, een tweeënzeventigjarige oud-admiraal van de Duitse marine uit Darmstadt. Kutter kwam rechtstreeks uit het Franse Straatsburg en bleef tot eind februari in La Petite Casa in Sanary. Hij was op het station van Toulouse gevraagd naar de reden van zijn bezoek en had de Franse agenten verteld dat hij als toerist naar Toulon was gekomen, maar hij had niet vermeld dat hij naar de villa van de Dincklages in Sanary ging.[43]

De Amerikaanse president Franklin Roosevelt kondigde kort na zijn herverkiezing aan dat Amerika neutraal zou blijven en deed een beroep op Hitler en Mussolini om de problemen in Europa op vriendschappelijke wijze op te lossen. Winston Churchill zag in alle drukte nog kans om een telegram aan Chanel te sturen. Op 2 december 1935 schreef hij vanuit Londen: 'Ik vrees dat ik geen avond in Parijs heb wanneer ik op 10 december op doorreis ben, maar ik keer tegen eind januari weer terug en zie er erg naar uit je dan te zien. Ik zal je twee of drie dagen van tevoren een telegram sturen vanuit Mallorca, waar ik van plan ben de winter door te brengen. Wat heerlijk om je dan weer te zien. Bij dezen wat ik je verschuldigd ben.'[44]

Churchills verwijzing naar 'wat ik je verschuldigd ben' wordt verder niet uitgelegd. Het is overigens maar zeer de vraag of hij die winter nog naar Mallorca is gegaan: in de volgende maanden zou hij verwikkeld zijn in het politieke lot van Groot-Brittannië. Koning George V van Engeland overleed en diens zoon Edward besteeg de troon. Churchill zou al zijn politieke gewicht in de strijd gooien om zijn vorst en naaste vriend te beschermen tegen de gramschap van het Britse parlement, dat fel gekant was tegen Edwards plannen om te trouwen met de gescheiden Mrs. Wallis Simpson.

Terwijl de Duitse generale staf hard werkte aan plannen om Frankrijk binnen te vallen en delen van Noord-Afrika te bezetten, zette Dincklage een spionagenetwerk op aan de Franse vlootbases in Tunesië en verspreidde hij anti-Franse propaganda onder de Noord-Afrikaanse moslims. Zijn vroegere agent in Toulon, Charles Coton, was al uit Sanary vertrokken voor een opdracht op de Franse vlootbasis in Bizerte. Ook hier zou hij als Dincklages belangrijkste agent optreden.

De Franse autoriteiten waren erop gebrand Dincklage uit te wijzen. In een rapport uit 1938 van het Deuxième Bureau staat: 'Sinds zijn vertrek uit de Duitse ambassade is [Dincklage] actief geweest in anti-Franse propaganda in Noord-Afrika. Hij is op verschillende missies geweest in Noord-Afrika [inclusief] Tunesië – [maar] na nauwgezette observatie

'Spatz' Dincklage en zijn minnares Hélène Dessoffy op een bootje voor de kust van de Franse Rivièra, ca. 1938. Dessoffy was zonder dat ze het besefte betrokken bij Dincklages spionageactiviteiten op de Franse vlootbasis in Toulon.

heeft Dincklage geen strafbaar feit gepleegd; niettemin is hij een gevaarlijk persoon.'

In november 1938 had Dincklage inmiddels een nieuwe minnares en agent. De Franse contra-inlichtingendienst noemde haar 'Madame "Sophie" of "Dessoffy"' (later geïdentificeerd als *baronne* Hélène Dessoffy).[46] Een Franse agent in Bayonne rapporteerde: 'Madame de Sophie of Dessoffy en de Dinkelake [sic] reizen regelmatig tussen Parijs en Toulon heen en weer. Zij is de tussenpersoon voor de acquisitie van radio-ontvangers "Aga Baltic" namens een zekere Dinklage [sic], die verondersteld wordt een agent van [het bedrijf] "Aga Baltic" in Toulon te zijn (...) De twee worden verdacht van spionage tegen Frankrijk.'[47] In een rapport met het stempel 'Urgent Geheim' waarschuwden de Franse autoriteiten alle agenten dat 'baron Dincklage, wonend in villa Colibri in Antibes [een van zijn adressen destijds] en in het bezit van een Duits diplomatiek paspoort (000.968 D.1880), met het stoomschip El Biar in Tunis is aangekomen, zonder een visum, en gevraagd is de Régence [Frans territorium] per direct te verlaten. Dincklage reisde met de Franse barones Dessoffy, Hélène, geboren te Poitiers, 15 december 1900, woonachtig te Parijs, 70 Avenue de Versailles (...) Het stel verblijft nu in Hotel Majestic in Tunis. Ze hebben aangrenzende kamers, die met elkaar in verbinding staan.' In het rapport staat verder dat Dessoffy gebeld had met een vriend, de marineofficier M. Verdaveine, die gestationeerd was op de Franse vlootbasis bij Bizerte. Dessoffy vertelde hem: 'Ik wil door Zuid-Tunesië reizen.' Verdaveine adviseerde haar niet op reis te gaan, en zeker niet met de Duitser Dincklage.

Dincklage moet op de een of andere manier zijn gewaarschuwd. Het rapport vervolgt: 'Het stel heeft Tunis om 10.00 uur verlaten op het stoomschip naar Marseille (...) We hebben de s.e.t. [ongeïdentificeerde Franse dienst] opdracht gegeven de relatie tussen Verdaveine en Dessoffy Hélène vast te stellen.'[48]

Een jaar voor het uitbreken van de Tweede Wereldoorlog vaardigde het Franse ministerie van Oorlog een geheime instructie uit dat Dincklage nauwgezet in de gaten moest worden gehouden. Het ministerie liet er geen twijfel over bestaan: 'Zelfs als er geen rechtstreeks bewijs bestaat om Dincklage aan te klagen, zou hij onmiddellijk uit Frankrijk moeten worden uitgewezen.'[49]

En hoe verging het Catsy? De Fransen rapporteerden in 1938:

Ondanks hun scheiding van tafel en bed hebben Dincklage en vrouw een goede relatie met elkaar en ziet hij haar in Antibes, Sanary en Toulon (...) Mme Dincklage [de Fransen wisten blijkbaar niet van de scheiding in 1935] kwam op 9 augustus 1938 in Antibes aan (...) ze vertrok daar op 13 september en keerde terug naar de villa 'Huxley', waar ze al eerder heeft verbleven. Ze is nu de geliefde van Pierre Gaillard.

In 1939 zou de Franse politie rapporteren:

Baronne Dincklage, bekend bij de Sûreté, woont in Ollioles (Var) op een landgoed dat eigendom is van een van haar vriendinnen, de *Comtesse* [sic] Dessoffy, eveneens bekend bij de Sûreté (Fichier Central: Sûreté-archief). *Baronne* Dincklages minnaar is de zevenentwintigjarige Pierre Gaillard, ingenieur en zoon van de oprichter en directeur van een bedrijf dat stalen netten vervaardigt (gebruikt bij de nationale defensie tegen vijandige onderzeeboten en op strategische punten opgehangen). Gaillard is momenteel in Oran [een strategische Franse vlootbasis in Algerije]. Mme Dincklage correspondeert vaak met hem, en we vrezen dat Gaillard constant onder de invloed van haar charmes is en zonder het te willen een indiscretie zou kunnen begaan die de nationale defensie schade zou toebrengen.[50]

Eind 1938 wist Dincklage dat een oorlog met Frankrijk ophanden was. Niettemin rapporteerden de mensen die hem in de gaten hielden: 'Hij wordt in Toulon waargenomen (...) en bezoekt ook de oevers van Lac Léman.' (Het Meer van Genève, dat aan het Franse Thonon-les-Bains grenst. Er is een veerdienst naar de Zwitserse steden Lausanne en Genève en hun banken.) 'Zijn levenswijze in Antibes is bescheiden (...) [Dincklage] ontvangt dag en nacht bezoek. Sommige [gasten] komen per automobiel; hun nummerborden zijn (...).'[51] Uiteindelijk gaven de Franse autoriteiten alle agenten opdracht tot het 'in de gaten houden van de post-, telefoon- en telegraafberichten van: Mme Dincklage, 12 Rue des Sablons, Parijs, en Mme la Comtesse Dessoffy de Cserneck [sic]'.[52] Het Deuxième Bureau verzocht het hoofd van de Sûreté Nationale de eigenaars te achterhalen van de auto's met een Franse nummerplaat (die gezien waren voor het huis van de Dincklages) en al het nodige te doen om 'Dincklage per direct uit te wijzen, indien het niet mogelijk is hem aan te klagen wegens spionage'.[53] De Franse contra-inlichtingendiensten vertelden hun agenten: 'Baron Hans Günther Dincklage wordt als een zeer gevaarlijke agent tegen Frankrijk gezien', en gaven opdracht informatie te vergaren over 'de relaties tussen Dessoffy en Dincklage'. Een ander rapport voegde een voorbehoud toe: 'Niettegenstaande haar buitenlandse contacten is [Dessoffy] niet bij machte Frankrijk te verraden. Niettemin adviseren wij Franse officieren uiterste discretie in acht te nemen in hun relaties met de Dessoffy's en de vrouw Dincklage.'[54]

Het was slechts enkele weken voor het uitbreken van de Tweede Wereldoorlog toen de Franse autoriteiten een waarschuwing deden uitgaan over het spionagewerk van de Dincklages in Frankrijk. Het rapport is een samenvatting van hun activiteiten vanaf 1931. De Dincklages 'waren gescheiden en Dincklage leverde zijn bazen in Berlijn informatie over Duitse vluchtelingen in Frankrijk en inlichtingen over het nationale defensiesysteem'. Maximiliane Dincklage 'is de dochter van een Duitse kolonel in het keizerlijke leger van de *Kaiser* (...) ze is een aanhanger van de monarchie' – dat wil zeggen, van een autocratisch bewind.

In augustus 1939 werd Frankrijk gemobiliseerd. Dincklage vluchtte naar Zwitserland. De Franse militaire inlichtingendienst beval '*baronne* Dincklage huisarrest op te leggen'.[55] In december vaardigden de Franse autoriteiten een mandaat uit: '[Maximiliane Dincklages] aanwezigheid in Frankrijk vertegenwoordigt een gevaar. [Agent] 6000 vraagt [agent] 6610 alle maatregelen te nemen om deze vreemdelinge te interneren.'[56]

Enige maanden voor de Duitse inval in Frankrijk werd Catsy, net als verschillende andere Duitsers die in Frankrijk woonden, geïnterneerd in Gurs, een Frans concentratiekamp in het toenmalige departement Basses-Pyrénées.[57]

Toen Chanel na de bevrijding van Parijs werd ondervraagd over Dincklage, zei ze: 'Ik ken hem al twintig jaar.'[58] Dat is wellicht een van de vele overdrijvingen van Chanel; er bestaan geen bronnen uit de eerste hand over waar en wanneer ze Dincklage voor het eerst is tegengekomen. Chanels achternicht Gabrielle Palasse Labrunie, die Dincklage goed heeft gekend, heeft de auteur verteld dat ze er zeker van was dat de twee elkaar ruim voor de oorlog in Engeland hadden leren kennen.[59] Verder bestaan er anekdotes die suggereren dat ze elkaar in Parijs hadden ontmoet, toen Dincklage bij de Duitse ambassade ging werken: van Dincklage is bekend dat hij verschillende avondjes heeft bezocht bij vrienden en kennissen van Chanel. Velen behoorden tot de pro-Duitse kliek in het Parijs van de jaren dertig, zoals Marie-Louise Bousquet, barones Philippe de Rothschild, hertogin Antoinette d'Harcourt en Marie-Laure de Noailles. Pierre Lazareff, die over Chanel en de crème de la crème van Parijs heeft geschreven, meldde dat toen Dincklage in 1933 bij de Duitse ambassade kwam werken, deze adellijke kliek actief was in een 'sociale brigade van de Führer'.[61] De in Parijs gebaseerde groep werd gesponsord door een goede vriend van Dincklage, de 'charmante, blonde, naïeve'

Otto Abetz, die zijn gehoor vermaakte met verhalen over Adolf Hitler. Abetz verzekerde hun dat de joden Frankrijk de oorlog in wilden jagen, maar dat Frankrijk niet bang hoefde te zijn voor Duitse agressie.[62]

Ondanks Chanels fabels en verzinsels over de tennissende, Engels sprekende Dincklage – zowel zij als haar biografen wekten de indruk dat hij eerder Engels dan Duits was – waren Chanel en haar vrienden wel degelijk op de hoogte van Dincklages banden met de nazi's en zijn spionageactiviteiten in Frankrijk: de roddels in elitekringen naar aanleiding van de artikelenreeks in *Vendémiaire* en het boek van Allard uit 1939 kunnen niet aan hen voorbijgegaan zijn.

6

En toen kwam de oorlog

Middeleeuwse kinderen die gemene middeleeuwse spelletjes
spelen.

– PABLO PICASSO[1]

Vanachter het raam van haar suite in Hôtel Ritz, die uitkeek op de Place
Vendôme, keek Chanel naar de demonstranten die oprukten naar de
naburige Place de la Concorde. Het was 6 februari 1934, en het begin
van haar problemen. In een explosie van protesten waren Franse extreemrechtse organisaties die banden hadden met Italië en Duitsland
samen met groepjes communisten te hoop gelopen om de regering omver te werpen.

William L. Shirer, een journalist van de *Paris Herald*, was die dins-
dagmiddag in 1934 op de Place de la Concorde en zag de mobiele garde
met sabels inhakken op de menigte in de Tuileries, die de politie met
stenen bekogelde. Shirer trok zich terug op het balkon op de derde verdieping van Hôtel de Crillon, dat op de Place de la Concorde uitkijkt.
Hij was er getuige van dat rechtse jongeren probeerden door te breken
naar het parlementsgebouw aan de overkant van de Seine, maar verdre-
ven werden door de leden van de mobiele garde, die hoog te paard zaten
met stalen helmen op hun hoofd.

Tegen de avond paradeerde een grote groep rechtse veteranen uit de
Eerste Wereldoorlog achter een massa Franse vlaggen aan over de Place
de la Concorde, richting de brug over de Seine, die al volgepakt stond
met mensen. Shirer schreef: 'Als ze over de brug heen komen (...) zullen
ze iedere afgevaardigde in de Kamer [het Franse Huis van Afgevaardig-

den] vermoorden.' De menigte werd door een dodelijk spervuur tot stilstand gebracht.

Op het balkon van het Crillon, nauwelijks zes meter van Shirer vandaan, zakte een vrouw plotseling in elkaar. Een kogel had haar hoofd doorboord.

'Van de brug en de overkant van de Seine klonken schoten (...) het vuren van automatische geweren, en vlak bij het Crillon braakte het ministerie van Marine rookwolken uit. Toen de brandweer de slangen uitrolde om de vuurzee te bedwingen, kwam de menigte dichterbij en hakte in op de slangen.' Shirer ging naar beneden om de *Herald* te bellen; in de lobby lagen verschillende gewonden, die eerste hulp kregen.

Rond middernacht kreeg de mobiele brigade de overhand. De politie had de situatie weer onder controle. Shirer kon nog net voor de deadline een paar kolommen bij elkaar schrijven, waarin hij de officiële cijfers gaf: zestien doden en enkele honderden gewonden.[2] De volgende dag diende de regering haar ontslag in.

In de maanden hierna volgden talloze linkse demonstraties; communisten en socialisten bundelden hun krachten in hun strijd tegen het rechtsfascistische front. Krap twee jaar later vormde de eerste joodse premier van Frankrijk, Léon Blum, zijn Volksfront-regering, wat de Franse arbeiders tot actie inspireerde. Gesteund door enkelen van de net gekozen socialisten en communisten staakten ze voor hogere lonen en sociale voorzieningen.

De onlusten joegen Chanel grote angst aan. De lieflijke Place Vendôme was verstikt door traangas en lag bezaaid met smeulende hopen rotzooi. De straten achter de Ritz, háár buurt, waren bevlekt met bloed. Chanel en haar vrienden waren in paniek: wat lag hun nog te wachten in deze chaotische jaren, nu Frankrijk in de greep was van de Grote Crisis? Wat ging er gebeuren met haar vijfentwintighonderd – veelal linkse – employees?

Het ergste moest nog komen. Op 1 mei 1936 vierden duizenden arbeiders de Dag van de Arbeid met een mars over de lommerrijke boulevards van Parijs. Ze droegen reusachtige rode vaandels en zongen het strijdlied van socialisten overal ter wereld, de 'Internationale'. Het kan niet anders of Chanel heeft door de openslaande deuren van haar suite in de Ritz heen de opwinding gevoeld, het gezang gehoord en de rode banieren gezien. Persfotograaf David Seymour legde de grimmige gezichten van de arbeiders vast terwijl ze de woorden 'ten laatste male, tot den strijd ons geschaard!' zongen en plakkaten meedroegen met de gezichten en namen van Franse humanisten en kunstenaars: Honoré Daumier, Molière, Voltaire, Émile Zola, Paul Signac met zijn holle wangen.

In de ogen van Chanel en de bevoorrechte klasse van Europa – en van veel Franse middenstanders die jaren hadden gezwoegd en gespaard – waren de stakingen die de Franse industrie in 1936 verlamden schandalig en een voorbode van het communisme. Op 26 april 1936 won het Volksfront, een coalitie van communisten en socialisten, de Franse verkiezingen. Een maand later trad de regering van Léon Blum aan.

Gesterkt door de verkiezingsuitslag begonnen de vakbonden op 26 mei een algemene staking in Le Havre; fabrieken werden bezet om lockouts te voorkomen. De acties sloegen al snel over naar Parijs. Tegen juni waren de boetieks bij de lift in de Ritz gesloten; de eigenaars hadden ze failliet verklaard.[3]

De verkoopsters in Chanels boetiek in de Rue Cambon en de *petites mains* die in haar ateliers werkten volgden het voorbeeld van Le Havre: ongeveer vierduizend personeelsleden gingen in staking.[4] Chanels persoonlijke accountant Madame Renard ontdekte op een vroege juniochtend dat ze haar kantoor niet kon betreden. Ze glipte weg, betrad de Ritz via de achteringang en nam de lift naar Chanels suite. Met een bevende stem vertelde ze een nog slaperige Chanel dat haar naaisters haar hadden buitengesloten. Chanel vroeg zich verbijsterd af of haar personeel gek was geworden. Ze zou later verklaren: 'Ik bedoel maar, ze waren niet goed wijs in 1936.' Madame Renard geloofde dat de stad aan het boeventuig was overgeleverd en smeekte Chanel Parijs te verlaten. Chanel verklaarde dat haar coupeuses en verkoopsters aangestoken waren door een Amerikaanse uitvinding, '*le sit-down!*'

Maar het was de coupeuses, de vakkrachten, menens. Diezelfde ochtend nog prikten ze een haastig geschreven bordje op de personeelsingang: BEZET. Met de armen over elkaar vatten ze post in de ateliers en de boetiek, en wachtten af. Chanel ervoer het als een dolkstoot in de rug. Naar haar idee hadden haar arbeidskrachten – '*mes filles*' (mijn meisjes), tot wie ze ook haar naaste medewerkers en hogere personeel rekende – haar ondanks haar generositeit 'verraden'. Ze betaalde immers goed voor een dag werk en haar personeel had recht op vrije dagen (in de meeste gevallen onbetaald). Manon, een van Chanels topkrachten, had na een vakantie in Chanels landhuis nog uitgeroepen: 'De eerste keer dat ik de zee zag was in Mimizan.'[5]

In 1936 gingen Chanels werknemers in staking en sloten de deuren van het bedrijf. Een delegatie heeft zich verzameld voor de personeelsingang in de Rue Cambon, die tot op heden door het personeel van Chanel wordt gebruikt.

Heel Parijs leek wel te staken; premier Blums oproep om de rust te bewaren werd genegeerd. De verkoopsters van Printemps en Les Galeries Lafayette, grote Parijse warenhuizen, duwden 'luidkeels protesterende en druk gebarende klanten en bezoekers de deur uit'. Het was de Franse versie van de Amerikaanse sitdownstaking. De meisjes 'dansten in de gangpaden en picknickten in de liften'.[6] Shirer noemde 'de opgewektheid van de stakers een duister voorteken'. En verontrustend was het. *L'Écho de Paris* berichtte hoe de verkoopsters van de winkels op de Boulevard Haussmann in staking gingen: ze liepen lachend hun werkplaatsen uit of bezetten het pand. Chanel en haar klanten, de elite van Parijs, waren bang dat het tot een burgeroorlog zou komen.

Het ging allemaal zoals Chanels vroegere geliefde Bendor had voor-

speld: de bolsjewieken en de joden wilden over Europa heersen en stuurden aan op een oorlog tussen Groot-Brittannië en Duitsland. Bendor,
de rijkste grootgrondbezitter in zijn land, de man die door Chanels achternicht Gabrielle Palasse Labrunie 'oom Benny' werd genoemd, wilde
dat Engeland Hitler en Mussolini steunde in hun strijd tegen het Russische communisme. Vriendschap tussen Engeland en Duitsland was de
hoeksteen van de wereldvrede, stelde de hertog. Sterker nog, Duitsland
zou de aanval moeten openen op Rusland, het land dat het Westen bedreigde.[7]

Blums socialistisch-communistische parlementaire blok joeg de be-
zittende klasse grote angst aan. Vijfentachtig procent van de Franse kie-
zers had voor Blums Front Populaire gekozen. De rijken waren doods-
benauwd voor een communistische machtsovername in Europa. Er was
een run op goud en de prijs schoot omhoog. Sommige leden van de Parijse elite stuurden hun kostbaarheden naar Zwitserse banken. Anderen
pakten hun spullen bij elkaar en namen de wijk naar hun veilige bui-
tenhuizen. Ze gaven hun *mécanicien* (zoals Chanel haar chauffeur
noemde) opdracht hun Rolls-Royce of Delaunay-Belleville (Chanel had
beide) vol te laden met kostbare kunstwerken, sieraden en zilver. De
achterblijvers vergrendelden hun deuren, laadden hun geweren en vul-
den hun badkuipen met water – ze waren bang dat hun voorzieningen
zouden worden afgesneden. Het leek of de sansculottes, de revolutio-
nairen van 1789 met de door hen zo geliefde guillotine, de straten van
Parijs weer onveilig maakten.

Chanels arbeidskrachten gaven geen krimp. Coupeuses zijn van na-
ture nauwgezet en geconcentreerd, dus werd Chanel nu geconfronteerd
met een stel vasthoudende vrouwen die voor hogere lonen streden en
voor het eerst van hun leven op een doorbetaalde vakantie durfden te
hopen. Op foto's staan ze voor Chanels boetiek in 31 Rue Cambon en
de ingang van het atelier op nr. 29. De verder niet met name genoemde
vrouwen poseren voor de persfotografen. Ze dragen modieuze japonnen
en getailleerde mantelpakjes. Een van de staaksters, in Chanel-outfit,
zwaait verlegen naar de camera, een ander lacht en heeft haar vuist vastberaden opgestoken. Weer een ander houdt de traditionele stakingskas
op. Alle vrouwen lachen, maar ze staan ferm en vastberaden.

In de dagen daarop vlogen de beschuldigingen over en weer. De boetiek en het atelier bleven gesloten. Chanel probeerde een nieuwe strategie: als de vrouwen dan per se het communisme wilden, zou ze het hun

geven ook. Ze bood aan het modehuis aan haar personeel over te dragen, mits zijzelf werd aangesteld als directeur. Het aanbod werd afgeslagen. Uiteindelijk kwamen Blum en de Franse vakbonden als de grote overwinnaars uit de strijd. In de eerste week van juni ondertekende Blum een overeenkomst die sindsdien bekendstaat als 'Les Accords de Matignon' (naar het Hôtel de Matignon, de officiële residentie van de Franse premier). Franse arbeiders hadden voortaan recht op een veertigurige werkweek, een doorbetaalde vakantie, collectieve onderhandelingen en leerplicht tot hun veertiende.

Juli en augustus vergleden. Terwijl de bladeren van de kastanjebomen in Parijs roestbruin kleurden, hervatten de meeste arbeiders hun werk. Chanels adviseurs smeekten haar concessies te doen, redelijk te zijn en de najaarscollectie voor ogen te houden. Ze twijfelde. Capituleren druiste tegen haar hele wezen in. Niettemin was haar prestige in het geding. Er waren grote bedragen gemoeid met de overhead, stoffen en machines. De zakelijke belangen stonden voorop. Ten slotte ging ze overstag. In de ateliers zoemden de naaimachines weer, de grote stalen rolluiken van Chanels boetiek in de Rue Cambon gingen weer open en de crème de la crème van Parijs keerde terug om zich te laten helpen door beschaafde employees.

Heel Parijs had het inmiddels over de innovatieve ontwerpen van Elsa Schiaparelli, haar gedurfde knalroze creaties uit het palet van Dalí, haar toepassing van de kunst van Christian Bérard en Jean Cocteau in haar japonnen en accessoires. (De drie kunstenaars waren allen vrienden van Chanel.) De toneelschrijfster Anita Loos, die het script voor *Gentlemen Prefer Blondes* had geschreven, en Wallis Simpson, de hertogin van Windsor, droegen haar creaties. Marlene Dietrich doste zich uit in haar Russische bontmantels. Met haar toepassing van nieuwe materialen, die op het plastic van nu leken, trok Schiaparelli talloze klanten naar haar boetiek aan de Place Vendôme – pal onder Chanels neus. 'Schiap', zoals Parijs haar noemde, was heerlijk buitensporig. Een van haar avondjurken had een rok die bedrukt was met een levensgrote kreeft en een lijfje waarop groene motiefjes waren gesprenkeld bij wijze van peterselie. Haar handtas had de vorm van een telefoon, een van haar rokken had zakken met flappen die op lippen leken. Knalroze was in; Chanels sobere, verfijnde stijl verdween erbij in het niet. Sommige critici waren van mening dat Chanel haar flair was kwijtgeraakt toen ze uit Hollywood terugkwam. Zelfs al vóór de stakingen was ze gaandeweg van haar voetstuk gegleden als grande dame van de Franse mode en kon ze niet meer ongestraft smalende uitspraken doen over het modebedrijf.

Schiap, een telg uit een adellijke Italiaanse familie, opgeleid in Parijs, Londen en New York, vormde een sterk contrast met Chanel, wier eerste boetiek twintig jaar eerder gefinancierd was door haar geliefden, 'omdat twee heren elkaar probeerden te overtroeven voor mijn hete kleine lijf'.[8] Het weeskind Chanel, opgevoed in een klooster, had een grondige hekel aan de vrouw die ze 'l'Italienne' noemde (wat in chique Parijse kringen voor een scheldwoord doorging). Ze vond Schiaps pretenties simpelweg 'om woest van te worden'. Schiap noemde Chanel op haar beurt 'de hoedenmaakster', wat de laatste nóg kwader maakte.

In Chanels ogen was Schiaparelli niet meer dan 'die Italiaanse kunstenares die kleren maakt'. Schiaparelli 'irriteerde' haar niet slechts, maar 'maakte haar woest'.[9] Schiap vormde echter niet de enige bedreiging voor Chanel. Mainbocher, het modehuis van Main Rousseau Bocher, de voormalige hoofdredacteur van *Vogue* die ontwerper was geworden, en de modehuizen van Madeleine Vionnet en Germaine Krebs, later Madame Grès, werden eveneens haar felle concurrenten. Niettemin was het Schiaparelli die nogal voorbarig verkondigde: 'Chanel heeft afgedaan.'[10]

In het openbaar haalde Chanel de schouders op over l'Italienne en de anderen. Aan de arm van haar vrienden Christian Bérard, Étienne de Beaumont en ex-geliefde groothertog Dimitri Pavlovitsj domineerde ze de gala's, feesten, diners en persconferenties waarmee de Parijse Exposition Internationale des Arts et Techniques in de zomer van 1937 werd omlijst. De pers vond haar stralender en mooier dan ooit terwijl ze voor de fotografen poseerde en de journalisten te woord stond.

Misia Sert, haar zielsverwante, wist echter dat achter de glimlach een gekwelde vrouw schuilging. Coco had twee jaar eerder de dood van haar minnaar en zakenpartner Paul Iribe te verwerken gekregen. Ze had het onderspit gedolven bij de staking van 1936. En nu kregen andere couturiers de aandacht die haar rechtens toekwam. Ze experimenteerde met kostuums voor Cocteaus *Oedipe Roi* en wikkelde de spelers, onder wie de rijzende ster Jean Marais, in lappen. Het resultaat was afzichtelijk. De pers was ongenadig: 'De acteurs waren in verband gewikkeld en zagen eruit als ambulante mummies of slachtoffers van een vreselijk on-

Misia Sert, Chanels levenslange vriendin, in een japon van Chanel, 1937.

geluk.'[11] Er werd laatdunkend gedaan over de kostuums, die grof en achterhaald zouden zijn.

In de daaropvolgende maanden liet Chanel zich niet meer zien in de Rue Cambon. Eerst trok ze zich terug in La Pausa en vervolgens in het Zwitserse Lausanne, waar haar aandeel van de winst uit de wereldwijde verkoop van Chanel No. 5 op geheime bankrekeningen was ondergebracht. Ze leek alle interesse voor haar bedrijf te hebben verloren. Haar biograaf Pierre Galante geeft een andere verklaring: 'Coco's suprematie werd bedreigd.' Toch was Chanel er ondanks Schiaparelli's succes van overtuigd dat ze nog niet passé was: de dweperij die de extravagante Italiaanse ten deel viel was tijdelijk – de stijl van Chanel was bij lange na niet dood.

Op 21 januari 1936 besteeg de prins van Wales, Chanels goede vriend David, op tweeënveertigjarige leeftijd de Britse troon als Edward VIII. Tijdens het onrustige bewind van de nog ongekroonde vorst maakte Hitler zich meester van het Rijnland, dat in 1918 door Frankrijk was bezet, en nam het leger van Mussolini de Abessijnse hoofdstad Addis Abeba in. Op 9 juni 1936 gingen meer dan een miljoen Spaanse arbeiders in staking: het begin van de Spaanse Burgeroorlog, die generaal Francisco Franco en een fascistische, door Hitler gesteunde regering aan de macht zou brengen.

Edward had zich voorgenomen in het huwelijk te treden met Wallis Simpson, een gescheiden Amerikaanse die in de Franse pers de *putain royale* (koninklijke hoer) werd genoemd. Het Britse parlement had zich al even beslist voorgenomen het huwelijk te dwarsbomen. In de nacht van 11 december 1936 liet de ongekroonde Edward VIII de wereld in een radiotoespraak op de BBC weten dat hij afstand had gedaan van de troon. Zijn eenenveertigjarige broer Albert werd nu als George VI koning van Groot-Brittannië en keizer van het Britse Rijk.

Winston Churchill, die niet lang daarna deel zou gaan uitmaken van de regering van Neville Chamberlain, was in 1936 regelmatig in Parijs. Ongeveer drie maanden voor de troonsafstand was hij met zijn zoon Randolph en Jean Cocteau bij Chanel te gast op een dinertje in haar suite in de Ritz. Churchill hoopte nog steeds dat hij hun wederzijdse vriend David kon overhalen niet met Wallis Simpson te trouwen.

Cocteau kon zich het diner later nog goed herinneren. Hij schreef in zijn dagboek dat Winston dronken was geworden, in tranen was uitgebarsten en Chanel snikkend in de armen was gevallen met de woorden: 'Een koning kan geen afstand doen van zijn troon.'[12] Enkele maanden later zou Churchill zijn vorst en vriend David helpen met het bewerken van zijn radiotoespraak. Amper een jaar later logeerden de verbannen Edward, nu hertog van Windsor, en zijn bruid Wallis Simpson, een trouwe klant van Chanel, in een appartement in de Ritz vlak bij Chanels suite. Ze waren enige tijd daarvoor bij Hitler op bezoek geweest in Berchtesgaden, het buitenhuis van de Führer in Beieren.

De meeste Fransen geloofden dat een oorlog kon worden afgewend. De Britse premier Neville Chamberlain was er zeker van dat Hitler 'in toom'

De hertog van Windsor en zijn bruid, de vroegere Wallis Simpson,
worden door Adolf Hitler begroet tijdens een officieus bezoek aan het
Duitse Berchtesgaden in 1937.

kon worden gehouden. Bij zijn terugkeer uit München in september 1938 toonde hij het verdrag dat hij met de Führer had gesloten. Tegen de menigte voor Downing Street 10 zei hij: 'Ik geloof dat ik vrede voor onze tijd heb bereikt.'

Chanel kwam in haar collectie voor 1938 met een avondjurk van goudlamé met een kort jasje. De Britse *Vogue* schreef: 'Sexappeal is het hoofdmotief van de Parijse collectie, en sexappeal is niet langer een zaak van subtiele verleiding.'[13] Terwijl Europa in de periode 1938-1939 op de grens van oorlog en vrede balanceerde, krabbelde het zakenleven weer overeind. De boetieks rond de lift van de Ritz floreerden en verkochten sieraden van Van Cleef & Arpels, doosjes van schildpad en andere luxegoederen. In Chanels boetieks wemelde het van de societydames die op modieuze mantelpakjes en jurken, hoeden, sieraden, accessoires en bovenal het exotische parfum Chanel No. 5 uit waren.

Chanel was inmiddels vijfenvijftig en nog steeds een mooie, sexy vrouw met een fantastisch silhouet. Ze kleedde zich met stijl en fantasie – de fotografen liepen weg met haar. Ze vertoonde zich overal: in juni 1938 in Monte Carlo met de Spaanse schilder Salvador Dalí en de Franse componist Georges Auric, en later met de danser Serge Lifar en de componist Igor Stravinsky op een diner van Misia Sert. Bij een après-theaterontvangst van de Franse acteur Louis Jouvet droeg ze een sensationele 'Chanel' van zware witte crêpe. Schiaparelli mocht voor haar collectie uit 1938 'shocking pink' hebben verzonnen, maar Chanel overtroefde haar: de zigeunerjurken uit haar collectie van 1939 werden in heel Europa en de Verenigde Staten gekopieerd. Terwijl Europa in het voorjaar van 1939 in de greep van de angst verkeerde, kwam Chanel met patriottistische outfits in rood, wit en blauw.[14]

In de heftige zomer van 1939 was Hôtel Ritz een aangename plek om te verblijven. Chanel en haar vrienden Jean Cocteau en Jean Marais konden er genieten van een klassieke salade niçoise met een tongstrelende dressing van olijfolie en azijn, of wellicht van een van de oriëntaalse salades die de beroemde chef-kok Escoffier had gecreëerd, weggespoeld met gekoelde beaujolais en gevolgd door appeltaart en koffie. Het Zwitserse management van de Ritz hield een oase van beschaafdheid in stand, waar 'militaristen' en 'pacifisten' met elkaar in discussie konden gaan in de Salon Psyche.

Clare Boothe Luce, de echtgenote van Henry Luce, eigenaar van de bladen Time en Life, toerde begin 1940 langs de hoofdsteden van Europa. In de Ritz in Parijs bevond ze zich in het gezelschap van een menigte chique New Yorkers, onder wie Margaret Case, de hoofdredactrice van Vogue, die de Parijse collecties kwam verslaan. Luce constateerde tot haar verrukking dat de Ritz nog niet aan glans had ingeboet: 'Nog steeds dezelfde kleine, glimlachende manager bij de receptie, met zijn lange rokkostuum dat bijna tot aan zijn hielen reikte (...), dezelfde alleswetende concierge met zijn soepele efficiëntie en rode snor, en de grijze, gedistingeerde Olivier, de grote maître d'hôtel van Europa, als altijd buigend aan het eind van de gang naar de eetzaal.' Luce vond wel dat ze allemaal 'een beetje serieuzer en bleker dan vroeger' leken. Maar toch, 'afgaand op de geur van bont en parfum en het hoge gekwetter van stemmen' waren de gasten in de Ritz niet veranderd, stelde ze. Zij en Margaret Case moesten het afschuwelijke lawaai van drilboren voor lief nemen: achter de tuinmuur van het hotel werd een bomvrije schuilkelder aangelegd. Case leek erdoor van haar stuk gebracht, maar Luce stelde haar vriendin gerust: '[Lieve schat], bommen raken nooit mensen die in Claridge's of de Ritz wonen, heb ik gemerkt.' Met april in aantocht schreef Luce: 'De heerlijkste glasheldere lente die je je maar kunt denken had zich in Europa aangediend.'[15]

Op 1 september 1939 trokken Duitse troepen bij dageraad de Poolse grens over en rukten op richting Lodz, Krakau en Warschau, net zoals ze zes maanden eerder de Tsjechische grens waren overgestoken om Praag in te nemen. En zo gebeurde het dat Chanel op de eerste woensdag van september in de fluwelen overdaad van de Ritz ontwaakte om te vernemen dat haar land in staat van oorlog verkeerde met Duitsland. Aanvankelijk leek er helemaal niets te gebeuren. De Britten noemden de leemte al de *phoney war* (nepoorlog), de Fransen hadden het over een *drôle de guerre* en de Berlijners over een *Sitzkrieg* – het tegenovergestelde van de *Blitz-krieg*, de bliksemsnelle slag die Hitler Polen had toegebracht en over niet al te lange tijd in Frankrijk en de Lage Landen zou herhalen.

Chanel, ooit een arm weeskind, vervolgens de minnares van een rijke man en nu de 'First Lady of Fashion', had tijdens de Eerste Wereldoorlog een fortuin verdiend door vrouwen van het corset te bevrijden. De Tweede Wereldoorlog, net aangevangen, beschouwde ze als een mannenkwestie. De oorlog bood haar een kans haar employees te straffen voor hun stakingsacties drie jaar terug. Ze ontsloeg zo'n drieduizend arbeidsters: de coupeuses die haar japonnen knipten, de *petites mains* die al haar creaties in elkaar zetten, de vrouwen die haar salon bestierden. De tent ging dicht, het was het einde van het modehuis: zo vereffende Chanel haar rekening met de vrouwen die drie jaar daarvoor meer loon en een kortere werkweek hadden geëist, die haar buitengesloten hadden van haar ateliers en boetieks. Het was haar vergelding voor de massale stakingen die in haar visie door de socialistisch-communistische regering van de jood Léon Blum waren uitgelokt.[16] Chanel was opgebrand en ervan overtuigd dat de modewereld door het uitbreken van de oorlog aan zijn eind was gekomen. 'Hoe kon ik nu weten dat er nog steeds mensen zouden zijn die jurken wilden kopen?' zou ze na de oorlog tegen haar vriend Marcel Haedrich, de hoofdredacteur van het Franse modeblad *Marie Claire*, zeggen. 'Ik was zo stom, zo'n sukkel in levenszaken dat het me onmogelijk leek (...) ik heb me dus vergist. Sommige mensen hebben de hele oorlog door jurken verkocht. Dat is een les voor me. Wat er voortaan ook mag gebeuren, ik ga door met kleren maken. Het enige waarin ik nog geloof.'[17]

Volgens Chanel waren Blum en de joodse liberale politici allemaal bolsjewieken die Europa bedreigden. Haar rechtse politieke overtuigingen waren in de loop der tijd aangescherpt door haar geliefden, de mannen die haar uit de armoede hadden getrokken en haar hadden geholpen een succesvolle modeontwerpster te worden in Parijs. Paul Iribe had haar angst voor de joden aangewakkerd. Zijn antisemitisme ging zo ver dat Chanel-biograaf Edmonde Charles-Roux het 'walgelijk' noemde.[18] En Bendor was berucht om zijn antisemitische tirades.

In het najaar van 1939 viel zowel Hitler als Stalin Polen binnen. Later zou Rusland Finland en Noord-Polen beheersen, terwijl Italië het Middellandse Zeegebied bedreigde. In Engeland stelde Chamberlain Churchill aan als minister van Marine in een poging de geloofwaardigheid van zijn regering, die danig was aangetast door zijn appeasementpolitiek, op te krikken.

Chanels vroegere geliefde en vriend Bendor probeerde intussen wanhopig zijn nieuwe minnares vrij te krijgen. Deze Française had geprobeerd naar Engeland over te steken om zich bij de hertog te voegen, maar was gearresteerd op verdenking van spionage.[19] En in Rome werd Coco's oude vriendin Vera Bate Lombardi in de gaten gehouden door de SIM, de Italiaanse geheime militaire politie: deze meende dat Vera een Britse agent was, aangezien ze uit de Britse adelstand kwam en regelmatig de Britse ambassade in Rome bezocht. Italië had op dat moment nog niet de oorlog verklaard aan Engeland.[20]

Vera had zich ergens na 1929 bij haar echtgenoot Alberto, een lid van de Italiaanse fascistische partij, gevoegd in zijn villa in de Via Barnaba Oriani in de exclusieve Romeinse wijk Parioli. Uit Italiaanse archieven blijkt dat Vera datzelfde jaar de Italiaanse nationaliteit had aangenomen en, blijkens een brief van haar echtgenoot aan de Italiaanse minister van Justitie, lid was geworden van Mussolini's PNF.[21]

Vera had een ontspannen leventje in Rome. Samen met haar man Alberto, die in de cavalerie diende, nam ze deel aan talloze hippische wedstrijden en wierp ze zich op *la dolce vita*. Ze genoot van haar positie als echtgenote van een hoge Italiaanse officier die Mussolini steunde. Alberto en zijn familie stonden goed bekend bij Mussolini en genoten veel aanzien in fascistische kringen; Alberto werd gepromoveerd tot hoofd van een cavalerieregiment. Vera's zeer Engelse gewoontes en haar frequente aanwezigheid op ontvangsten van de Britse ambassade maakten haar echter verdacht in de ogen van de fascistische politie en verschillende inlichtingendiensten. In 1936 stuurde de stafchef van de inlichtingendienst van de Italiaanse politie het volgende rapport naar het Italiaanse ministerie van Binnenlandse Zaken en het ministerie van Oorlog:

> Mevrouw Lombardi, het drukke en nogal mysterieuze leven van mevrouw Lombardi, de echtgenote van majoor van de cavalerie Alberto van de Tor di Quinto-cavalerieschool, geeft aanleiding tot achterdocht (...) Het schijnt dat ze betrekkingen onderhoudt met enkele vrienden van de prins van Wales en veel kennissen heeft in Britse politieke en financiële kringen (...) ze heeft regelmatig voor het modebedrijf Chanel gewerkt; de eigenaresse is vele jaren de geliefde van de hertog van Westminster geweest (...) De geheimzinnige, afwisselende levensstijl van deze dame doet ons vermoeden dat ze in dienst van Groot-Brittannië is, buiten medeweten van haar echtgenoot, die een zeer gerespecteerd persoon en welgemeend patriot is (...) Lombardi heeft regelmatig telefonisch contact met Londen, het zou niet moeilijk zijn haar telefoongesprekken vanuit haar woning in de Via Oriani te screenen.[22]

Een week later kregen de rechercheurs opdracht hun activiteiten te staken 'aangezien ze de echtgenote van een legerofficier is en de SIM Vera enige tijd heeft onderzocht en al haar post heeft gescreend, zonder enig resultaat'.[23] Daarmee waren Vera's problemen met de Italiaanse fascistische politie- en contra-inlichtingendiensten echter niet voorbij. Tot aan het eind van de Tweede Wereldoorlog zouden de Italianen haar van spionageactiviteiten voor de Britten verdenken. En haar latere contacten met Chanel tijdens de oorlog zouden Vera opnieuw onder de aandacht brengen, ditmaal bij de Britse inlichtingendienst MI6.

De constante berichtgeving over de oorlog en het luchtalarm werkten op Chanels zenuwen. Ze maakte zich zorgen over haar neef André Palasse. André was in 1939 gemobiliseerd; zijn vrouw en twee dochters – Gabrielle, die naar haar 'tante Coco' was vernoemd, en haar jongere zusje Hélène – waren achtergebleven in het huis in Corbère. André diende aan het front, bij een van de bunkers van de Maginotlinie, die de grens tussen Frankrijk en Duitsland bewaakten. Vanaf het moment dat hij onder de wapenen werd geroepen, zorgde Chanel voor het gezin. Ze hield haar nichtje Gabrielle zo vaak bij zich als met het oog op school mogelijk was.[24]

Chanel was vaak alleen. Ze miste het gevoel dat ze van iemand hield of dat iemand van haar hield, wat voor haar op hetzelfde neerkwam. Sinds de dood van Paul Iribe had ze geen serieuze relaties meer gehad, en dat terwijl ze het nodig had om bemind te worden door een man, wellicht als compensatie voor haar eenzame jeugd. Terwijl ze afwachtte wat de oorlog zou brengen, liet ze de lange reeks minnaars die haar hadden laten zitten de revue passeren: Étienne Balsan, haar eerste meester; Boy Capel, haar eerste serieuze geliefde; Igor Stravinsky, de kortstondige flirt; Dimitri, groothertog van Rusland, een waardevolle geliefde; de hertog van Westminster, haar puissant rijke mentor. En later: de dichter Pierre Reverdy, die leek op de vader die ze verloren had. Het meest van allen miste ze echter Iribe, een man die ze had vertrouwd en bewonderd. Geen van haar minnaars had zich volledig aan haar gebonden, meestal omdat ze zich zelf niet had willen binden, of ze hadden haar verlaten om met iemand anders te trouwen. In het geval van Iribe, die voor haar ogen was bezweken aan een zware hartaanval, voelde ze zich verraden door zijn overlijden – net zoals ze veertig jaar daarvoor verraden was door de plotselinge verdwijning van haar vader. De balletmeester Serge Lifar, een naaste vriend van Chanel, was geschokt toen hij haar hoorde zeggen: 'O, Iribe! Die is eindelijk dood, die zien we niet meer.'[25]

Het was pure bluf. De mannen van wie Chanel had gehouden waren nu óf dood, óf onbereikbaar. Chanel zei tegen verschillende auteurs: 'Er is niets ergers dan eenzaamheid. Eenzaamheid kan een man helpen zichzelf te verwezenlijken, maar een vrouw gaat er kapot aan.' Ze raadde vrouwen aan 'een conventionele standaard te hanteren als ze gelukkig willen worden in het leven; anders (...) betalen ze een verschrikkelijke prijs: eenzaamheid'.[26]

Verbitterd, haar hart leeg, haar handen werkloos, schreef ze haar broers Lucien en Alphonse dat ze hun regelmatige toelage zou stopzetten. 'Ik heb de zaak gesloten (...) en vrees in ellende te moeten leven (...) reken niet meer op me.'[27] Het was een kleingeestige brief, uit frustratie geschreven. Hoewel haar inkomen er met de sluiting van haar bedrijf op achteruit was gegaan, was Chanel nog steeds rijk. Er kwam nog steeds geld binnen op haar Zwitserse bankrekeningen, afkomstig uit de wereldwijde omzet van Chanel No. 5 en de verkoop van parfum en accessoires in haar boetieks in de Rue Cambon, in Deauville en Biarritz. Ze kon er altijd van op aan dat vrouwen haar parfum wilden hebben. Tijdens de oorlogsjaren zou de verkoop van haar geuren in Frankrijk, het neutrale Spanje en Zwitserland een van de belangrijkste bronnen van inkomsten voor Chanel worden.

Er deed zich een nieuwe uitdaging voor. Nu ze haar werknemers had ontslagen wilde Chanel alles netjes afsluiten en iets anders gaan doen. Haar beminde dichter Reverdy was het met haar eens. In 1939 zei hij tegen Chanel dat de 'oorlog een tijd was om weg te kruipen, je gedeisd te houden en je niet te laten horen'.[28] De Franse bureaucraten die de modewereld reguleerden – en de hoge heren van de Chambre syndicale de la haute couture – waren echter een heel andere mening toegedaan. Ze waren woedend toen Chanel haar salon in de Rue Cambon sloot en beschuldigden haar van 'verraad'.[29] Haar werknemers sloten zich aan bij de Franse vakbond, de Confédération Générale des Travailleurs (CGT), en het syndicaat om Chanel te dwingen open te blijven. Het prestige van Parijs was in het geding. Zelfs de andere modehuizen, Chanels concurrenten, protesteerden. Wat waren de Parijse gala's ter ondersteuning van de soldaten waard zonder Chanel?[30]

In zijn boek *L'Allure de Chanel* haalt Paul Morand een uitspraak van Chanel aan, die volgens hem haar karakter samenvat: 'Het draait in het leven om strijd en chaos en dat idee windt me op en bevredigt mijn diepgewortelde vernietigingsdrang.'[31] Maar ook al had ze haar atelier gesloten, het was nog niet gedaan met Chanel. De *New York Times* drukte een bericht van 16 april 1940 af dat via luchtpost naar New York was gezonden:

Ondanks herhaaldelijke ontkenningen gaan er nog steeds geruchten dat de beroemde Chanel haar Parijse modehuis in de nabije toekomst zal heropenen. Hoe het ook zij, Chanel heeft erin toegestemd een avondjurk te ontwerpen bij de nieuwste broche van Van Cleef & Arpels – een grote bloemachtige ster, of misschien een komeet, met een lange, soepele franje van juwelen bij wijze van staart. De ster heeft een schitterend diamanten hart. De stralen – of bloemblaadjes – zijn vervaardigd van robijn, smaragd, jade en grote parels, uitlopend in peervormige hangers van edelstenen. Chanel bedacht een achtergrond met warme kleuren voor dit koninklijke bijou. Ze gebruikt het sieraad nonchalant voor het vastmaken van flatterende schouderbandjes van drie robijnrode, fluwelen linten, die op de rug los afhangen tot aan de grond en zodoende een tegenwicht bieden aan het effect van de zware franje van juwelen. De japon zelf is gemaakt van zware gekreukte crêpe in een zeer donkere 'smaragdgroen-jade'-tint. De hals is diep ingesneden en voegt zich op de onnavolgbare Chanel-wijze naar het lichaam. Glamoureuze finishing touches zijn een smalle hoofdtooi van in lussen afhangende fluwelen linten en geplooide groene suède handschoenen, met rond de polsen strikjes van robijnrode fluwelen linten in dezelfde kleur als de biesjes waarmee ze zijn afgezet.[32]

Tijdens de zogenaamde 'nepoorlog' heerste er een sfeer van valse opgewektheid. De soldaten brachten hun verlof door in Parijs, en Parijs trachtte hen te vermaken. Maurice Chevalier en Josephine Baker, de Amerikaanse diva die in 1937 Frans staatsburger was geworden, zongen in het Casino de Paris. De renbaan in Auteuil was afgeladen. In Maxim's of de doorrookte ruimten van de Brasserie d'Alsace, waar nog steeds de lekkerste zuurkool van Parijs werd geserveerd, klonk gepraat en gelach.

Intussen zochten steeds meer wanhopige vluchtelingen uit Duitsland en Oost-Europa, vooral joden uit de arbeidersklasse, hun heil in Engeland, Frankrijk en de Verenigde Staten. Parijs was een toevluchtsoord geworden voor vakkrachten en ambachtslieden die het Duitsland van Hitler en de door de SS geleide concentratiekampen vreesden. Sommigen hadden het geluk als coupeuses en naaisters aan de slag te kunnen bij de Parijse modehuizen. Toen de oorlog uitbrak, telde Frankrijk honderdtwintigduizend vluchtelingen, in meerderheid joden.

Die eerste oorlogswinter kregen de Parijzenaars tijdens afschuwelijk koude perioden een voorproefje van schaarste. De gemiddelde Parijzenaar leidde een sober bestaan en was humeurig en geïrriteerd door de voedsel- en brandstofrantsoenering. Vaders, jonge echtgenoten en broers waren onder de wapenen geroepen en ongeveer zestienduizend kinderen naar het platteland gestuurd. Het luchtalarm was een constante bron van ergernis; af en toe weerklonken de dodelijke inslagen van échte brandbommen op fabrieken in de Parijse voorsteden.

Voor de gelukkigen die in de winter van 1939-1940 in de Ritz verbleven bood het hotel een oase van luxe. Ondanks de voedselschaarste en het gebrek aan goed personeel was het hotel een mekka voor de rijken gebleven. Hun privéchauffeurs waren gemobiliseerd, dus ze hadden hun villa's in Neuilly gesloten en hun intrek genomen in de suites van de Ritz. Beneden konden ze roken in de Salon Psyche en genieten van een diner in de Grill Room of een drankje in de bar. De haute cuisine van de Ritz stond Chanel en haar gasten nog steeds ter beschikking. Voor de lunch stonden bijvoorbeeld fazantensoep, kalfsmedaillons en een in de oven gebakken appel op het menu, weggespoeld met een glas of wat van een premier cru classé: Pauillac Château Latour 1929.

Jean Cocteau woonde met zijn partner Jean Marais op kosten van Chanel in een appartement op loopafstand van de Ritz. Ze kwamen regelmatig bij haar dineren. De knappe Marais, toen nog niet een Frans filmidool, was opgeroepen voor de luchtmacht. Hij verzekerde Chanel dat een echte oorlog niet aan de orde was. Marais grapte dat Hitler blufte, dat de pantsering van de Duitse tanks die Polen hadden overrompeld van papier-maché was. De 'nepoorlog' zou snel ten einde zijn. Hitlers vredesaanbod was oprecht. Marais was er zeker van dat er aan een vredesakkoord werd gewerkt.[33]

De Parijse kranten brachten het nieuws dat een huwelijk tussen Chanel en Cocteau ophanden was, tot groot vermaak van de openlijk homoseksuele Cocteau en Marais.[34] Chanel was minder geamuseerd, maar ontkende de berichten niet.

De Ritz was een geschikte plaats om hof te houden. De hertog en hertogin van Windsor hadden er een suite, evenals de Franse variétéartieste en filmcomédienne Arletty. De Amerikaanse businessconsultant Charles Bedaux en zijn echtgenote Fern, die nauw bevriend waren met hoge nazi's in Berlijn, namen drie appartementen vlak bij Chanels suite in beslag. De oorlog weerhield de hertog en hertogin er niet van een diner in avondkleding te geven, dat wegens een luchtalarm even werd onderbroken.

Noël Coward was in die tijd een frequente gast van de Ritz. Hij was er getuige van dat Chanel, zodra het schrille geluid van het luchtalarm door de gangen klonk, haar luxesuite ontvluchtte en een heenkomen zocht in de kelder. Bij een van die gelegenheden zag hij dat ze zich naar de kelder repte, gevolgd door haar kamermeisjes Germaine en Jeanne, die het gasmasker van hun bazin op een kussen achter haar aan droegen – maar waarschijnlijk heeft Coward deze anekdote uit zijn duim gezogen.[35]

De meeste Franse gezinnen hadden geen weet van de luxe in de Ritz. Ze aten slechts tweemaal per week vlees. Zelfs de Parijse huishoudens in de betere wijken moesten de broekriem aanhalen. Banketbakkers sloten noodgedwongen drie dagen per week de deuren. Boter werd gerantsoeneerd, vlees was slecht verkrijgbaar en drankwinkels mochten geen sterkedrank meer verkopen, maar nog wel bier en wijn. Zelfs de geprivilegieerden die in restaurants aten moesten het doen met een tweegangendiner met slechts één vleesgerecht. Toen de winter ten einde liep, stond benzine op de kaart en kregen vijfenhalf miljoen Franse boeren en landarbeiders opdracht op het platteland te blijven en niet naar de steden te gaan. (Hoe dit bevel moest worden gehandhaafd vertelde niemand erbij.)[36]

De gemiddelde Duitser was nog slechter af. Terwijl dr. Goebbels in 'zalvende radiotonen' over de historische rechten van de Duitsers op *Lebensraum* (letterlijk: leefruimte) sprak en de loftrompet stak over Hitlers genie, slofte de Duitse arbeider op schoenen met houten zolen naar zijn werk, wat in een krant verpakt roggebrood met margarine onder zijn arm geklemd. Tabakswinkeliers mochten slechts twee sigaren of tien sigaretten per dag aan hun mannelijke klanten verkopen en niets aan vrouwen. De restaurants kregen nog maar veertig procent van hun normale hoeveelheid bier geleverd, veertig procent van de wijnreserves ging naar het leger. Later werden dansavonden verboden en werden 'Duitse *Hausfrauen* tot wanhoop gedreven door het gesmeek van hongerige kinderen met vaalgele gezichtjes, omdat de staat het spinazierantsoen had gekort tot een halve pond per persoon'.[37]

De propagandamachine van het Duitse Rijk draaide ondertussen op volle toeren. Terwijl de Duitsers hun plannen om de Lage Landen en Frankrijk onder de voet te lopen perfectioneerden, drong Hitler aan op vredesonderhandelingen. Zijn uitspraken haalden de koppen van de Parijse kranten. *Paris-Soir*, de populaire Radio Cité en de BBC meldden dat de diplomatie haar werk deed. De Fransen geloofden dat de politici een keurig compromis zouden bereiken dat een einde zou maken aan de oorlog.

De Parijzenaars die in hun buurtcafé aan de cichoreikoffie zaten wisten zeker dat Parijs gespaard zou blijven, wat er verder ook mocht gebeuren. Ze waren er rotsvast van overtuigd dat nóg een grootscheepse oorlog met Duitsland ondenkbaar was, gezien de vernietigende verliezen die de Eerste Wereldoorlog had toegebracht. Anderhalf miljoen mannen, een tiende van de mannelijke bevolking van de agglomeratie Parijs, hadden zich in 1914-1918 opgeofferd.[38] Was de 'Grote Oorlog' niet de oorlog geweest die een eind zou maken aan alle oorlogen? Vier miljoen mannen waren gewond naar huis teruggekeerd: blind, met ontbrekende ledematen en onherkenbaar verminkte gezichten – *les gueules cassées*. Was het echt mogelijk dat de Duitsers aan de overkant van de Rijn hun doden en gewonden vergeten waren? Waren de verschrikkingen van de Eerste Wereldoorlog weggepoetst?

De Franse auteur Jean Guéhenno, die in 1915 zwaargewond raakte, schreef: 'Ik zal nooit geloven dat mensen voor oorlog gemaakt zijn.' De Fransen koesterden 'een heerlijke illusie', overtuigd als ze waren dat de Duitsers, móchten ze weer oprukken, niet de Seine konden oversteken, zoals in 1914. Ze konden onmogelijk door de verdedigingslinie heen breken die vanaf 1930 was aangelegd door André Maginot: een ondoordringbare linie van gewapend beton, met artillerieforten, bunkers met machinegeweren en antitankversperringen – de Maginotlinie, waar Chanels neef André Palasse gelegerd was. De linie had de belastingbetalers drie miljard francs gekost en was constant up-to-date gehouden. Ze zou *les boches* tegenhouden.

Jean-Paul Sartre, die een post in de Maginotlinie bemande, geloofde dat 'er niet zal worden gevochten, dat het een moderne oorlog zal zijn, zonder massaslachtingen, zoals de moderne schilderkunst zonder onderwerp is, als muziek zonder melodie en natuurkunde zonder materie'. Hij bracht zijn tijd door met het oplaten van weerballonnen, die hij door zijn legerverrekijker volgde terwijl ze wegzweefden. Hij schreef: 'Wat ze met die informatie doen is hun zaak.'[39] Iedereen hoopte dat er een snelle, diplomatieke regeling in de maak was.

Het Franse militaire opperbevel hield zichzelf voor de gek.

Een paar mannen – Charles de Gaulle en zijn medeofficieren – beseften dat de 'futuristische versterkingen' 'dwaas' waren en een 'gevaarlijke afleiding' vormden. Uiteindelijk bleken ze 'bedroevend irrelevant'.[40] Ten westen van de Maginotlinie lag namelijk de vierhonderd kilometer lange grens met België, die op veel plekken onbeschermd was tegen de aanstaande Blitzkrieg van Hitler.

De Franse en Britse stafofficieren waren het oneens over de kwetsbaarheid van de verdedigingslinie in Noord-Frankrijk. Ze ruzieden over de positionering van de troepen, over de strategie. Toen de hertog van Windsor een bezoek bracht aan het Franse front, stond hij versteld van de politieke vetes. De Franse generaals, rapporteerde hij aan Londen, 'stonden vijandiger tegenover elkaar dan tegenover de Duitsers'.[41] Rapporten van de inlichtingendiensten legden het onophoudelijke geruzie tussen het Franse en het Britse opperbevel en de zwakke punten in de Franse defensie bloot. Er lag een ramp in het verschiet. En Hitler was precies op dat moment bezig zijn aanvalsplannen te herzien.

Winston Churchill was die winter en het voorjaar van 1940 regelmatig in Parijs, maar besefte niet hoe slecht de oorlog werd geleid. Hij ging meer dan eens bij Chanel langs in de Ritz.[42] De toekomstige premier van Groot-Brittannië was al sinds 1925 gecharmeerd van Chanel, die hij vaak had gesproken in de woning van de hertog van Westminster en later tijdens Bendors jachtpartijen in Frankrijk en aan de Côte d'Azur. De oorlog had alles verpest. De goede tijden bestonden alleen nog in de herinnering. De avonden dat Churchill in Chanels appartement was blijven hangen, te veel had gedronken en in haar armen had gehuild, waren voorgoed voorbij.

Tijdens zijn bezoeken aan Parijs wilde Churchill alles weten. Nadat hij bij Chanel was geweest, ondervroeg hij Hans-Franz Elmiger, de Zwitserse manager van de Ritz. Hij informeerde naar de toestand in Parijs, het moreel van de Parijzenaars, de houding van het personeel van de Ritz. Heeft Churchill het met Chanel ook over Bendor gehad, die met zijn pro-Duitse en antisemitische uitspraken een lastpost van formaat was geworden nu Engeland in staat van oorlog verkeerde? Heeft hij Chanel verzekerd dat de geallieerden bij machte waren Frankrijk te verdedigen? Het kan niet anders of Churchill geloofde dit zelf. Zijn liefde voor Frankrijk was zo groot dat hij de onvolkomenheden van het land niet zag. Zijn ervaringen met het Franse officierskorps – de dappere Fransen die hij, de prins van Wales en Bendor vijfentwintig jaar daarvoor tijdens de oorlog aan het westelijk front hadden ontmoet – deden hem geloven dat Frankrijk niet te verslaan was. Pas later – te laat – besefte hij dat de politieke intriges in het Franse opperbevel de wil om te winnen hadden aangetast.

Clare Boothe Luce citeerde in het voorwoord van haar boek *Europe in the Spring* een Engelse spitsvondigheid: 'Hitler and his cohorts may send death to me and you./ For it's just the sort of silly thing that silly man would do' (Hitler en zijn bende brengen u en mij wellicht de dood,/ want dat is precies het soort dwaasheid dat die dwaze man zou begaan).[43] Terwijl de klaprozen de kop opstaken op de akkers in Vlaanderen waar vijf-entwintig jaar eerder de loopgravenoorlog had gewoed, schreven de redacteuren van *Time*: 'Afgelopen week was de lang gevreesde Tweede Wereldoorlog zes maanden oud (...) terwijl de lente haar zoete adem over Europa blies (...) en de eerste ooievaars terugkeerden naar Belfort (...) ruisten de vleugels van de oorlog steeds onheilspellender. Er werd bericht dat de Duitsers ergens aan de Rijn bezig waren pontonbruggen samen te brengen (...) de Duitse bevolking verwacht dat er snel een grootscheeps nazioffensief zal beginnen.'[44]

Ze zaten er vier weken naast. Het Rijn-offensief moest nog even wachten: Hitler had een andere verrassing voor Europa in petto. In de eerste week van april 1940 moet het nieuws dat Hitlers oorlogsbodems Deense en Noorse havens hadden gebombardeerd Chanel net zo overrompeld hebben als de rest van Parijs. Duitse geheim agenten hadden tegelijkertijd een naziputsch in gang gezet in de Noorse hoofdstad Oslo. De Noorse koning Haakon VII, de koninklijke familie en de regering waren naar Londen gevlucht en heel Noorwegen en Denemarken waren bezet.

In Londen diende Neville Chamberlain zijn ontslag in. Churchill werd naar koning George VI geroepen, de vijfenveertigjarige jongere broer van de hertog van Windsor. Churchill verzekerde zijn vorst dat het parlement hem zou bijstaan om Groot-Brittannië te leiden in zijn strijd op leven en dood, voor zo lang als nodig was.

Terwijl Hitler Noorwegen en Denemarken opslokte, pakten de Parijzenaars hun spullen bij elkaar. Ritz-manager Elmiger verzekerde zijn gasten dat het hotel open zou blijven, ook al had hij slechts vierentwintig personeelsleden tot zijn beschikking, een kwart van het gewone totaal. De zussen Germaine en Jeanne, de twee kamermeisjes van Chanel, besloten dat het tijd werd Parijs te verlaten. Ze lieten hun bazin achter en vertrokken naar hun geboortedorp. Chanel liep ondertussen stad en land af om een vervanger te vinden voor de chauffeur die ze aan het leger was kwijtgeraakt.[45]

Terwijl Europa de adem inhield, toog de knappe Dincklage, inmiddels vierenveertig, aan het werk in het neutrale Zwitserland, waarnaar hij de wijk had genomen toen Groot-Brittannië en Frankrijk Duitsland de oorlog verklaarden. Dincklage, die zich voordeed als zakenman, had als opdracht militaire inlichtingen in te winnen over de Zwitserse defensie.[46] Hij moest het opperbevel in Berlijn adviseren over de vraag of de Zwitsers zouden vechten als Duitsland Frankrijk zou aanvallen. Dincklage werkte niet in zijn eentje; hij kreeg back-up van zijn vroegere chef van de spionagedienst van de Abwehr, majoor (later luitenant-kolonel) Alexander Waag, die inmiddels op de Duitse ambassade in Bern was gestationeerd. Dincklage toerde rond in een Fiat Topolino met een Frans nummerbord.[47] Hij verbleef eerst enkele weken in Ruvigliana, in de buurt van Lugano in het Italiaans-Zwitserse kanton Ticino. Daar logeerde hij in Villa Colinetta, het huis van dr. Leonardo Dicken, een gepensioneerde Duitse functionaris die hij nog van vroeger kende. De villa heeft wellicht dienstgedaan als een vroeg (geheim) adres waar Dincklage correspondentie kon ontvangen. De Franse contra-inlichtingendienst had zijn agenten en de verschillende post- en telegraafdiensten echter al opdracht gegeven alle berichten van Maximiliane Dincklage (Catsy had haar huwelijksnaam aangehouden) en de nieuwe minnares van de baron, Hélène Dessoffy, te openen en te volgen.[48]

Dincklage moet in Zwitserland hebben vernomen dat zijn ex-vrouw en Abwehr-agent Catsy, inmiddels veertig, en Dessoffy door de Fransen in de gaten werden gehouden. Dessoffy, de dochter van een hoge marineofficier, was halverwege de jaren dertig Dincklages minnares en Catsy's vriendin geworden.[49] Bij het uitbreken van de oorlog was ze door agenten van de Franse contraspionagedienst verhoord in haar woning bij de Franse vlootbasis in Toulon. Eerder, al voordat Frankrijk Duitsland de oorlog had verklaard, waren Dincklage en Hélène Tunesië uit gezet wegens spionage. Ze waren door de Franse contra-inlichtingendienst betrapt toen ze probeerden te infiltreren in de Franse vlootbasis bij Bizerte. Dincklage had Hélène in Frankrijk achtergelaten en was naar Berlijn vertrokken alvorens aan zijn spionageopdracht in Zwitserland te beginnen.[50]

Edmonde Charles-Roux herinnert zich dat Hélènes echtgenoot Jacques er 'kapot' van was toen hij vlak voor het uitbreken van de oorlog vernam dat zijn vrouw zou worden vervolgd wegens spionage.[51] Wellicht heeft Dincklage er ongewild voor gezorgd dat Hélène en Maximiliane werden gearresteerd doordat hij de vrouwen brieven uit Berlijn stuurde – alle post uit Duitsland werd gescreend door de Franse contra-inlichtingendienst.[52]

Dincklage trok van het ene naar het andere Zwitserse kanton en wist ontdekking te vermijden tot hij zich in Pregrassona, in de buurt van Lugano, bij de Clinica di Viarnetto meldde omdat hij aan een zenuwziekte zou lijden. (Dit was een klassieke truc van Duitse agenten 'om politie-controles uit de weg te gaan'.)[53] Zijn pogingen om in het geheim te ope-reren waren mislukt. Waag in Bern en de Abwehr-functionarissen in Berlijn hadden buiten de Zwitserse inlichtingendienst gerekend, die net zo efficiënt was als de Duitse Gestapo. De Zwitserse contra-inlichtin-gendienst bleek dr. Dicken ervan te verdenken de belangrijkste Gesta-po-agent in Lugano te zijn en had Dincklage al in 1933 als spion aange-merkt, wellicht toen hij in Warschau was gestationeerd. Dincklage vertrok naar Davos en belandde uiteindelijk in Hôtel de la Paix in Lau-sanne, waar het hem op de een of andere manier lukte geen registratie-kaart in te vullen.[54] Een paar dagen later werd de politie echter getipt en werd Dincklages aanwezigheid aan de hoogste officier van de Zwitserse inlichtingendienst in Lausanne, kolonel J. Jacquillard, gemeld.[55]

Een Zwitserse politieagent bezocht Dincklage in het hotel en nam zijn diplomatenpaspoort in voor nader onderzoek. Het document bleek in 1935 in Parijs te zijn uitgegeven en was geldig tot april 1940. De Zwitsers waren nu meer dan nieuwsgierig. Het hoofdkwartier van de Zwitserse inlichtingendienst in Bern besloot een officieel onderzoek in te stellen. Toen hij later door Zwitserse functionarissen werd ondervraagd, was Dincklage furieus. Hij vertelde een zekere inspecteur Decosterd dat hij een in Engeland geboren moeder had en uit Frankrijk was vertrokken omdat 'het vooruitzicht naar Duitsland terug te moeten keren hem wei-nig aansprak'. De baron was zo beledigd dat hij Decosterd toevoegde: 'U zou een onderzoek moeten instellen naar een deel van de klanten in de bar van het Lausanne Palace Hôtel', want die zagen er naar zijn me-ning behoorlijk verdacht uit.

Wat in elk geval verdacht was, was dat Dincklage nu in het gezelschap verkeerde van vrouwen met 'een slechte reputatie, verslaafd aan morfine en verdacht van spionage voor Duitsland'. Bovendien ontdekte de Zwit-serse contra-inlichtingendienst dat de gladde Duitse ex-diplomaat een rekening bij de Union de Banques Suisses had lopen met daarop het aanzienlijke bedrag van achttiendduizend Zwitserse francs (nu onge-veer drieënzestigduizend dollar). De Zwitsers namen contact op met Franse bronnen en vernamen dat Dincklage een notoire rokkenjager was die ook clandestiene operaties had geleid in Spanje en Tunesië en dat hij en Catsy voor en na hun scheiding een spionagenetwerk onder-hielden in Frankrijk.[56] Dincklage zette zijn knappe uiterlijk en charmante persoonlijkheid in om Françaises te rekruteren voor spionagedoeleinden aan de Côte d'Azur.[57] Hélène Dessoffy was zijn minnares, koerier en agent geweest. Later ontdekten de Zwitsers dat een veertigjarige Duitse prinses met de naam Adèle von Ratibor Corvey net zoals dr. Leonardo Dicken brieven uit Frankrijk ontving en dat haar huis als geheim correspondentieadres voor Dincklage fungeerde.

De Zwitserse autoriteiten zetten hun onderzoek voort. Ze vroegen hun Franse collega's om meer informatie en ontdekten dat een Parijse rechtbank op verzoek van de Franse inlichtingen- en politiediensten een arrestatiebevel tegen Dincklage had uitgevaardigd: hij werd gezocht wegens spionage tegen Frankrijk.

Bern bezat echter geen tastbaar, gedocumenteerd bewijs dat Dincklage de Zwitserse wet had overtreden of zich schuldig had gemaakt aan spionage: het gevaarlijke werk – het ontvangen en doorgeven van documenten van en naar Berlijn – liet hij door anderen opknappen. Dincklage bezat nog steeds een geldig Duits diplomatenpaspoort, en op dit cruciale moment in de Duits-Zwitserse betrekkingen wilde Bern geen incident uitlokken.

Bern besloot uiteindelijk Dincklage beleefd te verzoeken het land te verlaten. Tegen november 1939 was hij uit het hotel vertrokken en had hij zijn bankrekening opgeheven. Hij wist de achttienduizend Zwitserse francs op de een of andere manier het land uit te sluizen en ging vervolgens skiën in Davos. De Zwitsere contra-inlichtingendienst ontdekte uiteindelijk dat Alexander Waag en Dincklage twee agenten voor de Abwehr begeleidden: Hans Riesser en zijn vrouw Gilda Riesser (codenaam: agent 1001). Hans werd gearresteerd. Toen de Zwitserse agenten zijn Duitse paspoort bekeken, bleek dit niet de verplichte 'J' voor 'jood' te dragen. Aangezien Riesser wel degelijk joods was, concludeerden de Zwitsers dat hij een agent moest zijn geweest. Riesser zou de volgende vier jaar in een Zwitserse gevangenis doorbrengen. Zijn vrouw Gilda wist de grens over te steken naar Frankrijk, waar ze later voor de Abwehr zou gaan werken.[58]

Het aftellen voor de Blitzkrieg was al volop in gang toen Dincklage en majoor Waag Zwitserland verlieten en naar Berlijn reisden. Ze zouden niet lang daarna schijnbaar vanuit het niets in Parijs opduiken en terugkeren in de levens van de mensen met wie ze vroeger bevriend waren geweest.[59]

In de nacht van maandag 10 op dinsdag 11 mei 1940 was Berlijn verduisterd. Ondanks de avondklok wist een correspondent van *Time* te melden dat Adolf Hitler, veldmaarschalk Hermann Göring en dr. Joseph Goebbels samen gezien waren in een Berlijns theater, wat zeer ongebruikelijk was. Bij het aanbreken van de nieuwe dag verscheen de Duitse minister van Buitenlandse Zaken Joachim von Ribbentrop, bleek en met dikke ogen van een doorwaakte nacht, op een haastig bijeengeroepen persconferentie. Om acht uur vertelde hij de journalisten: 'Engeland en Frankrijk hebben eindelijk hun masker laten vallen.' België en Nederland hadden 'samengezworen' tegen het Duitse Rijk, zei hij met schorre stem. Iedereen in de persruimte begreep dat de Duitse oorlogsmachine eindelijk in actie was gekomen tegen Frankrijk en de kleine neutrale landen.

Enkele minuten later hoorde heel Europa dr. Goebbels met zalvende stem op de radio verkondigen dat 'het Duitse Rijk Nederland, België en Luxemburg onder zijn hoede heeft genomen'. De Berlijnse kranten kondigden met grote koppen aan: 'Duitsland is de beschermer geworden van het bedreigde, onderdrukte continent.'[60] Vanuit de studio van de Deutscher Rundfunk in Berlijn bracht William L. Shirer, op dat moment de correspondent van cbs News in Berlijn, de Verenigde Staten het nieuws dat Hitler Nederland en België was binnengevallen.[61] Een armada van tanks en gevechtsvoertuigen met infanteristen maaide de Nederlandse en Belgische troepen omver, terwijl Panzer-eenheden dwars door de dichte bossen van de Ardennen trokken en Franse grensposten vermorzelden. Duitse parachutisten daalden op Rotterdam neer en namen strategische punten in bezit. Speciale Wehrmacht-eenheden sloegen gaten in de Maginotlinie. Hitlers orders aan het leger en de marine waren zonneklaar: 'Het uur van de beslissende slag om de toekomst van de Duitse natie heeft geslagen (...) De slag zal de toekomst van de Duitse volken bepalen voor de komende duizend jaar.'[62]

Nederland en België gaven zich over. Terwijl het Duitse leger oprukte naar Het Kanaal begonnen de Franse en Britse troepen met hun evacuatie van de stranden van Duinkerken. Volgens Shirer 'denken de meeste mensen hier in Berlijn dat Hitler nu zal proberen Engeland te veroveren – maar misschien zal hij eerst proberen Frankrijk de nekslag toe te brengen'.[63]

In Parijs heerste paniek. Carmel Snow schreef in *Harper's Bazaar* dat de stad al 'een lege stad [was geworden]. De taxi's zijn verdwenen. Alle telefoons zijn afgesneden. Je kunt uren lopen zonder een kind te zien. Zelfs de honden – en je weet hoezeer de Parijzenaars van hun honden houden – zijn weggestuurd.'[64] In de Ritz besefte manager Elmiger al snel dat de situatie nijpend was. Chanel moet het verloop van de tragedie gevolgd hebben op de Franse radio en de BBC. Uit Londen kwam het bericht dat vier miljoen Franse mannen, vrouwen en kinderen, tezamen met Belgische vluchtelingen, voor het oprukkende Duitse leger uit naar het zuiden vluchtten.

Chanel aarzelde. Haar nachten waren vervuld van angstaanjagende schaduwen. Ze hielp zichzelf in een onrustige slaap met een dosis morfine uit de injectiespuit die ze naast haar bed had liggen. Ze stond er nu helemaal alleen voor en was wanhopig op zoek naar een betrouwbare man die haar gemobiliseerde chauffeur kon vervangen. Heeft ze nog geprobeerd Westminster te bellen? De stopzetting van de berichtgeving verergerde haar ongerustheid. Door haar raam aan de Place Vendôme zag ze 'zwarte rookwolken die de lucht verduisterden – het leek om drie uur 's middags al avond te worden terwijl de straten in de stad overdekt raakten met verkoolde papiersnippers'. De mensen dachten dat de Duitsers alles wat hun voor de voeten kwam in brand staken, maar dat was niet zo: de Duitsers waren nog uren van de stad verwijderd. De zwarte rook was afkomstig van brandende voorraadtanks met olie en van dozen met documenten en papieren waar de diplomatieke gezantschappen en Franse ministeries de vlam in hadden gestoken.

Clare Boothe Luce zat die dag in Parijs naar jazz op de radio te luisteren, toen de muziek stopte en er een krakende, schorre aankondiging doorkwam: 'Wij brengen u nu een bericht van Pius XII.' De prelaat, die net in maart 1939 tot paus was gekozen, pleitte met trillende stem voor het Belgische volk.[65]

De meeste Parijzenaars hadden er geen idee van hoe snel de Franse defensie onder de voet kon worden gelopen door de geoliede Duitse organisatie, moderne communicatie en de Blitzkrieg. Tegen 10 juni 1940 waren alle geallieerde legers op de vlucht gejaagd. De alerte aasgier Mussolini verklaarde Frankrijk de oorlog.

Op 11 juni werd Parijs tot open stad verklaard. Mensen zagen dat de Amerikaanse ambassadeur William C. Bullitt, een vriend van Chanel, voor het altaar van de Notre Dame zat te huilen. Net als de meeste andere Parijzenaars wilde Chanel de stad uit. Niemand wist of Parijs gebombardeerd of verwoest zou worden door de stoomwals van de Wehrmacht. Chanel regelde dat Mme. Angèle Aubert, al meer dan dertig jaar haar rechterhand, haar hoofdnaaister Manon en een handvol andere employees naar het chateau van de Palasses in Corbère, bij Pau, konden gaan. Ze pakte haar spullen in en gaf haar hutkoffers af bij de portier van de Ritz. De nieuwe chauffeur annex bodyguard die ze had gevonden weigerde met de blauwe Rolls-Royce door de aanzwellende menigte vluchtelingen te rijden. Er werd een Cadillac gevonden, waarin Chanel de stad in zuidelijke richting verliet, tussen de wanhopige menigten door, de onheilspellende wolken met dikke, zwarte rook achter zich latend. Ze wist waar ze wilde zijn: bij de Palasses in Corbère in de Pyreneeën, niet ver van waar haar eerste geliefde, Étienne Balsan, zich had teruggetrokken en waar ze tijdelijk rust kon vinden.

7

Parijs bezet – Chanel vluchteling

Voor een vrouw heeft verraad geen betekenis – je kunt je
passies niet verraden.
– GABRIELLE CHANEL[1]

Er viel een griezelige stilte over het Parijs dat Chanel had verlaten. De
Franse ministeries hadden hun codeboeken verbrand, hun kantoren gesloten en zich bij de stroom vluchtelingen naar het zuiden gevoegd. Vet-
te zwarte rookwolken dreven over de leigrijze Seine, kerken, monumenten en parken waren verlaten, het caféleven lag stil. Alle communicatie
was afgebroken – alsof een vreselijke ramp het leven had gestaakt.

William C. Bullitt, de Amerikaanse ambassadeur in Parijs, telegrafeerde president Franklin D. Roosevelt: 'Het vliegtuig is het beslissende
oorlogswapen (...) de Fransen hadden enkel hun moed om zich tegen
[de Duitsers] te verdedigen (...) Het is zeker dat Italië ook in de oorlog
zal stappen en maarschalk Philippe Pétain zijn uiterste best zal doen om
onmiddellijk een overeenkomst te sluiten met Duitsland.'[2]

Zeven weken nadat de eerste Duitse troepen Frankrijk waren binnengevallen, wapperde de vlag met het hakenkruis op de Eiffeltoren. Een
paar dagen later keek Adolf Hitler toe hoe zijn Wehrmacht triomfante-
lijk in paradepas over de Champs-Élysées marcheerde. William L. Shirer, de correspondent van CBS, deed verslag vanuit Parijs:

De straten zijn uitgestorven, de winkels dicht, de rolluiken neer –
de leegheid van de stad grijpt je bij de keel (...) Ik heb het gevoel
dat wat ik hier heb meegemaakt de volledige afbraak van de Franse

maatschappij is: de val van het Franse leger, van de regering, van het moreel van de mensen. Het is bijna te overweldigend om waar te kunnen zijn (...) Pétain die zich overgeeft! Wat houdt dit in? En niemand heeft de moed een antwoord te geven.[3]

De tocht die Chanel aflegde van Parijs naar Corbère, nabij Pau, was zwaar en soms huiveringwekkend. Haar chauffeur, Larcher, reed haar met een slakkengang naar het zuiden, van stad naar stad, steeds in de hoop op een veilige doortocht. Hitlers Panzer-tanks reden al in Midden-Frankrijk en duikbommenwerpers bestookten de colonnes vluchtelingen, die een veilig heenkomen zochten langs de smalle, met bomen omzoomde wegen. De opmars van het Duitse leger had miljoenen wanhopige burgers in Noord-Frankrijk gedwongen hun huis te verlaten, te voet, in volgeladen auto's, in vrachtwagens of met paard-en-wagens. Hun bagage, reservebanden en matrassen lagen hoog opgetast.[4]

In Corbère zaten de vrouw van André Palasse, Katharina, en haar kinderen angstig te wachten op nieuws van tante Coco. Het gezin zat al wekenlang zonder informatie over soldaat Palasse. Nu de tragische uren van Frankrijks nederlaag voorbijgleden, vreesden ze het ergste. Voor Chanel zou het chateau van Palasse een tijdelijk toevluchtsoord zijn, veilig afgelegen in de uitlopers van de Pyreneeën. Het lag vlak bij Doumy, de woonplaats van Étienne Balsan, en ze kon op zijn hulp rekenen.

Niemand wist waar de Duitsers halt zouden houden. Franse radiocorrespondenten bleven maar melden dat Britse en Franse troepen bij Duinkerken Frankrijk ontvluchtten en een veilig heenkomen zochten in Engeland. Vanuit Parijs deed Eric Sevareid van CBS-radio verslag: 'Geen enkele Amerikaan zal na vannacht nog rechtstreeks naar Amerika uitzenden, mits onder toezicht van anderen dan de Fransen.'[5] In Bordeaux was een Franse regering samengekomen; premier Paul Reynaud en Charles de Gaulle hoopten van daaruit te kunnen doorvechten. Maar ze slaagden niet in hun opzet. De vierentachtigjarige maarschalk Philippe Pétain wilde een einde aan de oorlog maken, en Reynaud trad af. Generaal De Gaulle nam de wijk naar Londen. Maarschalk Pétain had nu de leiding over de onbezette delen van Frankrijk en de enorme overzeese gebieden. Rond half juni 1940 had de held van de Slag om Verdun, in de Eerste Wereldoorlog, de Duitsers om een wapenstilstand gevraagd. Niet lang daarna zou hij een regime vestigen in Vichy, gebaseerd op samenwerking met de nazi's. 'Collaborateur', een doodgewone Franse term voor 'medewerker', zou vanaf die tijd een zeer beladen woord worden in het politieke vocabulaire van bezet Frankrijk. Zoals een correspondent van *Time* al opmerkte: 'Het beste waar de Fransen op konden hopen was dat het ze werd toegestaan in vrede te leven in het Europa van Adolf Hitler.'[6]

De wegen aan de overkant van de Garonne, die Chanel en Larcher bij Agen waren overgestoken, waren minder afgeladen. In de uitlopers van de Pyreneeën, bij Doumy, gingen ze via binnenweggetjes oostwaarts, totdat ze bij chateau Palasse in Corbère aankwamen. Katharina, in Nederland geboren als Katharina Vanderzee, Étienne Balsan en zijn vrouw en Chanels nichtjes, de veertienjarige Gabrielle en de twaalfjarige Hélène, waren 'uitgelaten van vreugde' toen ze Chanel, hun jarenlange weldoenster, zagen. Nicht Gabrielle was de lievelinge van Chanel – een levendig kind met een eigen willetje. 'Oom Benny', de hertog van Westminster, had haar de bijnaam 'Tiny' gegeven, omdat ze zo'n kleintje was. Die naam was ze nooit meer kwijtgeraakt.

Het familieweerzien in Corbère ging gepaard met veel drama en emoties. Via het Internationale Rode Kruis kwam nieuws over André binnen: hij was in leven, maar gevangengenomen in een van de forten van de Maginotlinie, samen met zo'n driehonderdduizend andere Franse militairen die nu in krijgsgevangenkampen in Duitsland zaten. Het gezin Palasse was opgelucht. Hij zou vast snel thuiskomen, herinnert Gabrielle Palasse zich die gedachte nog: 'De oorlog zou voorbij zijn en papa zou thuiskomen.' Een paar dagen later kwamen Angèle Aubert, Manon en zo'n tien andere werknemers van Chanel uit Parijs aan, die zich bij het groepje vrienden van Chanel voegden die uit de Lichtstad waren gevlucht. Even later arriveerde Marie-Louise Bousquet, een goede vriendin van Misia Sert, vanuit het naburige Pau. Het leven op het chateau was een verademing na de chaos van Parijs. Er was volop te eten, de wijngaarden van het landgoed leverden een heerlijke amberkleurige *vin du pays* en Marie, de kok van de Palasses, kookte heerlijke gerechten. Zo nu en dan kwam een groepje samen. Katharina, Chanel, de Balsans, de Bressons en Marie-Louise Bousquet dineerden samen. De kinderen aten vooraf. Gabrielle Palasse Labrunie herinnert het zich zo: 'Thuis waren kinderen er om gezien te worden, niet om ze te horen.' Madame Aubert, Manon en de andere werknemers van Chanel woonden en dineerden in het bijgebouw van het cha-

Chanels favoriete nichtje Gabrielle Palasse op elf- of twaalfjarige leeftijd
in de bibliotheek van haar huis in Corbère, vlak voor de Tweede
Wereldoorlog. Tijdens de oorlog maakte Mlle Palasse kennis met baron
Von Dincklage bij Chanel thuis in Parijs.

teau. Maar 'Tiny', Chanels lievelinge, ontbeet met tante Coco op haar kamer.[7]

Op 17 juni, net na het middaguur, onderbrak de Franse radio zijn gewone uitzending. Die maandag luisterde iedereen in chateau Palasse, iedereen in heel Europa naar maarschalk Pétain, die aankondigde dat Frankrijk zich overgaf – het land had Hitler om een wapenstilstand verzocht. 'U, het Franse volk, moet me zonder bedenkingen volgen op het pad van de eer en het nationaal belang. Ik geef mezelf aan Frankrijk om zijn noodlot minder erg te maken. Ik denk aan de ongelukkige vluchtelingen op onze wegen (...) voor hen heb ik alleen maar medeleven (...) met pijn in mijn hart moet ik u vandaag vertellen dat we het gevecht moeten opgeven.'[8]

Chanel was verbijsterd. Ze ging naar haar kamer en huilde. Nicht Gabrielle verhaalt hierover: 'Toen tante Coco begreep dat Frankrijk verslagen was, was ze dagenlang ontroostbaar. Ze noemde het verraad.'[9]

André Palasse, Chanels aangenomen neef, voor de Tweede Wereldoorlog in Parijs. Palasse werd in 1940 bij de Maginotlinie gevangengenomen en in een Duits krijgsgevangenkamp geïnterneerd. Chanel wist hem vrij te krijgen door met de spionageafdeling van de Duitse Abwehr samen te werken.

Na het debacle van mei-juni 1940 en de bezetting van Frankrijk hadden veel Fransen het gevoel dat ze door corrupte gevestigde politici en militaire leiders verraden waren. Dat gevoel maakte plaats voor vertrouwen in de Franse held maarschalk Philippe Pétain, toen hij de regering in Vichy overnam.

In de daaropvolgende weken kwam het gezin erachter dat generaal De Gaulle via de bbc in Londen een bericht naar Frankrijk had uitgezonden. Langzaam, vaak via pamfletten die heimelijk door tegenstanders van de nazi's werden rondgedeeld, verspreidde de oproep van De

Gaulle van 18 juni 1940 zich onder de Franse burgers: 'Frankrijk heeft misschien een slag verloren, maar geen oorlog. De vlam van het verzet mag niet doven, zal niet doven.' Maar in 1940 wisten nog maar weinig Fransen wie de vijftigjarige generaal was. Pas later, door de uitzendingen van de BBC in Londen, kwamen ze te weten over de Vrije Fransen, een beweging die door De Gaulle werd geleid en haar basis in Londen had. In 1940 trad slechts een handjevol Franse officieren toe tot de verzets- beweging van De Gaulle. De Gaulle maakte weinig vrienden toen hij maarschalk Pétain als 'de schipbreuk van Frankrijk' betitelde.[10] Een Franse soldaat die in een café naar de uitzending van De Gaulle luisterde, merkte op: 'Die vent breekt onze ballen.'[11]

Maarschalk Pétain ontdeed generaal De Gaulle, zijn voormalige pro- tégé, van alle rangen, waarmee De Gaulle ontheven werd van alle func- ties in het leger dat hij zijn gehele leven zo trouw had gediend. Vervol- gens werd hij ter dood veroordeeld wegens verraad. Voor veel Fransen was de overgave een opluchting – Frankrijk bleef het bloedvergieten van 1914-1918 bespaard.[12] Nu Pétain aan de macht was, waren veel Franse en andere Europese politici van mening dat je 'beter Hitler dan Stalin' kon hebben – en ze hoopten dat Hitler zich tegen de Sovjet-Unie zou keren.

Toen de zomer ten einde liep, wilde Chanel terug naar Parijs, waar haar parfumbusiness aandacht vroeg; bovendien, zei ze later: 'Niet alle Duitsers waren boeven.'[13]

Op 22 juni 1940 deed de nazipropagandamachine gedetailleerd verslag aan de radioluisteraars over de ontluisterende nederlaag van Frankrijk. Over de ondertekening van de wapenstilstand werd zeer uitvoerig ver- haald. Tweeëntwintig jaar eerder hadden de Duitsers zich bij hetzelfde rangeerterrein in de bossen van Compiègne bij Rethondes overgegeven aan de Fransen. Op een winderige zaterdagmorgen tekende de Franse generaal Charles Huntziger de capitulatie van Frankrijk ten overstaan van hoge Duitse officieren, waarmee Frankrijk tot ondergeschikte van Duitsland werd. Hitler, Göring, Von Ribbentrop en Hess waren aanwe- zig, evenals de mentor van Dincklage, generaal Walther von Brau- chitsch. William L. Shirer, die voor CBS News verslag deed van de ge- beurtenis, vertelde de luisteraars in Amerika dat Hitler vol 'minachting, woede, haat, wraak en triomf' toekeek.[14]

In achtendertig dagen had de leider van het Derde Rijk voor elkaar gekregen wat het leger van de Duitse keizer tijdens de Eerste Wereldoorlog in vier jaar bloedige strijd en ten koste van twee miljoen levens niet was gelukt. Hitler had een Duitse droom verwezenlijkt: Parijs lag aan zijn voeten.

Nadat de wapenstilstand in Rethondes was ondertekend, reed Hitler naar Parijs. Daar filmde het bioscoopjournaal de Führer die de trappen van het Palais de Chaillot aan het Trocadéroplein op liep. De filmcamera's zwaaiden langzaam over de Duitse verovering: de Eiffeltoren met zijn wapperende hakenkruisvlag, de tuinen van de Champ-de-Mars en de achthonderd jaar oude torens van de Notre Dame. Als je de nazipropaganda moest geloven, was Groot-Brittannië de volgende op het lijstje van de Führer.

De wapenstilstand verdeelde Frankrijk in een *zone occupée* en een *zone non-occupée* of *zone libre*; later maakten veel Fransen daar *zone jaja* en *zone nono* van. De nieuwe heersers van Frankrijk stelden een demarcatielijn vast tussen het noorden en zuiden: een werkelijke grens, een grote barrière voor mensen op doorreis en een belemmering voor het handelsverkeer. Vanaf juni 1940 hadden Fransen een laissez-passer of *Ausweis* nodig om tussen de twee zones te mogen reizen. Laissez-passers werden niet automatisch uitgegeven; ze waren een privilege waarop de Gestapo nauwlettend toezicht hield. Zelfs Pétains ministers moesten de Duitsers toestemming vragen om van Vichy naar Parijs te mogen reizen. Voor het Franse volk was de demarcatielijn een vernederende nachtmerrie.

Zestien dagen na de Franse capitulatie beval premier Churchill de Britse oorlogsvloot om de Franse oorlogsschepen die bij het Algerijnse Mers-el-Kébir lagen tot zinken te brengen. Churchill vreesde dat de Franse vloot anders in Duitse handen zou vallen. Dertienhonderd man Frans vlootpersoneel kwam om; tientallen raakten gewond. Het was een nationale schande en werd gezien als een daad van verraad door een voormalige bondgenoot. Voor maarschalk Pétain en zijn anglofobe ministers was dit een goed excuus om de diplomatieke betrekkingen met Engeland te beëindigen. Pétain verklaarde dat de natie een 'Nationale Revolutie' nodig had die gewijd was aan 'werk, gezin en vaderland'. Engeland sloot de Franse havens af terwijl Hitlers oorlogsstaf de oversteek van Het Kanaal en Engelands vernietiging beraamde. De Slag om Engeland was begonnen.

Vichy, het nieuwe hoofdkwartier van maarschalk Pétain, was nu in handen van mannen die wilden delen in een Europese 'Nieuwe Orde' onder Hitler. Ze waren ervan overtuigd dat Duitsland Engeland zou verslaan en een sterke macht zou vormen tegen het communisme en het internationale jodendom. Algauw dwong Hitler Pétain om de fanatieke anticommunist en antisemiet Pierre Laval aan te stellen als vicepremier.[15] Nog geen drie maanden nadat Pétain de wapenstilstand met de nazi's had getekend, stelden zijn ministers een eerste 'Verordening over de joden' op. Pétain keurde de wet niet alleen goed, maar voegde eigenhandig beperkingen toe voor joden in onbezet Frankrijk: er werd bepaald wie jood was en joden werden geweerd uit hoge openbare functies en beroepen (zoals arts of advocaat) die de publieke opinie zouden kunnen beïnvloeden. Op 3 oktober 1940 trad de wet in werking, drie weken voordat de Duitsers soortgelijke wetten hadden uitgevaardigd in Parijs en het overige bezette Frankrijk. De stelling dat Pétain werd gemanipuleerd door zijn antisemitische gevolg in Vichy was een mythe.[16]

Nu Vichy de zetel van de Franse regering was in de niet-bezette zone, wilde Chanel daarheen.[17] Ze was vastbesloten om naar Parijs en haar vrienden terug te keren via Vichy. Ze kende Pierre Laval, nu vicepremier onder Pétain, via zijn dochter Josée Laval de Chambrun, de vrouw van haar advocaat René de Chambrun. Bovendien kende ze enkele echtgenotes van Vichy-ministers: voormalige klanten en vriendinnen van haar uit Parijs en Deauville.

Chanels chauffeur Larcher wist in de buurt van Corbère genoeg brandstof te vinden voor de benzine slurpende Cadillac en wat niet meer in de tank paste, werd in blikken gegoten en in de kofferbak meegenomen. Chanel vertrok in het gezelschap van Marie-Louise Bousquet naar Vichy. Gabrielle Palasse Labrunie wist jaren later nog hoe bedroefd zij als veertienjarige was dat tante Coco wegreed in haar limousine. Ze was onder de indruk van Marie-Louise, een chique dame uit de Parijse jetset, die bijna van haar plateauzolen viel toen ze over de keitjes van de oprit naar de auto liep.

Het zou meer dan een jaar duren voor Tiny de pas ontving waarmee ze zich bij Chanel in Parijs kon voegen. Het gezin Palasse zou de eerstkomende maanden doorkomen zonder ook maar één Duitser te zien. Eindelijk bereikte hen nieuws van André, via een ansichtkaart van het Zwitserse Rode Kruis: hij was in leven, maar ziek.[18]

De meisjes kregen nog steeds onderwijs van Madame Lefebvre, een Franse vluchtelinge uit het noorden. Hun dagen brachten ze door met studeren voor het Franse nationale diploma, het *Brevet élémentaire*. Om acht uur was het bedtijd. De mensen op het Franse platteland stonden bij zonsopgang op en gingen vroeg naar bed. Later kwamen agenten van de Duitse troepen, die in Pau waren gestationeerd, naar het chateau om levensmiddelen, konijnen, varkens en kippen te vorderen.

Chanel bereikte Vichy eind juli. Haar chauffeur legde de 435 kilometer zonder oponthoud af over binnenwegen langs de rivier de Allier. De streek was sinds de Franse overgave bezet door Duitse tankbataljons en infanterie. De vluchtelingen keerden terug naar huis en de Duitse troepen hadden orders zich van hun beste kant te laten zien.

Vichy was ooit een ingedut kuuroord aan de Allier. Vóór de oorlog kwamen oude mannen hier gokken in het casino, drinken van het geneeskrachtige water en lonken naar de knappe gastvrouwen en hun gunsten kopen. Toen Chanel er in juli arriveerde, was de stad stampvol: honderddertigduizend politici, diplomaten, prostituees en geheim agenten waren geïnstalleerd in haastig opgetrokken hokjes in voormalige gokhallen of in onverwarmde hotelkamers die tot kantoren waren omgebouwd. Hun archieven, overgebracht uit Parijs, werden bewaard in de badkuipen. En overal waren de muren versierd met het portret van maarschalk Pétain, die streng neerkeek op de werkende bureaucraten.

Toen Chanel en Marie-Louise aankwamen, hing in de stad de sfeer van een kakelbonte handelsmarkt, bruisend van de energie (zowel seksuele als andersoortige), waar het leven zich afspeelde in variétérestaurants, nachtclubs en bordelen die de behoeften van de ambtenaren, politici en professionele klaplopers bevredigden. Een vriend van Chanel uit Parijs, André-Louis Dubois, een hooggeplaatste Franse functionaris, beweerde later dat Chanel in Vichy een ontmoeting heeft gehad met Misia Sert. De drie dames verbleven in zijn comfortabele appartement in Vichy, en niet op een zolderkamer, zoals sommige Chanel-biografen melden. (Het bleek dat zijn appartement vrij was omdat Dubois net opdracht had gekregen Vichy te verlaten toen men erachter was gekomen dat hij joden aan visa voor Amerika had geholpen.)[19]

De dames gebruikten hun maaltijd in Vichy in het Hôtel du Parc. Chanels biografen vertellen hoe geschokt Chanel was door het gedrag van een vrouw die een tafeltje verderop dineerde – lachend en champagne drinkend onder een enorme hoed. Voor Chanel, en misschien

De Duitse Führer Adolf Hitler tijdens zijn enige bezoek aan Parijs
na de capitulatie van Frankrijk, juni 1940.

ook voor Misia, was zo'n uitgelatenheid ongepast, nu de Fransen hun
nederlaag tegen hun eeuwenoude vijand aan de overkant van de Rijn
betreurden. Chanel maakte een sarcastische opmerking: 'Wat is het hier
een dolle boel!' Een heer nam hier aanstoot aan en riep uit: 'Wat wilt u
hiermee insinueren, Madame?' Waarop Chanel inbond met: 'Ik bedoel
dat iedereen hier zo vrolijk is.' De vrouw van de man kalmeerde hem.[20]

Chanel wilde niet voor niets via Vichy terug naar Parijs: Vichy was
nu de zetel van de Franse macht en ze was vastbesloten hemel en aarde
te bewegen om haar neef André terug te krijgen uit gevangenschap. Chanel heeft Laval wellicht niet persoonlijk gesproken, maar wel degelijk
advies ingewonnen bij hooggeplaatste Vichy-leiders.

Het moet hartverscheurend zijn geweest voor Chanel om te vernemen
dat André slechts een van de miljoenen Franse militairen was die in

Om de Fransen te vernederen hesen de Duitsers de vlag met het hakenkruis op het gebouw van het Franse ministerie van Binnenlandse Zaken in bezet Parijs. Januari 1940.

Duitse krijgsgevangenkampen, *Stalags*, zaten. In 1940 waren ingewijden zich er al van bewust dat de nazi's deze gevangenen zouden inzetten bij onderhandelingen. Als Chanel André terug wilde krijgen, kon dat alleen via een machtige Duitse functionaris – en met die wetenschap keerde ze naar Parijs terug, vastbesloten tot actie over te gaan.

Het Parijs waarin Chanel terugkwam was gehuld in zwart met rode banieren met het hakenkruis erop, aan de Arc de Triomphe, de Eiffeltoren, het parlementsgebouw, de ministeries, het Élysée. De komende vier jaar kregen de Parijzenaren het gezicht en geluid van de Duitse bezetter te verduren. Dagelijks marcheerden troepen van de Wehrmacht op marsmuziek over de Champs-Élysées naar de Place de la Concorde. De Ritz was nu een met zandzakken versterkt fort. De ingang werd bewaakt door

Een bijeenkomst van Duitse officieren, waarschijnlijk in de Opéra, ca. 1940, met een man (bovenste rij, tweede van links) in het officiersuniform van de Wehrmacht die Dincklage zou kunnen zijn.

Duitse elitetroepen in *Feldgrau*, grijsgroen, uniform, die het geweer presenteerden wanneer nazibonzen arriveerden, terwijl hun officieren met gestrekte arm de nazigroet brachten.

Nog wreder waren de reusachtige banieren die de nazi's aan de gevel van de Assemblée Nationale en de Eiffeltoren hadden gehangen. In dikke, zwarte gotische letters stond er te lezen: DEUTSCHLAND SIEGT AN ALLEN FRONTEN (Duitsland overwint op alle fronten).[21] De nazi's stapelden de ene belediging op de andere. Ze bestelden een buste van Adolf Hitler, die recht voor het podium werd geplaatst waarop de voorzitter van het Franse parlement zetelde.

Correspondentie van het Duitse militair hoofdkwartier in Parijs, waarin gemeld wordt dat Hôtel Ritz gereserveerd is voor hooggeplaatste Duitse functionarissen. Tot de niet-Duitse personen die in het hotel mochten verblijven behoorde 'Chanel Melle'.

De Parijse straten puilden uit van de militairen van de Wehrmacht en de Kriegsmarine. Zij wandelden over de Champs-Élysées, de Rue de Rivoli en de Rue Royale, waar ze zich voor de etalages vergaapten aan luxegoederen die ze van hun leven nog niet gezien hadden. Ze sloegen souvenirs in met Franse francs die met de inflatiegevoelige *Reichsmark* waren gekocht. 'Dankzij de kunstmatige wisselkoers was alles goedkoper voor de bezetter.'[22] De militairen, die formeel wel correct waren, mompelden beleefd *'Danke schön Fraulein'* tegen de winkelbediende en

CARTER Mr	(U.S.A.)	206	534
CHANEL Melle.	(FRANZ.)	227.288	
CHANAY Mr	(Franz.)	226	
COSSERAT	(Franz.)	230	
DUBONNET Mr Mme	(Franz.)	261.282	
DUBONNET Melle U.Nurse	(Franz.)	263	
DONALSON Mme	(U.S.A.)	269	
ERSKIN OF MAR Mr.Mme	(Engl.)	301	
FABRI Mr.	(Belg.)	302	
GOSSELIN Mr Mme	(Franz.)	207.208	
GONZALES DE PENA Mme	(ENGL.)	223.224	
GUILLAUME Mme	(Franz.)	281	
IBRAHIM S.A Pce.Pcesse Mohamed Ali	(Egyp.)	283.248	
JASELMANN Mme	(Franz.)	214	
KIRVAN Mr	(Juslw.)	292	
KUNG Melle	(Fra nz.)	222	
LANZA Prinse	(Ital.)	306	
LANE Mr.	(U.S.A.)	221	
LAMOTTE Comtesse de	(Franz.)	207.208	
MOISE Mr	(Belg.)	304.305	
MALEVAL Mr	(Franz.)	205	
MAEGHT Mr	(Franz .)	303	
NELIS Mr	(Belg.)	202	
PENA Mme GONZALES	(Engl.)	223.224	
RIVAUD CTE Cesse de	(Franz.)	234	
ROLIN Baronne et Fille	(Belg.)	21?	
RITZ Mme	(Franz.)	266.268	

Een lijst van de weinige burgers die van de nazi's in Hôtel Ritz mochten wonen. Chanels naam, kamer 227-228, staat op de tweede regel.

knipoogden naar passerende *demoiselles* – van wie sommige maar al te graag flirtten met de knappe arische mannen, die heimwee hadden en naar vrouwelijk gezelschap verlangden.[23]

Rond de herfst van 1940 hadden zo'n driehonderdduizend Duitse functionarissen en militairen bezit genomen van Parijs en omgeving. Ze namen villa's en appartementen in beslag en joegen de Franse huurders en eigenaars weg, openden hun eigen hoerenkasten en eigenden zich hotels, restaurants en cafés toe. De meeste Parijzenaars legden zich bij de bezetting neer. Velen hingen het portret van Pétain thuis en op kantoor aan de muur. De Duitsers hadden Frankrijk in hun macht: de statige boulevards, de monumenten, zelfs de kiosken op de hoek van de straat werden behangen met nazistische borden en affiches, waarop de plaatselijke bevolking in het Duits en Frans werd gemaand zich te houden aan de verordeningen van de bezetter, de rantsoeneringsmaatregelen en de rigoureuze spertijden. Wie zich er niet aan hield, riskeerde straf.

Overal reden Mercedessen en gecamoufleerde patrouillewagens van de Wehrmacht door de vrijwel lege straten, hun bumpervlaggetjes wapperend in de wind. Gewone Parijzenaars lieten de auto staan, want door de rantsoenering was het onmogelijk om aan brandstof te komen – voor het verwarmen van de woning of voor de auto.

Dincklage was op zijn zeventiende al cavalerieofficier. Hij was een veteraan van de bloedige veldslagen aan het Russische front tijdens de Eerste Wereldoorlog en diende al meer dan twintig jaar als officier van de militaire inlichtingendienst. Voor hem was de Tweede Wereldoorlog de verwezenlijking van de Duitse droom: het creëren van *Lebensraum*, 'de ruimte waarop Duitsland volgens de wetten van de geschiedenis recht had (...) en die van anderen moest worden gevorderd'.

Op een frisse, heldere ochtend in 1940 konden voorbijgangers op de Avenue Kléber zien hoe een Duitse Mercedes van de militaire staf abrupt langs de stoeprand tot stilstand kwam. Een Duitse officier stapte uit en schoot een oude vriendin aan die hij over de chique avenue had zien lopen. De geüniformeerde Duitser was de vierenveertigjarige baron Hans Günther von Dincklage. De vrouw die hij begroette was Madame Tatiana du Plessix, die net als haar echtgenoot Dincklage nog kende van zijn tijd aan de Côte d'Azur en de Duitse ambassade in Warschau. In dat korte ogenblik besefte Madame du Plessix dat de vriendelijke Spatz niet de berooide journalist was waarvoor hij zich had uitgegeven na zijn vertrek uit Polen, maar een geharde officier van de Duitse inlichtingendienst.

Tatiana was van haar stuk gebracht door Spatz' aanwezigheid. 'Wat doe jij hier?' vroeg ze.

'Ik doe mijn werk,' antwoordde hij.

'En wat voor werk is dat dan wel?' zei Tatiana vinnig.

'Ik zit bij de militaire inlichtingen.'

'*Tu es un vrai salaud* [Je bent een gore klootzak]!' barstte Tatiana uit. 'Je deed net alsof je een schlemielige journalist was; je hebt onze harten veroverd, je hebt mijn beste vriendin verleid en nu vertel je me dat je ons al die tijd bespioneerde?!'

'*À la guerre comme à la guerre*,' reageerde Spatz, en hij vroeg haar vervolgens mee uit eten.

'Ik was bijna in de verleiding het aanbod te accepteren,' gaf Tatiana later toe. 'Hij had zich voorgedaan als slachtoffer van Hitlers racisme, hij was in lompen gehuld geweest, reed rond in een ouwe rammelbak (...) Hij had Hélène Dessoffy verleid omdat zij een huis vlak bij de grootste vlootbasis van Frankrijk, in Toulon, had, en we waren allemaal gevallen voor de vlotte babbel van deze klootzak.'[24]

Dincklage was weer terug in Frankrijk. De Franse Sûreté en het Deuxième Bureau waren op de hoogte van zijn bewegingen van en naar Zwitserland. Ze wisten dat hij naar Parijs was teruggekeerd, samen met de Duitse bezettingsautoriteiten. De komende vier jaar zouden agenten van de Franse contraspionage en de Vrije Fransen van De Gaulle in Londen hem in de gaten houden en verslag uitbrengen over hun oude tegenstander.[25]

Chanel was nu achtenvijftig en weer klaar voor een nieuwe verliefdheid. In 1940 begon een grote romance: Dincklage, nu een hooggeplaatst officier binnen de Duitse bezettingsmacht, stapte haar leven binnen om de gewillige minnaar te spelen. Het zou de laatste grote liefdesaffaire van Chanel worden. Er is nog maar één ooggetuige in leven. Zij kent intieme details van de romance tussen Chanel en Dincklage tijdens de oorlogsjaren: Gabrielle Palasse Labrunie. Ze maakte eind 1941 kennis met Dincklage in bezet Parijs. Gabrielle was toen vijftien jaar oud en bracht haar tante Coco een bezoek. Ze herinnert zich dat 'Spatz *sympa* was, aantrekkelijk, intelligent, goed gekleed en charmant – hij glimlachte veel en sprak vloeiend Frans en Engels (...) een knappe, welgemanierde man die een vriend werd'. Ze had gezien hoe hij Chanel met zijn charmes innam: 'Hij was de sterke schouder die ze nodig had en een man die bereid was haar te helpen André naar huis te krijgen.'[26]

De komende jaren zou Dincklage Chanels betrekkingen met de nazibureaucratie in Parijs en Berlijn regelen. Hij kreeg het zelfs voor elkaar dat de Duitse generale staf in Parijs Chanel toestemming gaf om op de zevende verdieping van Hôtel Ritz, in de Cambon-vleugel, te wonen. Dat was een ideale locatie, want de achteringang van het hotel gaf toegang tot de Rue Cambon en lag op een steenworp afstand van haar boetiek en het luxueuze appartement op nr. 31. Het bizarre verhaal dat een Duitse generaal bij zijn terugkomst in Parijs Chanel overstuur aantrof in de lobby van de Ritz en spontaan beval haar onderdak te verlenen in het hotel kan alleen maar een van de aardige mythen rond Chanel zijn. Alleen Dincklage of een andere hooggeplaatste Duitse functionaris kon de gecompliceerde regelingen treffen voor haar verblijf in de *Privatgast*-sectie van de Ritz, die gereserveerd was voor vrienden van het Reich. Men hoeft er het Duitse *Diktat* maar op na te lezen: 'Op bevel van Berlijn is de Ritz uitsluitend gereserveerd voor de tijdelijke accommodatie van hooggeplaatste functionarissen. De Ritz vertegenwoordigt een superieure, uitzonderlijke positie onder de gevorderde hotels.'[27] Het kwam erop neer dat slechts bepaalde niet-Duitsers (*Ausländer*) het voorrecht genoten tijdens de bezetting in de Ritz te verblijven.[28] De vertrekken van Chanel (kamer 227-228) lagen vlak bij die van de Duitse collaborateur Fern Bedaux (kamer 243, 244 en 245); de pro-nazistische familie Dubonnet (kamer 263) en Mme Marie Louise Ritz (kamer 266 en 268), de echtgenote van de oprichter César Ritz, verbleven op dezelfde verdieping.

Iedereen die de Ritz in of uit wilde, moest zich identificeren bij wachtposten die dag en nacht bij de met zandzakken versterkte ingangen stonden. Hitlers gedoodverfde opvolger Hermann Göring, de opperbevelhebber van de Luftwaffe en het hoofd van alle bezette gebieden, werd geïnstalleerd in de koninklijke suite. Andere luxekamers waren gereserveerd voor de Duitse minister van Buitenlandse Zaken Joachim von Ribbentrop, voor rijksminister van Bewapening en Munitie Albert Speer, voor rijksminister van Binnenlandse Zaken dr. Wilhelm Frick en voor een keur aan hooggeplaatste Duitse generaals.[29]

De Duitsers die toegang hadden tot de Ritz hadden strikte orders meegekregen van het Duitse opperbevel: 'Het was verboden wapens van welke soort ook mee het gebouw in te nemen' (een ruimte bij de ingang was bestemd voor wapenopslag) en 'men diende zich honderd procent correct te gedragen en onderofficieren mochten niet toegelaten worden'. Niet-Duitsers konden alleen op uitnodiging het hotel betreden.[30]

Hoe ging het er in 1940 in de Ritz aan toe? Er is een fraai opgemaakte, gedrukte menukaart van 14 juni bewaard gebleven, de dag dat de Duitsers het hotel vorderden. In deze verschrikkelijke periode, waarin honderdduizenden Franse gezinnen voor de Duitsers vluchtten, kregen de eerste nazigasten van de Ritz een overdadig menu voorgeschoteld. De lunch bestond uit grapefruit – in oorlogstijd een zeldzame traktatie – en een hoofdgerecht van *filet de sole au vin du Rhin* (een droge Duitse wijn, overduidelijk door de verslagen partij gekozen om het hun overwinnaars naar de zin te maken) of *poularde rôtie*, vergezeld van *pommes ri-solées*, verse doperwten en asperges met een *sauce hollandaise*. Als dessert was er vers fruit.

Later, toen Franse gezinnen de verhongering nabij waren, dineerden hoge Duitse functionarissen en hun gasten nog steeds in het restaurant van de Ritz. Een Duitse officier schreef in de eerste dagen van de bezetting: 'Het geeft in tijden als deze een gevoel van macht om goed en veel te eten.'[31]

Cocteau, Serge Lifar, de in Oekraïne geboren balletdanser en choreograaf, en René de Chambrun hadden van de nazi's toestemming gekregen in de Ritz te eten. Ze lunchten en dineerden er regelmatig, vaak als gast van Chanel aan 'haar' tafel. Ze verkeerden er in het gezelschap van de nazi-elite, onder wie regelmatige bezoekers uit Berlijn: Dincklages voormalige baas Joseph Goebbels en Hermann Göring, Lifars beschermheer en bewonderaar. Lifar, de vroegere minnaar van Sergej Diaghilev, de oprichter van de Ballets Russes, woonde deels in de Ritz. Hitler had Lifar ontmoet op zijn enige trip naar Parijs, direct na de Franse overgave. Göring stelde Lifar toen aan als hoofd van het Corps de Ballet van de Parijse Opéra. 'De Duitsers zijn verfijnder dan de Fransen – ze gaven geen zier om wat [mannen als] Cocteau deden, omdat ze wisten dat zijn werk een schijnvertoning was,' was Chanels overtuiging.[32]

Een andere gast in de Ritz was Dincklages protégé baron Louis de Vaufreland Piscatory.

De winter van 1940-1941 was bitterkoud, maar niet in de Ritz. Chanel 'werd overal gezien met (...) Spatz Dincklage'.[33] De schrijver Marcel Haedrich zegt dat Chanel hem het volgende had verteld: 'Ik ging niet om met de Duitsers, en ze vonden het niet leuk dat een vrouw die er nog steeds goed uitzag hen compleet negeerde.' Haedrich vermeldt nog een andere mythe: 'Chanel nam de metro. Die stonk niet, de Duitsers waren bang voor epidemieën en zagen erop toe dat er overal Cresyl [een sterk antiseptisch middel] werd gespoten.'[34] Dat lijkt onwaarschijnlijk: als minnares van een hoge Duitse officier stond Chanel waarschijnlijk een auto ter beschikking.

Voor de happy few – lees: Chanel en haar entourage – was het Parijs van de oorlogsjaren in feite niet anders dan het Parijs in vredestijd. De high society ging gewoon door met haar glamoureuze leven: de nachtclubs en variétés gedijden. Dincklage dineerde veelvuldig bij Maxim's, waar Duitse officieren en functionarissen elke avond van het beste van

*Eetzaal van Hôtel Ritz, 1939. In 1939 en tijdens de 'nepoorlog'
dineerde de Parijse elite in weelde. Op het menu stond haute cuisine.*

de Franse haute cuisine genoten.[35] Chanel en Dincklage waren te gast
bij de Opéra van Serge Lifar en zijn door de nazi's gefinancierde gala-
avonden. Lifar, Cocteau en Chanel waren regelmatig te gast bij diners
bij kaarslicht (vanwege stroomuitval) in het appartement van de Serts
aan Rue de Rivoli 252. Jojo (Sert) vermaakte zijn gasten dan met verhalen
over Britse en Amerikaanse spionnen in Madrid. Sert kwam regelmatig
in Madrid. In 1940 had hij het voor elkaar gekregen dat het Franco-re-
gime hem een diplomatieke post toewees als ambassadeur van Spanje
aan het Vaticaan, maar dan gebaseerd in Parijs. De Serts en hun vrienden genoten van de keur aan etenswaren die via diplomatieke kanalen
vanuit het neutrale Spanje naar hen werden verscheept.[36]

Chanel gaf graag intieme dinertjes in haar appartement in de Rue
Cambon, waar haar geliefde kunstvoorwerpen en haar gekoesterde co-

Tijdens de Duitse bezetting gingen uitgehongerde Parijse burgers de straat op om tussen het vuilnis naar etensresten te zoeken, september 1942.

romandelschermen stonden. De maaltijden werden door haar kok bereid en geserveerd door haar trouwe dienstmeid Germaine, die naar Parijs was teruggekeerd. Op zulke avonden met haar minnaar Dincklage speelde Chanel vaak piano en zong erbij. En wanneer de gasten zich dan zelf vermaakten, staken zij en Dincklage de Rue Cambon over naar de achteringang van de Ritz en sloten zich op in haar appartement op de derde verdieping, met zijn witgepleisterde, strenge uitstraling.[37]

Nazicollaborateur Fern Bedaux, Chanels buurvrouw in de Ritz, rapporteerde aan graaf Joseph von Ledebur-Wicheln, haar contactpersoon van de Abwehr, dat Dincklage (van wie Fern wellicht niet wist dat hij ook een Abwehr-agent was) elke dag bij Chanel kwam. Fern vertelde Ledebur ook dat Chanel een drugsgebruiker was.[38]

Chanels goede vriend Paul Morand, die haar 'de doodsengel van de negentiende-eeuwse mode' noemde, was tijdens de bezetting een belangrijke Vichy-functionaris.[39] Samen met zijn 'pro-Duitse' vrouw Hélène organiseerde hij Parijse soirees, waarop Chanel en haar kleine vriendenkring te gast waren: de altijd aanwezige Cocteau, de schrijver Marcel Jouhandeau, en zijn vrouw, de vroeger zo prachtig excentrieke, erotische balletdanseres Caryathis. Zij was een oude vriendin van Chanel die haar vóór de Eerste Wereldoorlog dansles had gegeven en was nu, inmiddels op leeftijd, een goede vriendin van André Gide.[40]

Maar voor een werkelijk plezierig avondje dineerde Chanel altijd met een goede vriend van Dincklage van vroeger, de francofiele rijksambassadeur in Parijs Otto Abetz, en zijn beeldschone vrouw Suzanne. Hun overvloedige diners in de residentie van de ambassadeur, Hôtel de Beauharnais, Rue de Lille 78 (achter het toenmalige Gare d'Orsay), werden benijd door de crème de la crème van Parijs en de nazi-jetset. De salons van Abetz waren ingericht met fraaie schilderijen die uit de appartementen van de familie Rothschild waren ontvreemd.[41]

Na Abetz was de voormalige advocaat en journalist Ferdinand de Brinon, de ambassadeur van Vichy bij het Duitse bewind in Parijs, de meest geliefde gastheer onder de Parijs elite; Chanel dineerde vaak in zijn Parijse herenhuis. De bekroonde auteur Ian Ousby, geschiedschrijver van de Duitse bezetting, is meedogenloos over Chanels houding tijdens de diners: 'Coco Chanel (...) ging zich graag te buiten aan antisemitische uitspraken' tijdens de diners bij Abetz en Brinon.[42] Een uitnodiging voor zo'n avond betekende nauwe sociale contacten met nazi's in topposities. Pierre Lavals dochter Josée, een oude vriendin van Chanel, en haar man René de Chambrun waren frequent te gast bij Abetz op avonden van de Duitse ambassade. René, bijgenaamd 'Bunny', stond bekend om zijn vlijmscherpe reactie toen zijn schoonvader Laval en maarschalk Pétain in Vichy aan de macht kwamen; Lavals eigen woorden herhalend zei hij: 'Zo breng je dus een republiek ten val.'[43]

Josée was lyrisch over de avondjes bij Abetz: 'De champagne vloeide en de Duitse officieren, gekleed in prachtige uniformen of jacquet, spraken alleen Frans. Het sociale leven was weer helemaal terug van weggeweest – met oude vrienden en onze nieuwe gasten, de Duitsers.'[44]

Josée was uitgelaten over een kerstgala dat in 1940 werd gehouden – het eerste jaar van de Duitse bezetting en een gespannen periode voor de Parijzenaars. De Duitsers hadden net de achtentwintigjarige Jacques Bonsergent geëxecuteerd bij Mont Valérien, vlak buiten de muren van Parijs; hij was de eerste Franse burger die voor een Duits vuurpeloton kwam te staan. Maar Josée schreef:

In een donker Parijs heerste vrolijkheid. Abetz, half in burger, half in militair tenue [Abetz was luitenant-kolonel van de SS], en zijn vrouw Suzanne hielden een schitterend dinerbuffet, waar de corpulente Duitse consul in Parijs, generaal Rudolf Schleier, diep boog voor de dames en hun hand kuste, net zoals generaal van de Luftwaffe Hanesse, in een wit kostuum, zijn borst behangen met onderscheidingen. [Waarschijnlijk waren die aan generaal Hanesse toegekend vanwege het doden van Fransen.] De champagne vloeide rijkelijk; de Duitse officieren in hun galakledij, met name de piloten, bewezen de dames, die als vlinders heen en weer fladderden, eer en niemand sprak Duits. De officieren probeerden elkaar te overtroeven in de taal van Rabelais [Franse zestiende-eeuwse satiricus] (...) Niemand dacht aan de oorlog. We dachten allemaal dat vrede, een definitieve vrede, een Duitse vrede, de wereld voor zich zou winnen, met de goedkeuring van Stalin en Roosevelt (...) alleen Engeland bleef weerstand bieden aan de Duitsers.[45]

Het contrast met het dagelijkse leven van een doorsnee-Parijzenaar was enorm. Zijn leven was zwaar tijdens de koudste winter ooit gedocumenteerd – en elke winter leek weer kouder dan de vorige. Voor hem geen champagnesoirees. Steenkool was schaars, aan brandstof was een groot gebrek en er waren vaak stroomstoringen. Soms was er op de zwarte markt benzine te krijgen, maar de meeste auto's waren omgebouwd voor gas en hadden twee flessen op het dak. Sommige mensen lieten hun auto's op houtskool lopen. Naarmate de maanden van de bezetting verstreken, werd het leven zwaarder en zwaarder.

Binnen enkele weken nadat de Duitsers in Parijs arriveerden was alles uit de markt genomen, om later voor twee of drie keer de oorspronkelijke prijs te worden verkocht. Binnen enkele maanden voerden de Duitsers een beleid waarmee de bevolking werd uitgehongerd. Veldmaarschalk Göring beval dat de Franse bevolking per dag niet meer dan twaalfhonderd calorieën mocht nuttigen – de helft van het aantal calorieën dat een gemiddelde man of vrouw nodig heeft om te overleven. De ouderen werden gerantsoeneerd op achthonderdvijftig calorieën per dag. De maatregelen waren onthutsend.

Alle basisbehoeften waren op rantsoen. Oude mensen leden hier het meest onder. Ze werden snel ziek of gingen dood door onderkoeling of ondervoeding wanneer ze hun woning niet warm konden houden tijdens de lange, koude, natte maanden van de oorlogsjaren. Het Amerikaanse ziekenhuis in Neuilly, dat nog steeds bestierd werd door een Amerikaanse arts en door Otto Gresser, een Zwitserse manager, slaagde erin de voeding van de patiënten aan te vullen: het ziekenhuis regelde dat een rijke Franse landeigenaar zijn aardappelen tegen een redelijke prijs verkocht. De knollen werden per ambulance naar de keuken van het ziekenhuis vervoerd. Gresser vertelt dat ze wijn probeerden te ruilen voor nog meer aardappelen: 'We hadden tweehonderdvijftig patiënten (...) De Franse autoriteiten stonden de patiënten een halve liter wijn per dag toe en algauw hadden we meer wijn dan de patiënten konden drinken. De boeren hadden echter niet genoeg wijn. We namen vijfhonderd liter wijn en ruilden die voor vijfduizend kilo mest. Eén boer gaf ons tienduizend kilo aardappelen voor de mest (...) Wij gaven vijftig kilo aardappelen aan elk personeelslid, want het was voor hen van groot belang dat ze hun gezinnen konden voeden.'

Eind 1941 was het vrijwel onmogelijk om nog aan vlees – van levensbelang in de strijd tegen ondervoeding – te komen, behalve tegen torenhoge prijzen. Gresser weet nog dat er een keer driehonderd kilo rundvlees op de zwarte markt was gekocht voor het ziekenhuis. Toen het werd afgeleverd in een grote 'geleende' Duitse auto, wilden de achterdochtige Duitse autoriteiten de keuken inspecteren. Het personeel verborg het vlees in de tuin van het ziekenhuis.[46]

Zelfs hét Franse product, wijn, was nauwelijks verkrijgbaar. In hun boek *Wine and War* schrijven Donald en Petie Kladstrup hoe de wijnproductie tussen 1939 en 1942 halveerde. De Duitsers hielden van wijn en waren kenners, vooral van Franse wijn. Hun *Weinführers* confisqueerden niet alleen het beste van de jaarlijkse Franse productie, maar ook enorme hoeveelheden doodgewone tafelwijn voor hun troepen. De Duitsers transporteerden jaarlijks meer dan driehonderdtwintig miljoen flessen wijn naar Duitsland, tegen een vaste prijs.

Göring beval de Weinführers om zelfs middelmatige wijn systematisch naar Duitsland te transporteren. Het resultaat was catastrofaal. 'De ouderen en de zieken hebben wijn nodig,' informeerden de Franse artsen de Duitse en Franse autoriteiten. 'Wijn is een uitstekend voedingsmiddel (...) het is licht verteerbaar (...) en een vitale bron van vitamines en mineralen.'[47]

8

Dincklage ontmoet Hitler, Chanel wordt een agent van de Abwehr

À la guerre comme à la guerre.[1]
– FRANS GEZEGDE

Begin 1941 liet Dincklage Chanel achter in Parijs. Hij reisde naar Berlijn met baron Louis de Vaufreland. De twee mannen hadden elkaar in het vooroorlogse Parijs ontmoet toen Dincklage 'de minnaar [was] van Madame Esnault Pelterie', de vrouw van een Franse vliegtuigpionier.[2]

In Berlijn viel Dincklage een bijzondere eer ten deel: hij werd persoonlijk ontvangen door Adolf Hitler en Joseph Goebbels, Hitlers propagandaminister en Dincklages baas in de tijd dat Spatz, in 1934, aan de Duitse ambassade in Parijs was verbonden. Een rapport van de Franse contra-inlichtingendienst over de ontmoeting tussen Dincklage en de Führer belicht zijn rol als hooggeplaatst geheim agent in Frankrijk: 'Von D [Dincklage] woonde voor de oorlog in Parijs in de Rue des Sablons. Hij zei dat hij Zweeds was, maar is in werkelijkheid Duits (...) in Berlijn had hij een audiëntie bij Hitler en Goebbels. Hij heeft ook nauwe banden met [de Duitse legercommandant] Von Brauchitsch.'[3]

Toen Dincklage die winter in Berlijn aankwam, moet hij iedereen in opperbeste stemming hebben aangetroffen. Het Duitse leger had inmiddels West-Europa onder de voet gelopen en Hitlers Wehrmacht was hard op weg Joegoslavië en Griekenland te veroveren. Hitler was intussen druk bezig met geheime voorbereidingen voor de aanval op de Sovjet-Unie, die voor het aanstaande voorjaar gepland stond.

We weten niet wat Vaufreland in Berlijn uitvoerde gedurende zijn trip met Dincklage. Uit een document in de archieven van het Bureau

Frans document (gewaarmerkte kopie) waarin onthuld wordt dat Vaufreland 'een goede vriend van Chanel' was.

Dincklages protégé baron Louis de Vaufreland was een Duits agent die veel vertrouwen genoot. Hij ging in 1941 met Chanel naar Madrid; later stelde hij Chanel voor aan hoge nazifunctionarissen in Parijs.

Central de Renseignements et d'Action (BCRA), de contraspionage-dienst van De Gaulle in Londen, blijkt echter dat 'Louis de Vaufreland naar Tunesië werd gestuurd en zich voordeed als Elzasser onder de valse naam De Richmond'.[4] Hoewel de reis van Vaufreland in nevelen is gehuld, kan het toch nauwelijks toeval zijn dat Tunesië het oude jacht-terrein van Dincklage was toen hij als Abwehr-agent tussen de moslims werkte. Het rapport gaat verder: 'D [Dincklage] staat [nu] op zeer ge-spannen voet met Abetz (...) hij beweert dat Abetz tweehonderd mil-joen Franse francs [ongeveer negentig miljoen dollar in 2010] heeft ge-stolen. Deze enorme som werd gedeeld met Pierre Laval, want Laval was degene die had geregeld dat de mijnen van Bor in Joegoslavië, die eigendom waren van Frankrijk, werden overgedragen aan nazi-Duits-land.'[5]

Voor een Abwehr-officier was het een grote eer om door Hitler zelf te worden ontvangen. Dincklage keerde naar Parijs terug met het bevel rechtstreeks voor Berlijn te werken: hij was nu een invloedrijke, hoge officier van de Abwehr. Ondertussen had Vaufreland de titel *V-Mann* verdiend, wat betekende dat hij nu een Abwehr-agent was die veel ver-trouwen genoot. Hij had de codenaam Piscatory, agent nummer F-7667.[6] (V-Mann, kort voor *Vertrauens-Person*, is ook een term voor Ge-stapo-agenten die veel vertrouwen genieten.)

Dincklage regelde een ontmoeting tussen Vaufreland en Chanel. Die vond zo terloops plaats dat Chanel misschien niet meteen heeft door-gehad dat haar aanstaande avontuur door Dincklage was opgezet.

De altijd inventieve en opportunistische Chanel dacht dat ze wel wist hoe ze te werk moest gaan in het door de nazi's bezette Parijs en hoe ze de vrijlating van haar neef André Palasse uit een Duits krijgsgevangen-kamp kon regelen, zodat hij veilig bij haar kon zijn. Ze had er haast mee. Ze had uit Corbère begrepen dat André waarschijnlijk tuberculose had opgelopen. De Abwehr was zich er terdege van bewust dat Chanel zich grote zorgen maakte over het lot van André. Ze zouden Chanel helpen – tegen een prijs.[7] Chanel was de ideale rekruut voor de Duitsers: zij wilde iets wat de Abwehr kon leveren en had zelf machtige connecties in Lon-den, het neutrale Spanje en Parijs.

Chanel en Dincklage brachten een kort bezoek aan La Pausa in Ro-quebrune; dankzij Dincklages positie konden ze vrijelijk reizen tussen de verschillende zones. Na hun terugkeer in Parijs werd een ontmoeting tussen Vaufreland en Chanel opgezet in de Ritz.

Het duurde niet lang of Vaufreland had Chanel ervan overtuigd dat hij André via zijn Duitse vriendjes vrij kon krijgen uit het Duitse kamp

*Rapport van de inlichtingendienst van de politie met Chanels nummer
als Abwehr-agent en haar codenaam.*

en hem naar Parijs kon halen. Vaufreland liet ook doorschemeren dat
zijn Duitse vriendjes Chanel konden helpen de controle over haar parfumimperium terug te krijgen van de Wertheimers of hun gevolmachtigden.[8]

Vaufreland en Chanel vormden een opmerkelijk spionnenkoppel. De
baron, die zich als een steriele dandy kleedde, was openlijk homoseksueel. Een Londens rapport van de Vrije Fransen omschreef Vaufreland
in die tijd als 'een negenendertigjarige, rossige aristocraat-playboy (alias
Pescatori [sic]), markies d'Awyigo, De Richmond)'. In een rapport van
de Franse inlichtingendienst stond dat hij 'een mollige homoseksueel
[was] van gemiddelde lengte en altijd onberispelijk gekleed' en 'een Abwehr-agent onder Abwehr-luitenant Hermann Neubauer – [Vaufreland
had] dringend behoefte aan grote sommen geld, was intelligent en wel-
bespraakt en sprak vloeiend Engels, Duits, Italiaans en Spaans (...) een
extreem gevaarlijke Duitse spion'. Het rapport vervolgt: 'In 1940 werkte
Vaufreland als Gestapo-agent in Marokko voordat hij zich aansloot bij

Een van de Abwehr-contacten van Chanel, Sonderführer Albert Nottermann, hier op een foto van na de oorlog, toen hij voor het Amerikaanse leger werkte, 1947.

de Abwehr in Parijs.' Later vermeldde een ander rapport van de Vrije Fransen dat Vaufreland tegen de tijd dat Chanel kennis met hem maakte, al de arrestatie van drie Franse gaullistische verzetsstrijders in Casablanca op zijn conto had staan.[9]

Vaufrelands baas Neubauer verscheen algauw in beeld om de afspraak met Chanel te bezegelen. Neubauer moet Dincklage gekend hebben. Zijn kantoor zat, net als dat van Dincklage, in het door de Abwehr geconfisqueerde Hôtel Lutetia aan Boulevard Raspail 45, vlak bij St. Germain des Prés. Hij opereerde net als Dincklage in burger en sprak uitstekend Frans.

Ergens in de lente van 1941 had Neubauer een onderhoud met Chanel en Vaufreland in het kantoor van haar boetiek in de Rue Cambon. Daar verzekerde Neubauer haar dat hij zou helpen André vrij te krijgen als Chanel Duitsland zou helpen 'politieke' informatie te bemachtigen in Madrid.

Chanel was verrukt over het idee dat ze een reisje naar Madrid kon maken. Volgens een latere verklaring van Vaufreland tegenover een Franse rechter had Chanel 'heel uitgekiend de suggestie gedaan dat ze een visum nodig had om naar Spanje te reizen en dat ze een tripje naar Engeland moest maken zodat ze haar belangrijke vrienden economische en politieke informatie kon verschaffen'.

Daarmee 'trok ze Neubauer over de streep', aldus Vaufreland.[10]

Ergens in 1941 schreef de Abwehr Gabrielle Chanel in zijn register in Berlijn in als agent F-7124, codenaam Westminster.[11] Het blijft gissen wie bedacht heeft Bendors titel als codenaam te gebruiken. Had Dincklage achter de schermen geopereerd en deze verwijzing naar Chanels voormalige minnaar in haar dossier binnengesmokkeld? (Na de oorlog ontkende Chanel dat ze ook maar iets van deze kwestie af had geweten.)

Agent Neubauer nam de zaak nu over. Chanel en Vaufreland verlieten Parijs op 5 augustus 1941 op een warme, drukkende avond. Ze reisden per trein naar Spanje via de Franse grensovergang bij Hendaye. De avond ervoor telegrafeerde het Abwehr-kantoor in Parijs de Duitse politie in Hendaye: 'Vertrek Parijs 20.10 uur, 5 augustus 1941, aankomst Hendaye 6 augustus ca. 9.10 uur [betreffend]: baron Giscatory [sic] de Vaufreland, met Frans paspoort nr. 3284 verstrekt in Casablanca, en Gabrielle Chanel, Frans paspoort nr. 18348, verstrekt in Parijs. Behandel deze twee passagiers met alle egards en verleen hun alle faciliteiten en een soepele doorgang.' Het telegram is getekend met 'Abwehr Bureau Paris, nr. 695 L/7.41 G IIIF'. (IIIF refereert aan de contra-inlichtingendienst van de Abwehr in het buitenland.)[12]

De Spaanssprekende Vaufreland was zeer geschikt voor zijn missie; hij had nauwe familiebanden met Madrid via zijn Spaanse aristocratische tante. Franse en Britse documenten beschrijven het initiatief als onderdeel van een lopend plan van de Duitse militaire inlichtingendienst om nieuwe agenten te rekruteren die Duitsland wilden dienen. De reis kwam Chanel persoonlijk ook heel goed uit. Zij verwachtte dat ze haar neef André weer thuis zou krijgen, en als ze dan toch in Madrid was, kon ze meteen de verkoop van Chanel No. 5 op de Spaanse markt promoten.

In Madrid trok Chanel in een suite van de Ritz, waar ze in vooroorlogse luxe leefde; Vaufreland verbleef bij vrienden in de stad. Franco's archieven over de Tweede Wereldoorlog zijn allemaal vernietigd; het is niet mogelijk Chanels activiteiten in de Spaanse hoofdstad in augustus en september 1941 te reconstrueren. Wel hebben we een rapport uit de Britse archieven over een avond die Chanel en Vaufreland doorbrachten met de Britse diplomaat Brian Wallace en zijn vrouw. Wallace, wiens codenaam Ramon was, deed Londen uitgebreid verslag over een gesprek dat hij en zijn vrouw met het paar hadden tijdens een diner in Madrid. (Wie het diner organiseerde is nog niet duidelijk. Het bericht dat de Britse ambassade naar Londen stuurde met daarbij het verslag van het gesprek is niet gevonden.)[13] Wallace' bijlage bij het bericht van de Britse ambassade, nr. 347 van 22 augustus 1941, volgt hieronder, met weglating van irrelevante opmerkingen:

MI, kopie. Bijlage bij bericht Madrid nr. 347 van 22 augustus 1941

Memorandum van dhr. Brian Wallace
(Verslag van gesprek met Mlle Chanel en baron Luis [sic] Vaufreland.)
Op woensdag 13 augustus waren mijn vrouw en ik aanwezig bij een diner, waar ook Mlle Chanel en baron Giscatory de Vaufreland [sic] (een Fransman) waren. Het volgende is het gezamenlijke resultaat van onze gesprekken.
Vaufreland: We kennen hem beiden al enige jaren (hoewel niet erg goed) van Parijs. Hij was een jongeman met sterke rechtse sympathieën en vermoedelijk homoseksuele neigingen. Hij is verbindingsofficier bij de Grenadier Guards en de Inniskilling Dragoons geweest en op 2 juni geëvacueerd uit Duinkerken. Hij is half Spaans en een neef van de hertogin van Almazan. Hij is naar Spanje gekomen als assistent van Mlle Chanel (met wie hij onlangs in Parijs kennismaakte). Ik vind hem persoonlijk een onbetrouwbaar sujet (...).
Zowel Vaufreland als Chanel waarschuwde ons voor de Franse ambassade hier, en met name de ambassadeur en zijn vrouw, die volgens hen 'anti-Brits' zijn.
Mlle Chanel: Ze praatte bijna drie uur lang heel open over Parijs en ik was zeer onder de indruk van haar openhartigheid. Ze is een vriendin van de premier en overduidelijk zeer dol op de hertog van Westminster. Zij zou graag naar Engeland gaan, maar wil Frankrijk niet verlaten. Ze vertelde dat ze naar Spanje is gekomen (of eigenlijk: dat ze naar Portugal gaat) omdat ze het in Parijs niet langer uithield en toe was aan een vakantie. Ze praatte vooral over Parijzenaars. Haar belangrijkste meningen:

1. De Duitsers begrijpen de Fransen niet en daardoor haten ze de Fransen zo erg dat zij, Mlle Chanel, bang is voor wat komen gaat.
2. De Fransen 'rigolent' [lachen] de hele tijd en 'font des blagues' [maken grapjes]. Het zijn maar kleine steken, maar de Duitsers

worden er woest van. In de metro worden kaartjes bijvoorbeeld in 'V's' gevouwen, en later in 'H's' (voor Hitler), er wordt op de muren geklad, etc., en nu hebben de Duitsers gedreigd de metro te sluiten.

3. De Fransen zijn graag vrolijk. 'Waarom,' vragen de Duitsers, 'zijn jullie zo vrolijk, terwijl jullie de oorlog hebben verloren?' 'Waarom,' reageren de Fransen, 'zijn jullie zo somber, terwijl jullie de oorlog hebben gewonnen?'

4. In de *zone occupée* zijn de mensen niet pro-Brits; alleen anti-Duits.

5. Frankrijk wordt langzaamaan in twee landen verdeeld. De mensen in de niet-bezette zone lijken te denken dat de mensen in de bezette zone daar uit eigen vrije wil zitten.

6. Maar erg weinig Fransen lijken te beseffen dat ze de oorlog hebben verloren. 'Wacht maar tot we van die zwijnen af zijn,' zeggen ze, en: 'Als je erop wijst dat Frankrijk verslagen is, beschuldigen ze je ervan dat je anti-Frans bent en zeggen ze vaag iets over in opstand komen en hulp van de Engelsen.'

7. De Duitsers zijn erg anti-Frans, maar over het algemeen behoorlijk pro-Engels (in die zin dat ze grote bewondering hebben voor alles wat Brits is) (...).

8. De Duitsers hebben een bloedhekel aan Churchill en verdelen Engeland in Churchill en de rest. Die laatsten willen graag vrede, denken de Duitsers; de eerste wil Duitsland vernietigen.

9. Er is een groot gebrek aan samenwerking tussen de Duitsers onderling, vooral tussen de civiele en militaire autoriteiten. Ze kunnen elkaar niet uitstaan en scheppen er behagen in elkaars regelingen teniet te doen. Het zijn allemaal bangeriken, zielenpoten en ze houden elkaar voortdurend in de gaten.

10. Er is een aparte [Duitse] commerciële organisatie, die extreem actief is. Chanel waarschuwt hiervoor in het bijzonder: 'Ze kopen zichzelf in elk bedrijf in, maar verhullen dat op allerlei manieren, zodat het wanneer het eenmaal vrede is enorm moeilijk zal zijn alle Duitse belangen uit de weg te ruimen.'

11. In het kort komt het hierop neer: Chanel zegt dat de Fransen zelfs nu nog niet snappen wat er is gebeurd. Frankrijk is nog verdwaasd, maar kan al wel zijn ogen bewegen en zien wat er om hem heen gebeurt. Weldra zal hij het gevoel in zijn ledematen weer te-

rugkrijgen en dan begint de ellende pas echt. Ze hebben geprobeerd de hele kwestie over te slaan, maar die is er nog steeds. Onder de Duitsers is er tot nu toe verbouwereerdheid en een groeiende machteloze woede, en begint het besef te dagen wat hun werkelijke positie in Frankrijk is.

Getekend: Brian Wallace, 21 augustus 1941

Nota bene: Ze zouden allebei op woensdag 20 augustus voor twee weken naar Lissabon gaan.[14]

Chanel en Vaufreland zouden nooit naar Portugal gaan. Ze keerden aan het eind van de herfst of begin winter 1941 weer terug naar Parijs. Daar kwam Chanel erachter dat André Palasse naar Frankrijk was teruggekeerd – veilig, maar ziek. En tegen die tijd had de Franse inlichtingendienst in Londen ook genoteerd dat Vaufreland een 'goede vriend van Chanel' was.[15]

Nu André weer vrij was, concentreerde Chanel zich op haar parfumbedrijf. Ze wilde haar status als arisch-Franse burger gebruiken om terug te krijgen wat volgens haar van haar 'gestolen' was door de Wertheimers.

De komende twaalf maanden zou Vaufreland Chanel helpen bij haar pogingen de nazi's ervan te overtuigen dat Chanel de rechtmatige eigenaar was van het parfum No. 5, dat in 1924 was verkocht aan de joodse familie Wertheimer. Hij regelde een ontmoeting tussen Chanel en een hoge nazifunctionaris die belast was met de *Arisierung* van joodse eigendommen.[16] Chanels belangrijkste biograaf in Frankrijk, Edmonde Charles-Roux, beschreef de pogingen van Chanel om haar parfumonderneming weer terug te krijgen: 'Nu was het [Chanels] beurt om de uitgebuite partij te spelen (...) en de Wertheimer-clan te laten zien uit welk hout ze gesneden was. Chanel was arisch, zij niet. Chanel zat in Frankrijk, zij in Amerika. Emigranten (...) joden. Kort gezegd: in de ogen van de bezetter bestond alleen zij.'[17]

9

Schaakmat door de Wertheimers

Oorlog of vrede, ze leefde (...) verschanst in haar vesting.
– MARCEL HAEDRICH[1]

Eind 1941 kwam Europa ernstig nieuws ter ore. Japanse troepen hadden Pearl Harbour aangevallen. Kort daarop verklaarde Duitsland de oorlog aan de Verenigde Staten. Winston Churchill vertrok snel naar Washington voor een gesprek met president Roosevelt. De twee mannen zetten tijdens de eerste Amerikaanse kerst in oorlogstijd een strategie op om Duitsland en Japan te verslaan.

In Frankrijk begonnen de netwerken van generaal De Gaulles Résistance aan de rekrutering van clandestiene groepen binnenlandse vrijheidsstrijders. Deze moesten Duitse fabrieken saboteren en nazi's vermoorden. De Duitsers noemden hen 'terroristen'. De verzetsstrijders zouden meedogenloos worden vervolgd. Eenmaal opgepakte leden moesten soms werken voor de nazi's, werden gemarteld of geëxecuteerd, en in sommige gevallen gedeporteerd naar vernietigingskampen.

Toen Chanel en Vaufreland in het vroege najaar van 1941 terugkeerden uit Madrid, zuchtten de inwoners van Parijs al veertien maanden onder het juk van de bezetter. Parijs lag er bij spertijd doods bij. In een essay uit 1941 vergeleek Jean-Paul Sartre de vroegere 'jaren van republikeins politiek gekwetter' met de huidige 'republiek van de stilte'.[2] Toen Frankrijk eenmaal bezet was door de Duitsers, hadden veel Fransen bereidwillig afstand gedaan van hun republikeinse rechten en de vermeend welwillende dictatuur van maarschalk Philippe Pétain geaccepteerd. Bovendien geloofden de meeste Fransen dat de oude maarschalk de natie een grotere catastrofe had bespaard.

Intussen werd in nazi-Duitsland een van Hitlers favoriete SS-leiders, Reinhard Heydrich, aangesteld als architect van de *Endlösung*. Heydrichs assistent Adolf Eichmann wierp zich in de zomer van 1941 op methoden om de joden fysiek te vernietigen. In januari 1942, op een bijeenkomst aan de Wannsee, een meer even buiten Berlijn, zetten Heydrich en Eichmann de voorwaarden uiteen voor de implementatie van de *Endlösung*.

In Vichy, in het niet-bezette deel van Frankrijk, was het joden al verboden om een functie te bekleden die de publieke opinie zou kunnen beïnvloeden. Niet lang daarna werden ze uitgesloten van de handel en industrie; hun zaken en eigendommen werden geconfisqueerd. In Parijs en in heel bezet Frankrijk werden niet-Franse joden – immigranten – gearresteerd en naar deportatiekampen gezonden. Even later zouden alle joden in Frankrijk dat lot ondergaan: opgepakt en gedeporteerd worden naar door de SS gerunde concentratiekampen, waar ze werden vernietigd.

De oorlog in Europa voerde naar een dramatisch dieptepunt. Nu de asmogendheden Griekenland, Joegoslavië en delen van Noord-Afrika beheersten, zetten Duitse pantserdivisies op 22 juni 1941 een verrassingsaanval tegen Rusland in. Later zouden ze er niet in slagen Stalins Rode Leger hartje winter te verslaan bij Leningrad, Moskou en ten slotte Stalingrad.

In Frankrijk begonnen De Gaulles Vrije Fransen en communistische verzetslieden met aanvallen tegen Duitse militairen en matrozen in Bordeaux en Nantes; daar werden Duitse soldaten op straat neergeschoten. In Parijs werd een Duitse marineofficier die op de metro stond te wachten vermoord.

De vergelding kwam snel. Overal in het land werden Franse gijzelaars door vuurpelotons van de Wehrmacht doodgeschoten.

De nazi's vaardigden nu het bevel uit dat alle joden van zes jaar en ouder een gele davidster moesten dragen met in zwarte letters het woord *Juive* of *Juif*. Dit symbool moest op het hart gedragen worden, op alle kledingstukken. Alleen al in Parijs hebben tachtigduizend joden gevolg gegeven aan dit bevel; op ongehoorzaamheid stond een zware straf. (Voor homoseksuelen, Roma, politieke gevangenen en anderen waren er driehoeken met verschillende kleuren.) En vanaf de zomer van 1942 konden Parijzenaren zien hoe Parijse joden en joodse vluchtelingen werden opgepakt voor deportatie. Hitler had de totale vernietiging van het joodse ras bevolen.

Te midden van deze verschrikkingen aarzelde Adolf Eichmann, de toezichthouder van de Holocaust, over de vraag of kinderen jonger dan zestien jaar ook gedeporteerd moesten worden. Vichy-bestuurder Pierre Laval gaf het antwoord. Hij stuurde een telegram naar Eichmann, die op dat moment de Holocaust vanuit Berlijn bestuurde. Het telegram luidde als volgt: 'Laval stelt voor dat bij de deportatie van gezinnen uit de vrije zone ook joodse kinderen onder de zestien worden betrokken. Het lot van joodse kinderen in de bezette zone interesseert hem niet.'[3] Veel Fransen vonden dat de joden die vanuit andere Europese landen naar Frankrijk waren gevlucht, of eigenlijk alle joden, 'de goede orde der zaken [hadden] verwoest'. Veel burgers prezen de antisemitische wetten die Franse bestuurders, de Franse politie en de nazi's oplegden. Een erudiete Franse vrouw zei tegen de auteur, toen haar foto's werden getoond van joden die op transport worden gesteld: 'Maar dat zijn geen Fransen, dat zijn joden.'

Chanel moet geweten hebben van de razzia's op Parijse joden. John Updike schreef in 1998 in het septembernummer van *The New Yorker*: 'Al het voorhanden zijnde bewijs duidt erop dat Chanel totaal onverschillig stond tegenover het lot van haar joodse buren – of zelfs maar tegenover de ontberingen en vernederingen die de grote meerderheid van de Parijzenaars onderging.' Updike stelt dat Chanel op haar achtenvijftigste ogenschijnlijk erg 'gelukkig' was met haar Duitse minnaar. 'Gelukkig, in een wereld waarin de puinhopen van het ongeluk steeds hoger werden (...) in de joodse wijk, een kwartiertje lopen van de Ritz vandaan.'[4]

Chanel twijfelde er niet aan dat de nazi's het serieus meenden met de toepassing van de antisemitische wetten en de Arisierung van joodse bedrijven en eigendommen. Ze had Misia Sert rond Kerstmis 1941 verteld dat ze hoopte, nu de nazi's aan de macht waren, dat ze de firma terug kon krijgen die momenteel in handen was van de Wertheimers, die de wijk hadden genomen naar Amerika.[5] Chanel en Dincklage moeten hebben ingecalculeerd dat als Hitler zegevierde – en een groot deel van de wereld dacht dat dit zou gebeuren – Chanel directeur zou worden van de arisch verklaarde parfumfirma Chanel No. 5. Haar beloning zou oneindig groot zijn. Net als veel Duitsers en Engelsen, onder wie Bendor, de hertog van Westminster, moeten Chanel en Dincklage gehoopt hebben op een onderhandelde Engels-Duitse overeenkomst tot het staken van de vijandigheden. Ze hadden vóór de oorlog geprofiteerd van de handel met Duitsland en wilden die handel weer hersteld zien. Ze beschouwden een deal met Hitler als een kans om de Duitse en Engelse aristocratie weer te verenigen. Ze waren niet vergeten dat Hitler beloofd had om Chanels goede vriend Edward, de voormalige koning van het Britse Rijk en de tegenwoordige hertog van Windsor, weer op de Britse troon te zetten, nu met zijn vrouw naast zich. En als de handel weer hersteld kon worden, zouden Duitsland en Engeland tezamen een economische stoomwals vormen die zijn internationale weerga niet kende. Chanels belang in haar parfum No. 5 zou van onschatbare waarde zijn.

Chanel voelde zich zeker van haar zaak: de Abwehr was zijn belofte nagekomen en had haar neef André op vrije voeten gesteld. André was nu bij zijn dochter Gabrielle in Parijs, waar hij op kosten van Chanel voor tuberculose werd behandeld. Later zou hij in Zwitserland worden behandeld.

Vaufreland nam zoals beloofd contact op met zijn vriend prins Ernst von Ratibor-Corvey, een Duitse functionaris die ook bevriend was met Dincklage. Ratibor-Corvey raadde Vaufreland aan een afspraak voor Chanel te maken met dr. Kurt Blanke, die vanuit de Gestapo-burelen in Hôtel Majestic opereerde. Blanke en zijn medewerkers waren belast met de uitvoering van de naziwetten die de confiscatie van joodse eigendommen regelden. Chanel wilde Blankes hulp inroepen bij de Arisierung van La Société des Parfums Chanel.[6]

De veertigjarige Blanke, een Duitse advocaat en nazi, was door Berlijn aangesteld als hoofd van de Parijse afdeling die verantwoordelijk was voor de *Entjudung*, 'de eliminatie van joodse invloeden'.[7] Tot 1944 speelde hij een hoofdrol bij het confisqueren van joodse goederen; hij droeg bedrijven en eigendommen van joden over in arische handen.[8]

Chanel en Blanke spraken elkaar in Hôtel Majestic, ergens aan het begin van de winter van 1941-1942. Na het onderhoud geloofde Chanel dat ze een stap dichterbij was gekomen in haar streven de Wertheimers te verslaan en de controle over het parfumbedrijf terug te krijgen. Helaas had ze de vooruitziende blik en geslepenheid van de gebroeders Wertheimer onderschat. Zij hadden al lang geleden een plan ontworpen om hun bedrijf te redden, mochten de nazi's in Frankrijk aan de macht komen.

De Wertheimers waren er in 1936, toen Hitler in Duitsland aan de macht was, al van overtuigd dat Duitsland heel Europa op zou willen slokken. De joden in Europa waren ten dode opgeschreven. De invasie van de nazi's in het Rijnland bevestigde hun angst: een oorlog was onvermijdelijk. De Kristallnacht van 9-10 november 1938, de nacht waarin joden en joodse eigendommen in heel Duitsland en Oostenrijk waren aangevallen, overtuigde hen ervan dat Hitler vastbesloten was het joodse ras uit te roeien.[9]

Aan het eind van de Eerste Wereldoorlog, toen de luchtvaart nog in de kinderschoenen stond, waren de Wertheimers zaken gaan doen met de luchtvaartpionier Félix Amiot; ze hadden een minderheidsbelang in de vliegtuigfabriek van Amiot. In 1934 bouwde Amiot bommenwerpers voor de Franse luchtmacht; de typen 370, 350 en 340 trokken de aandacht van Duitse ingenieurs van de Luftwaffe. Pierre Wertheimer wilde graag de Amerikaanse markt ontsluiten en reisde daarom in 1939 af naar New Orleans. Daar startte hij onderhandelingen voor een Amiot-fabriek in de Verenigde Staten waar vliegtuigen geassembleerd konden worden. De Franse oorlogsverklaring aan Duitsland en de Amerikaanse neutraliteit maakten echter een einde aan het project. Pierre keerde naar Frankrijk terug om samen met zijn broer Paul de emigratie van de familie Wertheimer naar Amerika te regelen.

In een rapport van het Franse Deuxième Bureau uit augustus 1939 staat dat de drieënveertigjarige Félix Amiot, de president van SECM[10], een werktuigbouwkundige firma die sinds 1925 bommenwerpers voor de Franse luchtmacht produceerde, vijftig miljoen Franse francs (ongeveer tweeëntwintig miljoen dollar in 2010) van de Wertheimers had ontvangen via een banktransfer vanaf hun rekening bij de Mannheimer-Mendelssohn-bank in Frankrijk.[11] Het is niet duidelijk waarin deze vijftig miljoen francs zijn geïnvesteerd. In de komende jaren zou Amiot echter zijn invloed bij Hitlers rechterhand, rijksmaarschalk Hermann Göring, de opperbevelhebber van de Luftwaffe, aanwenden om de zakelijke belangen van de Wertheimers in Frankrijk te beschermen.

Terwijl Duitse militairen de Franse grenzen overstaken, zochten de Wertheimers hun toevlucht in het Chevreuse-dal, zo'n dertig kilometer ten zuidwesten van Parijs. Vlak voor hun vlucht, toen het Duitse leger Parijs al naderde, spraken Pierre Wertheimer en Félix Amiot elkaar in Pierres appartement in Parijs. De journalisten Bruno Abescat en Yves

Stavridès citeren Amiot: 'We namen afscheid. Pierre vroeg mijn hulp om te redden wat er nog te redden viel en vroeg me een oogje te houden op zijn zoon Jacques, die in dienst was.'[12] De drieënveertigjarige Normandiër Amiot, een afstammeling van de rijke familie Cherbourg, en de Wertheimers sloten een geheim pact: Amiot nam het bestuur over van de Franse firma La Société des Parfums Chanel en zou het bedrijf namens de Wertheimers beheren. (Na de oorlog namen de Wertheimers het bestuur weer over, maar pas na een juridische strijd met Amiot.)

Paul en Pierre vluchtten daarna met hun gezinnen via Spanje naar Brazilië. Vele maanden later, nadat Pierre voor zijn gezin een Amerikaans visum had kunnen regelen, voeren hij en zijn vrouw Germaine naar New York aan boord van de SS Argentina. In de eerste week van augustus 1940 bereikten ze Manhattan. Paul, zijn vrouw Madeleine en hun kinderen Antoine en Mathilde volgden daarna, en kwamen een paar weken later in New York aan.

De Wertheimers vonden in Amerika een hartelijk onthaal. Hun geld, hun onbeperkte middelen en hun gevestigde reputatie als betrouwbare ondernemers stonden garant voor een succesvol leven in Amerika. Paul en Pierre bouwden een nieuw leven op voor hun gezinnen: Paul in een fraaie woning in bruinrode zandsteen van zes verdiepingen op West Seventy-fifth Street 35, vlak bij Central Park West, en Pierre op Park Avenue 784. De gebroeders lanceerden al snel een nieuw Bourjois-parfum, Courage (moed) geheten, om het welwillende Amerikaanse publiek te verleiden. Er waren per slot van rekening veel Amerikanen en een groeiend aantal vluchtelingen die heimwee hadden naar Parijs en Frankrijk. Ze gingen in drommen naar de bioscoop om Humphrey Bogart en Ingrid Bergman te zien in de filmhit *Casablanca* en zorgden ervoor dat de ballad 'The Last Time I Saw Paris' in 1941 op de hitparade belandde.[13]

De verkoopcijfers van Courage rezen de pan uit. Vervolgens begonnen de Wertheimers in hun fabriek in Hoboken, New Jersey, met de productie van Chanel No. 5. Het parfum werd een groot succes in Noord- en Zuid-Amerika. Nog weer later gebruikten de Wertheimers de winstgevende winkels voor Amerikaans militair personeel in het binnen- en buitenland, de PX's, om Chanel No. 5 te verkopen.

De Wertheimers behoorden in 1940 tot de eersten die de Vrije Fransen van generaal Charles de Gaulle en de joodse zaak in New York steunden. Hun succes dreef Chanel tot razernij.

Voor het nageslacht plaatst H. Gregory Thomas een parfum van Bourjois in een kluis op de Wereldtentoonstelling van 1939 in New York. Tijdens de Duitse bezetting glipte Thomas, die als geheim agent voor de Wertheimers werkte, Parijs binnen als 'don Armando Guevaray Sotto Mayor'. Zijn doel was het stelen van de formule van Chanel No. 5, zodat de firma Bourjois dat parfum in Amerika kon produceren. Na de oorlog werd Thomas president en later voorzitter van de raad van bestuur van Chanel Inc., de firma van de Wertheimers in Amerika.

Medio augustus 1940 zag een Duitse grenswacht een 'reusachtige, zware man met scherpe trekken' in een rij reizigers die stond te wachten bij de politiecontrolepost van Hendaye aan de Spaans-Franse grens.[14] Toen de Duitse controleur het paspoort van de man bekeek, las hij daar dat de eigenaar, don Armando Guevaray Sotto Mayor, twee meter lang was. Na een irritante reeks vragen en een zeer uitvoerige inspectie van zijn bagage mocht don Sotto Mayor langs de politie en door de douane. Hij stapte vervolgens op de trein en begon aan de achthonderd kilometer lange reis van Hendaye naar het Gare d'Austerlitz op de Rive Gauche van Parijs.

Naast zijn lengte was het enige andere bijzondere aan don Sotto Mayor zijn identiteit. De man die op die warme augustusdag in de trein zat, was namelijk niet don Sotto Mayor, maar Herbert Gregory Thomas, een drieëndertigjarige Amerikaan en zoon van Herbert Thomas uit Brooklyn, New York, en Amanda Caskie uit Boone County, Missouri. Thomas, die vicepresident was van de firma Bourjois in New York, had de identiteit van don Sotto Mayor aangenomen om voor de familie Wertheimer een aantal geheime missies in Europa uit te voeren.[15]

Thomas was opgeleid in Zwitserland. Hij was afgestudeerd in Cambridge, aan het Corpus Christi College, en had rechten gestudeerd aan de Sorbonne in Parijs en de Universiteit van Salamanca in Spanje. Hij had internationaal recht beoefend in Parijs, Genève en Den Haag, waarna hij naar New York verhuisde en voor Guerlain Parfums ging werken. In 1939 ging hij werken bij Bourjois Inc., de parfumfirma van de Wertheimers.

Op die augustusdag van zijn vertrek naar Europa sprak Thomas met de pers in de vertrekhal van de Pan Am Clipper op het New Yorkse Municipal Airport (in 1947 omgedoopt in La Guardia). Hij vertelde aan een verslaggever van de *New York Times* dat hij was opgestapt bij Bourjois en nu voor de Toilet Goods Association in New York werkte. Hij ging naar Europa om te onderzoeken wat de voorwaarden waren voor de levering en verscheping van grondstoffen en etherische oliën uit Frankrijk, Italië en Zwitserland. Maar dat was bezijden de waarheid. Thomas had verschillende doelen voor ogen. Ten eerste wilde hij, zich daarbij voordoend als don Sotto Mayor, de scheikundige formule voor Chanel No. 5 in handen krijgen. Ten tweede wilde hij de hoofdbestanddelen – 'natuurlijke aroma's' zoals jasmijn – bemachtigen, zodat het bekende parfum in Hoboken geproduceerd kon worden.[16] En ten derde zou Thomas Félix Amiot helpen om Pierre Wertheimers negenentwintigjarige zoon Jacques, die in Bordeaux ondergedoken zat, Frankrijk uit te krijgen en naar New York te brengen. Jacques was in 1939 gemobiliseerd. Na de Franse nederlaag was het hem met hulp van Amiot gelukt uit een Duits krijgsgevangenkamp te ontsnappen.

In 1942, toen Thomas bij het Office of Strategic Services (oss), de voorloper van de cia, kwam te werken, gaf hij tegenover zijn werkgever toe dat hij twee jaar daarvoor nog in dienst was geweest van de Wertheimers toen hij zijn vier maanden durende undercoveroperatie uitvoerde in Frankrijk. Daarna heeft Thomas het hier nog maar sporadisch over gehad.

De paar goede vrienden die Thomas had, verklaarden dat hij gereserveerd van aard was. Een oss-collega van Thomas, Peter M.F. Sichel, vertelde aan de auteur van dit boek: 'Het was niet gemakkelijk om bevriend te raken met Thomas; er hing een mysterieuze sfeer om zijn persoon en zijn verleden. Maar hij was wel een gewone man – erudiet, maar nooit een snob.'

De precieze details van Thomas' geheime missie voor de Wertheimers blijven geheim, met name hoe het hem gelukt is de formule van het parfum te bemachtigen, maar dát het hem gelukt is staat vast. Thomas liet geen informatie achter toen hij in 1990 op tweeëntachtigjarige leeftijd stierf, maar Peter Sichel heeft sommige gaten opgevuld. Toen Sichel tijdens de Tweede Wereldoorlog op het hoofdkwartier van de oss in Algiers en later in Europa was gestationeerd, wist hij van Thomas' werk voor de oss in Portugal en Spanje af. Andere informatie werd ontdekt door de onderzoeksjournalisten Bruno Abescat en Yves Stavridès, die in 2005 voor het Franse tijdschrift *L'Express* schreven, en door Véronique Maurus, die voor *Le Monde* schreef. Abescat en Stavridès schrijven dat Claude Levy, de advocaat van de familie Wertheimer en voormalig burgemeester van Orléans, hun vertelde: 'De wapenfeiten van Gregory Thomas, de agent van Pierre en Paul [Wertheimer], en dat hij het voor elkaar heeft gekregen grote hoeveelheden jasmijn uit Frankrijk naar de Verenigde Staten te smokkelen, komen regelrecht uit een James Bondfilm.'[17]

Sichel denkt dat Thomas bij zijn geheime operaties met 'louis d'ormunten of Engelse soevereinen' betaalde om agenten te compenseren en voorraden te kopen. Hij legt uit hoe de oss tijdens de Tweede Wereldoorlog te werk ging: 'De oss gebruikte gouden munten om missies in Europa te financieren en buitenlandse valuta te kopen voor operaties van oss-agenten. Ik heb ooit louis d'or-munten uit een Europees land gesmokkeld, verborgen in een schoen in mijn bagage. Een grote, sterke man als Gregory kon met gemak vijfhonderd louis d'or-munten in zijn bagage meenemen, ook al was dat best zwaar.' Vandaag de dag is een gouden louis d'or, afhankelijk van de datum van de munt, tussen de achthonderd en drieduizend dollar waard. Sichel voegt eraan toe dat in die tijd 'Franse francs niet veel waard waren en Gregory toegang had tot betaalmiddelen in Zwitserland (...) Tijdens de bezetting van Frankrijk had [de oss] de regeling dat Franse agenten met Franse francs werden betaald, die door andere partijen werden voorgeschoten. Vervolgens betaalde de oss die partijen terug door geld te storten op hun rekeningen in Zwitserland.'[18]

In een interview met het tijdschrift *Forbes* in 1989 onthulde Thomas dat hij 'Franse bendeleden had omgekocht' om hem te helpen Jacques naar Amerika te krijgen.[19] Uit andere bronnen weten we dat Jacques op 21 november 1940 uit Lissabon is vertrokken aan boord van de Excalibur, een trans-Atlantisch stoomschip van de American Export Lines dat naar New York voer.[20] De passagierslijst van de Excalibur vermeldt vreemd genoeg dat Jacques, een Frans staatsburger, een 'Hebreeër' was.

Uiteindelijk rondde Thomas zijn missie voor de gebroeders Wertheimer af en keerde hij naar New York terug. Een paar maanden na Pearl Harbour, toen ook de Verenigde Staten in oorlog waren, werd hij door de oss van William 'Wild Bill' Donovan gerekruteerd en als afdelingshoofd naar Spanje en Portugal gezonden. (Thomas was in Madrid toen Chanel daar in de winter van 1943-1944 een missie uitvoerde voor SS Reichsführer Heinrich Himmler, maar in de oss-dossiers over Thomas wordt niet gerefereerd aan Chanel.) Na de oorlog stelden de gebroeders Wertheimer Gregory Thomas aan als president van Chanel Inc., het Amerikaanse moederbedrijf van Chanels firma. Thomas zou er vijfentwintig jaar blijven werken.

10

Een missie voor Himmler

Ze wilde een verborgen leven leiden.
– EDMONDE CHARLES-ROUX, *L'IRRÉGULIÈRE*[1]

Op maandagochtend 9 november 1942 werd Frankrijk gewekt door
krantenkoppen. Een daarvan luidde: 'Smerige Engels-Amerikaanse
Aanval Tegen Ons Noord-Afrika.'

Chanel was verbijsterd. Heel Parijs duizelde ervan.

Het was een gedurfde geheime operatie. Het hoofdredactioneel com-
mentaar op de voorpagina van *Le Matin* voerde een vertrouwde zonde-
bok op: 'De joden zullen falen met hun aanvallen onder de gordel, evenals de Engelsen en de Amerikanen. Wanneer Frankrijk bedreigd wordt,
slaat het terug – elke Fransman, heel Europa, schaart zich achter Frankrijk.'[2]

Een andere krant verzekerde zijn lezers dat Adolf Hitler had verklaard: 'We zullen tot het einde doorvechten.'[3] Binnen enkele uren berichtte een Parijse radiozender dat Britse en Amerikaanse troepen onder
bevel van generaal Dwight D. Eisenhower die maandag bij zonsopgang
de Algerijnse en Marokkaanse stranden hadden bestormd. De wereld
zou later vernemen dat de riskante invasie, die Operation Torch was ge-
doopt, 'president Franklin D. Roosevelts troetelkindje' was geweest.

Zodra de Algerijnse en Marokkaanse stranden veilig waren gesteld,
zond de BBC een toespraak van Winston Churchill uit: 'Dit is niet het
eind. Dit is zelfs niet het begin van het eind. Maar wellicht is dit het
einde van het begin.'[4] Hoewel de nazi's de Fransen hadden verboden
naar de BBC te luisteren, stemden velen hun clandestiene radiotoestellen

af op de regelmatige avonduitzendingen: 'This is London calling.' Avond na avond deden de BBC-commentatoren op droge toon kond van de geallieerde successen in Noord-Afrika en van het nieuws dat Pétains rechterhand, admiraal François Darlan, was overgelopen naar de Amerikanen. De BBC liet geen gelegenheid voorbijgaan om collaborateurs te waarschuwen dat ze na de bevrijding van Frankrijk gestraft zouden worden.

De dreigementen van de BBC en Churchills ferme woorden joegen veel collaborateurs de schrik om het hart. Chanel was al eens een 'horizontale collaborateur' genoemd, evenals de Franse actrice Arletty.[5] In 1942 publiceerde het blad *Life* een zwarte lijst met namen van Franse burgers die beschuldigd werden van collaboratie met de Duitsers. Op de lijst stond ook Chanels advocaat René de Chambrun. De Vrije Fransen wisten dat er bij Chambrun thuis kostbare schilderijen aan de muur hingen die door de nazi's uit de collecties van de families Schloss en Rosenberg waren ontvreemd.[6] Het artikel in *Life* waarschuwde: 'Sommige [collaborateurs] zullen vermoord worden (...) andere zullen worden berecht wanneer Frankrijk eenmaal vrij is.'[7] Het blad, dat door miljoenen Amerikanen werd gelezen, claimde dat de Vichy-leiders, maarschalk Philippe Pétain en Pierre Laval (de schoonvader van René de Chambrun), wegens collaboratie zouden worden vervolgd.

Het rapport in *Life* moet hard zijn aangekomen bij Chambrun, die een rechtstreekse nakomeling van Lafayette en ereburger van de staat Delaware was en veel aanzien genoot onder de Washingtonse elite. Nu werd hij door het Franse ondergrondse leger van generaal Charles de Gaulle verketterd.[8] Chanel en andere collaborateurs moesten zich gaan afvragen wat hun nog te wachten stond.

Op de maandag van de invasie noteerde Chanels vriendin Josée Laval de Chambrun in haar dagboek: 'De Amerikanen hebben Algerije en Marokko aangevallen. André Dubonnet wekte ons [Josée en haar echtgenoot René] met het nieuws en wilde weten of het waar was.' Josée ging die dag lunchen in het ultrachique restaurant Fouquet aan de Champs-Élysées en noteerde later: 'Darlan en Juin [de commandanten van de Franse troepen in Noord-Afrika] zullen zich binnenkort ook aan de zijde van de geallieerden scharen. Ik heb hetzelfde gevoel als in mei en juni 1940, toen alles in het luchtledige hing [toen de Duitsers binnenvielen]. Het is het einde van een tijdperk.'[9]

René en Josée hadden alle reden tot bezorgdheid. Chanels advocaat had praktisch vanaf het begin van de bezetting een vertrouwelijk informatieblad voor Pierre Laval bijgehouden waarin de antisemitische acties van Vichy werden uiteengezet. Daarnaast vertegenwoordigde hij Amerikaanse bedrijven met dochterbedrijven in nazi-Duitsland. Chambrun had zijn enthousiasme voor samenwerking met Hitlers rijk nooit onder stoelen of banken gestoken. Tot aan de geallieerde invasie in Noord-Afrika was hij medeorganisator van zakenlunches in de Ritz, waar nazi's en Franse collaborateurs plannen konden smeden voor politieke, economische en financiële samenwerking in de nieuwe Europese orde die Hitler voor ogen stond.

Met Kerstmis schreeuwden de koppen weer: 'Gaullistische patriotten vermoorden admiraal François Darlan in Algiers.' Het Duitse leger had inmiddels heel Frankrijk bezet. Toen het zich meester wilde maken van de Franse vloot in Toulon, brachten Franse zeelieden hun schepen in de haven tot zinken. Heel Frankrijk zuchtte nu onder het nazi-juk. In Vichy regeerden nazistische schurken. Pétain stond machteloos.

Tegen januari 1943 was Chambrun zo gedemoraliseerd dat hij zijn vriend dr. Ernst Achenbach, de rechterhand van Otto Abetz op de Duitse ambassade in Parijs, bekende: 'Het valt niet mee, collaboreren.'[10]

De winter van 1943 was onverdraaglijk. Terwijl het kwik daalde, kreeg een gure wind Parijs in zijn greep.[11] Met de dalende temperatuur werd ook de sfeer somberder. De ijzige kou ging gepaard met voedselschaarste; de rantsoenen gingen omlaag voor wie zich geen zwartemarktprijzen kon veroorloven. Aan alles was een tekort: aan schoenen, stoffen, melk, kaas, boter, vlees en wijn. Oude mensen verhongerden terwijl ze in bed probeerden warm te blijven en de volgende dag te halen.

Het imago van de vijand was veranderd: de trotse, knappe ariërs die over de Champs-Élysées slenterden en met mooie *demoiselles* flirtten hadden plaatsgemaakt voor bazige, arrogante mannen op leeftijd die te oud waren om aan het Oostfront te dienen. Onder de gewone Parijzenaars, die hun situatie aanvankelijk met tegenzin hadden aanvaard, heerste nu het grimmige fatalisme van een onderworpen volk.

Tegen het eind van het jaar waren de vijandigheid en het verzet tegen de Duitsers manifest. De werknemers van een Franse advocatenfirma aan de Champs-Élysées keerden zich nu van de hoge ramen van hun kantoor af zodra buiten op straat Duitse soldaten met veel machtsvertoon voorbij kwamen marcheren.[12] Parijs, ooit het centrum van smaak en cultuur, was een gevaarlijke buitenpost geworden waar woedende mannen na de avondklok op pad gingen om Duitsers te vermoorden en bekende collaborateurs en zwarthandelaars te straffen. Een hoge nazi-functionaris rapporteerde aan Berlijn dat er sinds het begin van 1943 on-tegenzeggelijk sprake was van een 'algehele verwerping van alles wat Duits was' en dat de Fransen algemeen hoopten op 'een spoedige ineen-storting van Duitsland en nog dit jaar een geallieerde overwinning'. Ge-mobiliseerde Duitse mannen en hun officieren 'brachten één zondag per maand door op de schietbaan van Parijs, waar ze oefenden met granaat-werpen en schieten met geweren' – ze wisten dat de kans groot was dat ze zich binnen afzienbare tijd moesten verdedigen tegen een leger van schaduwen.[13]

Dincklage en Chanel moesten zich wel afvragen of ze nog aan de toorn van Charles de Gaulles verzetsstrijders konden ontkomen. De Vrije Fransen en de Franse communisten traden steeds gewelddadiger op te-gen collaborateurs. Chanels betrekkingen met de nazi's, haar felle anti-semitisme en haar uitspraak 'Frankrijk heeft zijn verdiende loon gekre-gen', een opmerking die ze in 1943 tijdens een lunch aan de Côte d'Azur had gemaakt, waren alle opgetekend door de inlichtingendienst van de Vrije Fransen in Londen en door verzetsstrijders in Frankrijk. Chanel, Jean Cocteau en Serge Lifar stonden op de zwarte lijst.[14]

Dincklage wist dat hij ten dode opgeschreven was. Britse en Franse agenten die ondergronds opereerden in Frankrijk en de Vrije Fransen van generaal De Gaulle in Londen hadden een dossier opgebouwd van Dincklages werk voor de nazi's aan de Côte d'Azur en in Parijs en Zwit-serland. Zijn samenwerking met de Gestapo, de lijsten van joden in Frankrijk die hij had doorgegeven en zijn contacten met Hitler waren allemaal genoteerd. Het kon niet anders of Dincklage en Chanel stonden wraakacties te wachten.[15] Ze wisten dat het doek langzaam zakte over hun ordentelijke wereldje. Dincklages vriend en Abwehr-collega majoor Theodor Momm had hem al te kennen gegeven dat hij beter uit Parijs kon vertrekken. Momm wilde dat Dincklage naar Turkije ging en voor zijn broer in het hoofdkwartier van de Abwehr in Istanbul ging wer-ken.[16]

Coco moet flink van streek zijn geweest door het nieuws dat Momm haar wellicht van Dincklage wilde scheiden. Ze was inmiddels zestig (ze had op haar paspoortaanvraag over haar leeftijd gelogen en als geboor-tedatum 1893 in plaats van 1883 opgegeven). Sinds de dood van Paul

*De Duitse Abwehr-majoor Theodor
Momm, tijdens de Eerste
Wereldoorlog een medeofficier van
Dincklage. Chanel en Dincklage
stuurden Momm in 1943 naar Berlijn
om Chanels diensten aan te bieden
aan SS-generaal Walter Schellenberg.*

Iribe in de zomer van 1935 had ze geen permanente mannelijke metgezel meer gehad totdat Dincklage zich aandiende. Misschien heeft de onaantrekkelijke Momm gehoopt dat hij Dincklages plaats kon innemen, maar hij was geen alternatief. Chanel zou hemel en aarde bewogen hebben om Spatz bij zich in de buurt te houden.[17]

Dincklage en Chanel smeedden een plan, dat inhield dat Chanel haar oude vriend sir Samuel Hoare, de Britse ambassadeur in Madrid, zou opzoeken. Het was een herhaling van haar eerdere missie met Vaufreland, maar ditmaal ging het om een zaak waarin ze geloofde. Chanel wist dat ze via sir Samuel, via het communicatienetwerk van de Britse ambassade in Madrid, in contact kon treden met de hertog van Westminster in Londen. Ze hoopte dat ze de Britse premier Churchill met behulp van Bendor kon informeren dat verschillende hoge Duitse functionarissen Hitler wilden afzetten en de vijandige handelingen met Groot-Brittannië wilden staken. Churchill zou zich ongetwijfeld realiseren dat het rampzalig zou zijn als Duitsland in handen van de Sovjets viel.

Dincklage zou Chanel naar Madrid vergezellen. Daar zou hij als schakel tussen Chanel en de Duitse ambassade in Madrid optreden en zich beschikbaar houden om vanuit de ambassade in contact te treden met Berlijn. Hij zou ook de mogelijkheid onderzoeken om contact te leggen met andere geallieerde bronnen in Madrid.[18]

Vroeg in de winter van 1943 ging Dincklage naar Berlijn. Hij hoopte dat hij zijn bazen ervan kon overtuigen dat Chanel een waardevolle tussenpersoon was die ook nu weer bereid was tot samenwerking met de Abwehr: ze was bereid naar Madrid af te reizen, waar ze haar uitstekende connecties wilde benutten om via de Britse ambassadeur sir Samuel Hoare contact te leggen met Westminster en Churchill.[19]

Tijdens zijn verblijf in Berlijn moet Dincklage de verwoestingen hebben gezien die de geallieerde bombardementen aanrichtten. Zijn moeder Lorry, die inmiddels zevenenzeventig was en bij haar tante, barones Weher-Rosenkranz, op het platteland in de buurt van de havenstad Kiel woonde, moet haar zoon hebben verteld dat de toestand in zijn geboorteland wanhopig begon te worden. Kiel werd constant bestookt door geallieerde bommenwerpers.[20] Dincklage keerde naar Parijs terug, overtuigd dat nazi-Duitsland gedoemd was. Hij vertrouwde erop dat zijn Abwehr-bazen positief zouden reageren op zijn voorstel om Chanel in te schakelen, die hun belangen zou behartigen 'bij vooraanstaande personen in Amerikaanse en Britse kringen'.[21]

De bekroonde Franse historicus en Chanel-biograaf Henry Gidel schreef dat Mademoiselle Chanel meende dat ze haar vriendschap met Winston Churchill in de strijd kon gooien om de nazi's ervan te overtuigen dat zij en Dincklage over de juiste connecties beschikten om te bemiddelen bij een afzonderlijk vredesakkoord met Groot-Brittannië. Volgens Gidel was Bendor, de hertog van Westminster, die evenals veel andere hoge Britse politici en leden van de koninklijke familie bekendstond om zijn pro-Duitse houding, bang dat de Sovjet-Unie zich meester zou maken van het Europese vasteland. Bendor stimuleerde Chanel om als geheime afgezant tussen Berlijn en Londen op te treden. Gidel schreef: 'Het stond vast dat Westminster een krachtig voorstander van een afzonderlijke vrede met Duitsland was. Het is zeker dat Chanels initiatief (om een bericht van de nazi's aan Groot-Brittannië over te brengen) heimelijk gesteund werd door Bendor, die al eerder had geprobeerd zijn vriend Churchill over te halen zijn standpunt over te nemen', namelijk een onderhandelde bilaterale beëindiging van de vijandigheden. En verder: 'Bendor was van mening dat iedere kans, hoe klein ook, dat Chanel de Duitsers of hun tussenpersonen met Churchill in contact zou kunnen brengen het proberen waard was.'[22]

Bendor was niet het enige lid van het Britse establishment dat poogde een einde te maken aan de vijandigheden tussen Groot-Brittannië en

Duitsland. James Lonsdale-Bryans, een Britse diplomaat en nazisympathisant, die voor het ministerie van Buitenlandse Zaken werkte, was in 1940 naar Rome afgereisd voor overleg met Ulrich von Hassell, de Duitse ambassadeur in Italië. Zijn missie mislukte echter, om redenen die nooit zijn uitgelegd. Volgens een rapport van de Britse geheime dienst, MI5, 'vond [Lonsdale-Bryans] een gewillig oor bij verschillende leden van het Britse parlement, onder wie lord Halifax'.[23]

In nazi-Duitsland was Heinrich Himmler, rijksminister van Binnenlandse Zaken en hoofd van de SS en de Gestapo – de man die door Hitler was aangesteld als 'hoogste opzichter van de Endlösung' – er heimelijk van overtuigd geraakt dat Duitsland de oorlog niet kon winnen.[24] Al in het najaar van 1942 had hij generaal Walter Schellenberg, op dat moment de chef van de inlichtingendienst van de SS, stilzwijgend toestemming gegeven om in het geheim te peilen of Zwitserse en Zweedse vertegenwoordigers ingeschakeld konden worden bij de pogingen de vijandigheden met Groot-Brittannië te beëindigen.[25] Himmler wilde dat Schellenberg 'een uitweg [zou zoeken] uit de ziedende zee van bloed van SS-massamoorden'.[26] De drieëndertigjarige Schellenberg was de rooms-katholieke zoon van een pianobouwer en een voormalige jurist. De Amerikaanse journalist William L. Shirer kenschetste hem als een 'intellectuele gangster met een universitaire opleiding'.[27] De Britse historicus Anthony Cave Brown noemde Schellenberg 'de op vijf na machtigste man in het Rijk, maar geen nazi-afgod – een kundige, scherpe, gevaarlijke man'.[28]

Na de oorlog werd Schellenberg ondervraagd door gerenommeerde Britse 'spionnenvangers' – Hugh Trevor-Roper, Helenus Patrick Milmo, Klop Ustinov, sir Stuart Hampshire en Roy Cameron –, die elk weer een ander beeld van hem kregen. Bloedstollend is de bondige karakterschets (ondertekend met het cryptische 'MFIU 3 HDH') van de hand van een van de mensen die betrokken waren bij Schellenbergs arrestatie:

[Schellenberg is] zonder meer een laaghartig personage dat geen loyaliteits- en fatsoensnormen kent, een man die onder geen enkele omstandigheid vertrouwd kan worden. Een volleerd acteur. Hij kan zijn charme aanzetten en wanneer hij dat doet, dringt zich de onweerstaanbare indruk op dat je tegenover een aardige, ongevaarlijke, behoorlijk vindingrijke jongeman staat (...) [Hij] kijkt mensen diep in de ogen, alsof hij wil overbrengen: 'Zie maar, wat ik je vertel komt uit het diepst van mijn hart.' De echte Schellenberg is een ijskoude, onophoudelijk calculerende realist die niets aan het toeval overlaat. In zijn zwakke momenten weet hij heel goed hoe hij de indruk die hij wil wekken moet reguleren. Schellenberg weet wat hij wil en hoe hij daar moet komen en gaat desnoods over lijken. De woorden 'vriendschap' en 'loyaliteit' hebben geen betekenis voor Schellenberg, en hij verwacht dat ook niet van anderen (...) Los van zijn vele talenten en ongegeneerde eigendunk, kampt Schellenberg met een ernstig minderwaardigheidscomplex.[29]

Met goedkeuring van Himmler en ondanks Hitlers onwrikbare geloof in de totale oorlog – die ofwel tot de ondergang van zijn Rijk, ofwel tot de ultieme overwinning zou leiden – schakelde Walter Schellenberg zijn contacten in de neutrale landen in en ging op zoek naar een uitweg voor het geval Duitsland zou falen. Als eerste stap kreeg hij een toezegging los van generaal Henri Guisan, de opperbevelhebber van het Zwitserse leger: Zwitserland zou neutraal blijven, maar iedere binnendringer terugslaan. Met Guisans toezegging in de hand overtuigde Schellenberg Himmler en de nazitop ervan dat Duitsland zijn buurland niet moest binnenvallen. Nadat hij zijn relaties met Bern op deze manier had verbeterd, drong Schellenberg er bij zijn contacten op aan gesprekken te beginnen met Amerikaanse OSS-agenten die voor hun chef Allen Dulles in de Zwitserse hoofdstad werkten. Als bewijs dat hij te goeder trouw handelde, droeg Schellenberg een aantal joden die in concentratiekampen vastzaten over aan de Zwitsers.[30]

Het jaar 1943 begon slecht voor Hitler. Het Duitse leger aan het Oostfront was op de vlucht geslagen nadat het Rode Leger het beleg van Stalingrad had doorbroken. Churchill, Roosevelt en De Gaulle gaven (met instemming van Stalin) een verklaring uit dat de geallieerden een onvoorwaardelijke overgave van de asmogendheden eisten. In de loop van het jaar capituleerden Duitse en Italiaanse troepen voor de geallieerden in Noord-Afrika en begonnen Eisenhowers GI's aan de invasie van Sicilië. Nadat de geallieerden het Italiaanse vasteland waren binnengevallen, ontsloeg koning Victor Emanuel III Benito Mussolini. Italië zou zich in juli 1943 overgeven aan de geallieerden. Later dat jaar zouden

De Duitse Abwehr-agent graaf Joseph von Ledebur-Wicheln ondervroeg Dincklage in Parijs over diens plan om Chanel via de Britse ambassade in Madrid in contact te laten treden met Winston Churchill. De foto is gemaakt nadat Ledebur in 1944 in Spanje naar de Britse geheime dienst MI6 was overgelopen.

de koning en zijn premier, generaal Pietro Badoglio, Duitsland de oorlog verklaren. In Parijs kon zelfs het gecensureerde nieuws niet verhullen dat Duitsland in een penibele situatie verkeerde. In de avonduitzendingen van de BBC werd gedetailleerd bericht over de dagelijkse bombardementen op Duitse steden. Nazi-Duitsland was ten dode opgeschreven.

In het vroege voorjaar van 1943 kreeg graaf Joseph von Ledebur-Wicheln, een hoge Abwehr-agent in Parijs, een telefoontje uit Berlijn. Kapitein Erich Pheiffer, het hoofd van de Abwehr-afdeling voor buitenlandse spionage, belde via een beveiligde lijn. Hij wilde dat graaf Ledebur contact opnam met baron Hans Günther von Dincklage.

Ledebur zou in 1944 in Madrid overlopen naar de Britse geheime dienst, MI6. Hij vertelde de ondervragers van MI6 wat er gebeurde nadat hij zijn baas, kapitein Pheiffer, aan de lijn had gehad: 'Pheiffer vertelde dat Dincklage aanbood de Duitse inlichtingendienst te helpen door Coco Chanels connecties in hoge Londense kringen in te zetten (...) Pheiffer verzocht me Dincklages voorstel te onderzoeken.'[31]

Ledebur ontbood Dincklage op zijn kantoor in de Rue de Tilsitt, een zijstraat van de Champs-Élysées. Tijdens deze eerste bijeenkomst legde Dincklage aan Ledebur uit dat 'Chanel bereid was om samen te werken met de Abwehr – om naar Madrid en Lissabon te gaan en contact op te nemen met belangrijke personen in Amerikaanse en Britse kringen en later naar Engeland te gaan'. Maar, had Dincklage gezegd, 'de Abwehr moest eerst een jonge Italiaanse aan wie Chanel vanuit haar lesbische ondeugden gehecht was naar Frankrijk overbrengen. De vrouw moest Chanel vergezellen op haar reizen naar het Iberisch Schiereiland en Londen. Ledebur moest ervoor zorgen dat de Abwehr Chanel, het meisje en Dincklage paspoorten en visa zou bezorgen.'

Dincklage gaf bij die gelegenheid geen verdere details over de voorgestelde missie naar Madrid en Londen. (Wellicht heeft hij Ledebur verteld dat de vrouw, Vera Bate Lombardi, een lid van de Britse koninklijke familie was en een jeugdvriendin van Winston Churchill en de hertog van Westminster.) Ledebur won nog meer inlichtingen in over Dincklage en Chanel. Hij stelde vragen aan Fern Bedaux, de echtgenote van nazi-agent Charles Bedaux, die Ledebur goed kende. Fern had een suite in de Ritz, op dezelfde verdieping als Chanel. Ze zei tegen Ledebur dat Coco verslaafd was aan drugs en 'Dincklage iedere avond in haar suite ontving'.

Ledebur had nog meer informatie nodig voor hij kapitein Pheiffer zijn opinie kon geven. Hij wendde zich tot Dincklages vroegere Abwehr-chef in Frankrijk en Zwitserland, kolonel Alexander Waag, die nog steeds in Parijs gestationeerd was. Ledebur hoorde van Waag dat 'Dincklage vóór de oorlog een van Waags agenten was geweest en Abwehr-spionagenetwerken had geleid aan de Côte d'Azur en in Toulon, waar hij bij twee mooie Engelse vrouwen, de gezusters Joyce, woonde. Een van hen was Dincklages minnares.' (Over deze zussen is verder niets bekend.) Volgens Waag 'was Dincklage een fantastische, professionele agent, die vloeiend Engels en Frans sprak en verschillende rapporten over Franse versterkingen en oorlogsschepen op de Franse vlootbasis bij Toulon had verschaft. Hij werkte (later) als diplomaat op de Duitse ambassade in Parijs.'[32]

In 1938 moest Dincklage zijn spionageactiviteiten in Frankrijk afsluiten 'aangezien hij gebrandmerkt was door het Deuxième Bureau, de Franse inlichtingendienst. Dincklage vertrok daarop naar Zwitserland, waar hij wederom onder kolonel Waag werkte en een Duits spionage-netwerk leidde.'[33]

Maar nu (tijdens de bezetting) zei Waag: 'Ik kon Dincklage niet gebruiken omdat hij te veel geld vroeg. Het ontbrak hem aan doelgericht-heid.' En bovendien 'werkte Dincklage nu rechtstreeks voor de buiten-landse dienst van de Abwehr in Berlijn (...) zijn dekmantel was dat hij een functionaris van de Duitse acquisitiedienst in Parijs was'. Waag zei dat Dincklage in Parijs 'in contact stond met majoor Von Momm van de Abwehr in Berlijn'.[34]

Ledebur raadpleegde vervolgens het Abwehr-archief. Daar ontdekte hij dat 'Dincklage in 1940 problemen met de Gestapo had, naar het schijnt omdat zijn vrouw half joods was'. Tot slot ging Ledebur bij Dincklage thuis langs, 'in een weelderig, luxueus ingericht appartement aan de Avenue Foch'. Daar vielen hem de geüniformeerde butler, de golfclubs in de gang en andere luxezaken op. Het appartement was duidelijk het soort woning dat alleen aan zeer hoge Abwehr-officieren was voorbehouden.

Tijdens hun gesprek in het appartement 'legde Dincklage uit dat een reis naar Madrid Chanel alle gelegenheid bood haar vele Britse en Amerikaanse vrienden daar voor het karretje [van de Abwehr] te spannen'. Toen Ledebur om meer details vroeg, drong Dincklage er bij hem op aan een afspraak met Chanel te maken. Hij voegde eraan toe dat 'een eerste reis naar Madrid nodig was om het project verder te ontwikkelen'.

Ledebur had geen tijd meer om Chanel te spreken. Hij vertelde Dincklage dat zijn vroegere baas, kolonel Waag, 'tegen Chanels reis naar Madrid was'. Tot slot belde hij naar Berlijn en vertelde kapitein Pheiffer: 'Ik was geen voorstander van Dincklages reis naar Madrid. Pheiffer was het met me eens.'[35]

Daarmee had de zaak voor Ledebur afgedaan. De ironie wil echter dat hij vele weken later van een van zijn contactpersonen in Parijs, gravin Édith de Beaumont, vernam dat ze Dincklage bij de Frans-Duitse grensovergang in Hendaye had gezien:

Ik [Ledebur] heb vernomen dat Dincklage in januari 1944 een lang onderhoud met het hoofd van de Gestapo [bij] de grenspost in Hendaye heeft gehad (...) Mijn nieuwsgierigheid was nu gewekt. Ik wist dat Dincklage via Chanels internationale connecties inlichtingen had willen inwinnen bij de Britten en Amerikanen in Spanje. Ik vroeg de Duitse militaire inlichtingendienst daarom of ze een visum hadden uitgereikt aan Chanel of Dincklage. Ik informeerde ook bij de Duitse paspoortendienst, de *Passierschein Prüfstelle*, hoe het kon dat Chanel en Dincklage naar Madrid waren gereisd.

Na enkele dagen meldde de *Passierschein Prüfstelle* (controlebureau vrijgeleides) dat het stel onder een valse naam moest hebben gereisd.[36]

Ledebur heeft wellicht nooit geweten dat Chanels reis naar Madrid door de SS-veiligheidsdienst in Parijs was geregeld, in opdracht van Berlijn.[37] Of dat de Gestapo-officier met wie Dincklage in Hendaye sprak de verbindingsofficier van SS-generaal Schellenberg in Frankrijk was, de negenenveertigjarige SS-kapitein Walter Kutschmann, commissaris van de SS-grenspolitie in Hendaye. (Volgens een geheim rapport dat na de oorlog door de Politiek Adviseur van de VS voor Duitsland inzake nazi-oorlogsmisdadigers is opgesteld, was Kutschmann 'door Schellenberg aangewezen om Chanel op iedere mogelijke manier bij te staan en een groot geldbedrag bij Mademoiselle Chanel af te leveren in Madrid'.)[38]

Rond dezelfde tijd dat Dincklage in Parijs bezoek kreeg van graaf Ledebur, zochten in Berlijn leden van Von Ribbentrops staf op Buitenlandse Zaken in het geheim naar mogelijkheden om de onderhandelingen met Groot-Brittannië te openen. Himmler was niet de enige nazi die een ontsnappingsroute probeerde te vinden. Von Ribbentrop en zijn staf 'hengelden [eveneens] naar lijntjes met de westerse geallieerden, en met de Sovjet-Unie'. Tegelijkertijd probeerden Allen Dulles, de oss-chef in het Zwitserse Bern (en later de directeur van de CIA), en Britse agenten contact te leggen met betrouwbare Duitse bronnen.[39] In Turkije maakten 'Amerikaanse bronnen in 1943 vredesouvertures' naar Dincklages Abwehr-baas admiraal Wilhelm Canaris en de Duitse ambassadeur Fritz von Papen.[40]

In de komende maanden zou de speurtocht naar een via tussenpersonen onderhandelde ontsnappingsroute hoog op de agenda van Himmler staan. Hij en zijn collega's twijfelden er niet aan dat ze na het eind van de oorlog als misdadigers vervolgd zouden worden indien Duitsland een onvoorwaardelijke overgave moest accepteren.[41] Schellenberg maakte zich inmiddels zo veel zorgen over Hitlers geestelijke gezondheid dat hij het zelfs waagde over de uitkomst van de oorlog te praten met William Bitter, een bevriende psychiater aan de Universiteit van Berlijn.[42]

Schellenberg was niet de enige die vreesde dat Duitsland onder Hitler gedoemd was ten onder te gaan. In 1943 smeedde een groep hoge Duitse

Wehrmacht-officieren in Berlijn en Parijs – sommige met connecties in de Abwehr en geleid door prins Claus von Stauffenberg – een complot om Hitler te vermoorden.

Eind zomer, begin najaar 1943 had Dincklage nog steeds niets gehoord van zijn contacten bij de Abwehr in Berlijn. In Parijs haalden Chanel en hij zijn oude maatje uit de Eerste Wereldoorlog, majoor Theodor Momm, over om naar Berlijn af te reizen en andere opties te onderzoeken om Chanels bemiddeling bij de hertog van Windsor en andere leden van de Britse adel aan te bieden. Net zoals Dincklage eerder al had geprobeerd, moest Momm, lid van de NSDAP en officier van de Abwehr in Berlijn, benadrukken dat Chanels nauwe betrekkingen met de hertog van Westminster en haar jarenlange vriendschap met Winston Churchill benut konden worden om door te dringen tot de hoogste kringen in Londen.[43]

In Berlijn nam Momm contact op met functionarissen van het Duitse ministerie van Buitenlandse Zaken, maar hij slaagde er niet in hun belangstelling te wekken. Daarop wendde hij zich tot een oude vriend, dr. Walter Schieber, lid van de NSDAP, staatsraad van Thüringen, SS Brigadeführer en in die tijd tevens een hoge adviseur van Hitlers minister van Bewapening en Munitie, Albert Speer. Met Schiebers hulp kwam Momm er al spoedig achter dat SS-generaal Walter Schellenberg, Himmlers chef van de inlichtingendienst, wellicht interesse had. In een aftastend gesprek met de SS-generaal 'drong [Schellenberg] erop aan dat Chanel naar Berlijn zou komen'.[44] Dincklage trof direct voorbereidingen om met Chanel naar Berlijn af te reizen.[45]

Het was in het najaar van 1943 niet bijzonder moeilijk om naar Berlijn te reizen, hoewel het gevaarlijk kon zijn wanneer de reiziger de pech had in een van de vele aanvallen van Britse bommenwerpers te belanden. Chanel en Dincklage konden kiezen: ze konden over het Frans-Duitse spoor reizen of met de Duitse *Alte Tante Ju* vliegen ('Ju' stond voor 'Junkers', de naam van de vliegtuigfabrikant). Er werd dagelijks gevlogen tussen het Berlijnse vliegveld Tempelhof en het Parijse Le Bourget, de luchthaven waar Lindbergh in mei 1927 was geland na zijn legendarische vlucht van New York naar Parijs.

Comfortabeler was de slaaptrein van het Parijse Gare du Nord naar het Berlijnse Bahnhof Zoo, een dienst die dagelijks werd uitgevoerd.

Chanel en haar metgezellen zouden dan om 23.17 uur uit Parijs vertrekken en de volgende dag om 21.34 uur in Berlijn aankomen; onderweg kon comfortabel gegeten en geslapen worden.

In Berlijn werd Chanel opgewacht door SS-officieren, vertrouwelingen van Schellenberg, met adjudanten om haar koffers te dragen. Het gezelschap werd via een zijingang aan de Jebensstrasse naar een SS-limousine geloodst en door de straten van de verduisterde stad gereden. Het was koud in de herfst en winter van 1943; langs de straten lagen sneeuwhopen. Chanel moet de grote schade die de bombardementen op Berlijn hadden aangericht gezien hebben. Zelfs de Kaiser-Wilhelm-Gedächtniskirche was zwaar beschadigd door Britse brandbommen.

De SS-chauffeur zal de ringweg hebben genomen naar de SS-villa aan de Wannsee, in het westen van Berlijn. Dat gebied was nog gevrijwaard gebleven van luchtaanvallen (en mocht er een komen, dan lag de schuilkelder op een paar meter van het gastenverblijf vandaan). In januari 1942 had SS-generaal Reinhard Heydrich in deze villa zijn beruchte Wannsee-conferentie gehouden en zijn plannen voor de vernietiging van de Europese joden ontvouwd.

Chanel stond op het punt de rechterhand van Himmler, een SS-generaal, te ontmoeten, oftewel: ze stond op het punt een machtig nazibolwerk te betreden.

Het verhaal van de ontmoeting tussen Chanel, Dincklage en generaal Walter Schellenberg, het hoofd van de inlichtingendienst van de SS in Berlijn, staat in de transcripties die de Britse geheime dienst in 1945 maakte van de 'stevige' verhoren waaraan Schellenberg werd onderworpen nadat hij door de Britten was gearresteerd. Uit het zestig pagina's tellende document blijkt dat Schellenberg ziek en gespannen was: 'Ik was niets meer waard na acht weken in een cel zonder licht.'[47] Niettemin bevestigen andere historische bronnen dat de informatie die hij zijn ondervragers gaf over het geheel genomen accuraat is. De datum van Chanels eerste onderhoud met Schellenberg klopt niet. Chanel heeft de generaal voor het eerst in Berlijn gesproken in december 1943 of januari 1944, en niet in april, zoals de transcriptie vermeldt. Die laatste datum verwijst wellicht naar Chanels tweede bezoek aan Berlijn, nadat de missie in Madrid op niets was uitgelopen.[48]

Hieronder volgt wat SS-generaal Walter Schellenberg de ondervragers van MI6 vertelde over Chanels eerste bezoek aan het hoofdkwartier van de SS in Berlijn:

Het SS-hoofdkwartier in Berlijn, waarheen Chanel eind 1943 afreisde.
Het gebouw op de foto was ooit een joods gasthuis. Chanel, Dincklage en
Momm hadden na hun aankomst uit Parijs een afspraak met SS-
generaal Walter Schellenberg op het hoofdkwartier van de SS.

In april 1944 brachten Staatsrat Scheibe [sic], een SS Brigadeführer
en Albert Speers rechterhand in het naziministerie van Bewapening en Munitie, en een zekere Rittmeister Momm, Schellenberg
op de hoogte van het bestaan van een zekere Frau Chanel, Frans
onderdaan en eigenares van de bekende parfumfabriek. Ze zeiden
dat deze vrouw een persoon was die Churchill goed genoeg kende
om politieke onderhandelingen met hem te kunnen voeren. [Ze
was] een vijand van Rusland en wilde Frankrijk en Duitsland
graag helpen omdat ze geloofde dat hun lot nauw verbonden was.
Schellenberg drong erop aan dat Chanel naar Berlijn zou komen,
en ze arriveerde in die stad in het gezelschap van een zekere Herr
Dincklage. (Schellenberg meent dat Dincklage wellicht een werk-
relatie heeft gehad met de Abwehr en de SD, maar is niet in staat
dit te bevestigen.)

Schellenberg ontmoette Chanel in aanwezigheid van Dincklage,
Schieber en Momm, toen werd besloten dat: een zekere Frau Lombardi, een voormalig Brits onderdaan van goeden huize en vervol-

gens getrouwd met een Italiaan, vrijgelaten moest worden uit een interneringskamp in Italië en als tussenpersoon naar Madrid moest worden gestuurd. Frau Lombardi was een oude vriendin van Frau Chanel en samen met haar echtgenoot[49] geïnterneerd om politieke redenen die verband hielden met de laatste en mogelijk [Pietro] Badoglio [de toenmalige premier van Italië].[50] Het zou Lombardi's taak zijn om een door Chanel geschreven brief te over- handigen aan functionarissen van de Britse ambassade in Madrid, die hem weer moesten doorsturen aan Churchill. [De brief waar- over Schellenberg het heeft is nooit teruggevonden.] Dincklage moest als schakel fungeren tussen Lombardi in Madrid, Chanel in Parijs en Schellenberg in Berlijn. (Chanels missie naar Madrid kreeg de codenaam *Modellhut*: Duits voor 'modelhoed'.)[51]

Ondertussen had Vera Lombardi in Rome geen flauw idee van wat er in Berlijn tussen Chanel en Schellenberg was afgesproken. Edmonde Charles-Roux stelt in haar Chanel-biografie dat Chanel Vera een brief schreef waarin ze haar verzocht haar te komen helpen bij het opzetten van een filiaal in Madrid. Ze schreef dat de Duitsers maatregelen zouden treffen zodat Vera naar Parijs kon komen.[52]

In juli 1943 bleek Mussolini's verzekering dat het fascisme Europa een 'nieuwe orde' zou brengen een holle frase. Il Duce moest plotseling plaatsmaken voor generaal Pietro Badoglio als hoofd van de Italiaanse regering. Hij wist naar het noorden te ontkomen, waar hij ten noorden van de Po, achter de Duitse linies, een fascistische schertsregering op- zette.

In de eerste jaren van de oorlog woonde Vera Lombardi – de vrouw die Chanel had voorgesteld aan Bendor, de hertog van Westminster, en aan Engelse aristocraten zoals Winston Churchill – met haar echtgenoot kolonel Alberto Lombardi in Parioli, een chique woonwijk van Rome in de buurt van de Villa Borghese. Alberto was al sinds 1929 lid van de Italiaanse fascistische partij. Zijn familie onderhield al bijna twintig jaar warme banden met Mussolini. Alberto's broer Giuseppe was het hoofd van de inlichtingendienst van de Italiaanse marine.[53]

Hoewel Vera door haar huwelijk Italiaans staatsburger was geworden en relaties met prominente fascisten had, was ze vanwege haar konink- lijke bloed en Engelse manieren en uiterlijk verdacht. De Italiaanse ge-

SS-generaal Walter Schellenberg (tweede van links) met Himmlers chef van de SS-inlichtingendienst en SS-collega's (datum onbekend). Schellenberg had eind 1943 een ontmoeting met Chanel, Dincklage en Momm in Berlijn en stemde in met Chanels Modellhut-missie in Spanje in januari 1944.

heime politie die verbonden was aan het ministerie van Binnenlandse Zaken en de Militaire Inlichtingendienst hielden Vera's bezoeken aan de Britse ambassade en haar banden met de Britse gemeenschap in Rome al sinds 1936 in de gaten. Vera werd ervan verdacht 'een Britse informant' te zijn.

Vera is inderdaad een informant geweest, maar er bestaat geen bewijs dat ze een Britse agent was. In de tijd dat de politie haar van verraad tegen Italië begon te verdenken, schreef ze haar jeugdvriend Winston Churchill, destijds parlementslid in Londen, bijvoorbeeld hoe populair Mussolini in Italië was. In haar brief – 'Mijn beste Winston, wat zou ik graag willen dat je hier was (...)' – uit juni 1935 spoorde ze haar vriend aan zich sterk te maken voor vriendschappelijke betrekkingen tussen Groot-Brittannië en de dictator.[54]

In een rapport van de Italiaanse geheime politie uit 1941 wordt ver-

EXTRAIT du DOSSIER n° 83.166 s/ch 17
Liste année 194.3 Page..*l2.9*

M......*Chanel......Gabrielle*......
N°le......*19.-.8-.1893*...... à...*Saumur*......
Domicilié......*19...Pl...Vendôme*......

a demandé et obtenu un passeport par l'intermédiaire des Autorités
Allemandes. *Passport 25.2 délivré le 17-12-1943 pour l'Espagne.*

Document uit een politiedossier over Chanel waarin staat dat Chanel in 1943 een aanvraag deed voor een visum voor Spanje en dit ook kreeg, via 'tussenkomst van de Duitse autoriteiten'. In een rapport van de Parijse politie uit 1948 staat dat Chanel geen reden opgaf voor het visum. De Franse autoriteiten hadden het verstrekt na een directe order daartoe van het hoofd van de Gestapo in Parijs, Karl Bömelburg.

meld dat 'een Engelse dame, de echtgenote van een Italiaanse officier, woonachtig te Barnaba Oriana 32, kleine villa [het adres van de Lombardi's in Parioli], het licht aanhield tijdens een luchtaanval'. Toen de geallieerden twee jaar later naar Rome oprukten, ging de fascistische geheime politie over tot de systematische arrestatie van iedereen die van geallieerde sympathieën werd verdacht. De meeste arrestanten werden in het concentratiekamp Bagno a Ripoli in de buurt van Florence geïnterneerd.

Vera, die ervan 'verdacht [werd] de afgelopen tien jaar een agent van de Britse geheime dienst' te zijn geweest, werd op 12 november 1943 gearresteerd en naar de vrouwengevangenis in Rome overgebracht. Drie dagen later stond in een directief van het Italiaanse ministerie van Binnenlandse Zaken: 'Genoemde dame [Vera Bate Lombardi] moet ten noorden van de Po worden overgebracht – graag advies over de precieze locatie waar de dame moet worden vastgehouden.' Het antwoord kwam op 15 november: 'De dame moet worden vastgehouden in Bagno a Ripoli.' Aan het document is een handgeschreven addendum van latere datum toegevoegd met de opmerking dat Vera's overplaatsing eerst moet worden 'goedgekeurd door de relevante Duitse autoriteiten'.[55]

Zeven dagen later was Vera vrij. Een gezamenlijk directief van het mi-

nisterie van Binnenlandse Zaken en het ministerie van Defensie, geda-
teerd 24 november 1943, stelt: 'De persoon [Vera Lombardi] die in de
gevangenis in Rome werd vastgehouden, is op 22 november vrijgelaten
in opdracht van het Duitse hoofdkwartier van de politie in Rome. Het
schijnt dat Arkwright Vera weer op vrije voeten is (...).' Arkwright was
Vera's meisjesnaam. Het document is gesigneerd door de commandant
van de provinciale politie.[56]
Vera was gered door de lange arm van Schellenberg.

Na hun terugkeer in Parijs regelde Dincklage voor Chanel een paspoort
en een visum voor Spanje. Het document werd op 17 december 1943 afgegeven, vergezeld van een officiële Franse getypte notitie: 'Paspoort
aangevraagd en afgegeven door de tussenpersoon van het Duitse gezag
(...) Paspoort 2652, afgegeven (...) voor Spanje.'[57] De aanvraag was goedgekeurd door de Franse autoriteiten na een rechtstreeks bevel daartoe
van het hoofd van de Gestapo in Parijs, Karl Bömelburg.[58] (Een jaar later
werd in een strikt geheime Britse memo aan Churchills secretaris in
Downing Street 10 onthuld dat er 'overtuigend bewijs bestond dat [Vera
Lombardi] op haar reis [tussen Rome en Madrid] rechtstreeks geassis-
teerd werd door de Sicherheitsdienst', dat wil zeggen, Schellenbergs buitenlandse inlichtingendienst.)[59]

Eind december 1943 of begin januari 1944 vertrokken Chanel en Dincklage (met Vera) per trein naar de grensovergang bij Hendaye. Daar on-
derbraken ze hun reis om door de Frans-Duits-Spaanse grenscontrole
te gaan. En daar had Dincklage een onderhoud met Schellenbergs verbindingsofficier kapitein Walter Kutschmann, 'die in Madrid een groot
geldbedrag moest afleveren bij Chanel'.[60]
Het MI6-rapport over Schellenberg komt met een iets andere versie:
'Een week nadat Vera was vrijgelaten werd ze naar Madrid gevlogen (...)'.[61]
Liet Schellenbergs geheugen hem hier in de steek of had hij het contact met Dincklage, zijn verbindingsman, verloren?
In Madrid checkten Chanel en Lombardi in in de Ritz. Vervolgens
ging Chanel naar de Britse ambassade, waar ze met haar vriend sir Samuel Hoare had afgesproken. De Britse diplomaat Brian Wallace (codenaam Ramon), die in 1941 aan Londen had gerapporteerd over de missie van Chanel en Vaufreland, was Chanel ook ditmaal van dienst.[62]
In de neerslag van Schellenbergs ondervraging door MI6 wordt gesteld

SS-kapitein Walter Kutschmann in burger. Kutschmann, in 1944 de verbindingsofficier van SS-generaal Walter Schellenberg bij de Franse grenspost in Hendaye, kreeg opdracht Chanel in Madrid een groot geldbedrag te bezorgen. In 1946 was hij nummer 182 op de lijst met gezochte nazi-oorlogsmisdadigers. Hij werd ervan beschuldigd duizenden joden in Polen te hebben vermoord.

dat 'Lombardi met toestemming van Schellenberg via [Reinhard] Spitzy ook een brief van Chanel had ontvangen, die haar [Vera] aanspoorde om bij haar terugkeer naar Engeland langs te gaan bij Churchill'.[63] De inhoud van deze brief is nooit bekendgemaakt en de brief is niet gevonden in de archieven die door de auteur van dit boek zijn doorzocht.

(Blijkbaar dacht Schellenberg dat Vera Lombardi wilde proberen om vanuit Madrid naar Groot-Brittannië te ontkomen.)

Vervolgens brengt de MI6-transcriptie een verrassende wending aan het licht: 'Na haar aankomst in die stad [Madrid] (...) voerde [Vera] niet de taak uit die haar was toebedeeld, maar gaf ze het hele stel als agenten van Duitsland aan bij de Britse autoriteiten. Het resultaat hiervan was echter dat niet alleen Chanel als agent van Duitsland aan de kaak werd gesteld, maar ook Spitzy. Gezien deze evidente mislukking werd het contact met Chanel en Lombardi ogenblikkelijk verbroken.' (Dincklage moet Reinhard Spitzy gekend hebben: ze hadden allebei voor admiraal Canaris, de chef van de Abwehr, gewerkt.) Het MI6-rapport stelt verder: 'Schellenberg weet niet of er vervolgens nog een bericht aan Churchill is overhandigd via deze vrouw.'[64]

Ook nu weer is het een raadsel wat Dincklages rol in Madrid is geweest. Is zijn taak als contactpersoon van Schellenberg aan de Britten onthuld? Heeft hij Madrid noodgedwongen verlaten?

Notitie uit januari 1944 van Henry Hankey, een hooggeplaatste diplomaat op de Britse ambassade in Madrid. De tekst luidt: 'Mijn beste Francis, De bijgesloten brief wil je misschien doorgeven aan de premier. Mme Chanel vroeg ons hem door te sturen en beweert dat zij een persoonlijke vriendin is.'

Kort na Vera's verraad verzocht Chanel Henry Hankey, een hoogge-plaatste diplomaat van de Britse ambassade in Madrid, een brief aan Churchill door te sturen. In die brief, die Chanel vlak voor haar vertrek uit Madrid heeft geschreven, staat niets over SS-generaal Walter Schel-lenberg of de *Modellhut*-missie.

Henry Hankey stuurde Chanels brief, zes handgeschreven pagina's, naar het kantoor van de premier in Downing Street 10. Het Churchill-archief in Chartwell bevat een kopie van die brief, evenals een notitie van een van Churchills assistenten dat de brief daar was ontvangen. Uit een briefje van Downing Street 10 van enkele dagen daarna blijkt dat Chanels brief aan Mrs. Churchill was getoond, aangezien de premier weg was.

Hieronder volgt de tekst van Chanels brief aan Churchill, met de hand geschreven op briefpapier van Hotel Ritz, Paseo del Prado, Madrid:

Mijn beste Winston,
Neem me niet kwalijk dat ik op een moment als dit met een ver-zoek kom (...) ik hoorde al enige tijd dat Vera Lombardi niet erg prettig werd behandeld in Italië vanwege het feit dat ze Engels is

en met een Italiaanse officier is getrouwd. Je kent me goed genoeg om te begrijpen dat ik uit alle macht geprobeerd heb haar uit die situatie weg te halen, die inderdaad tragisch was geworden, want de fascisten hadden haar domweg in een gevangenis opgesloten (...) ik moest mij wel tot een nogal hooggeplaatst iemand wenden om haar vrij te krijgen en toestemming te krijgen haar hiermee naartoe te nemen (...) dat ik daarin geslaagd ben heeft me in een zeer moeilijke positie gebracht, aangezien er in haar paspoort, dat Italiaans is, een Duits visum is gestempeld. Ik snap dat dat een beetje verdacht lijkt (...) je kunt je wel voorstellen, mijn beste, dat het na al die jaren van bezetting in Frankrijk mijn lot is allerlei soorten mensen tegen te komen! Het zou plezierig zijn over al die dingen met je te kunnen praten!

Enfin, Vera veut (...) en Italie où se trouve son mari. [Enfin, Vera wil naar Italië terug, naar haar echtgenoot in het zuiden.] *Je crois qu'un mot de vous aplanirait toutes les difficultés et je rentrerais (...) tranquille en France car je ne peux pas l'abandonner là. J'espère que votre santé est meilleure.* [Ik denk dat een woord van jouw kant deze problemen zou oplossen en dan zou ik onbezorgd naar Frankrijk kunnen terugkeren, want ik kan haar (daar) niet achterlaten. Ik hoop dat het beter gaat met je gezondheid.] *Je n'ose pas vous demander de me répondre mais naturellement un mot de vous serait un grand réconfort pour attendre la fin (...)* [Ik durf je niet te vragen een antwoord te sturen, maar natuurlijk zou een woord van jou een grote troost zijn terwijl ik het einde afwacht (...)].

Croyez moi toujours très affectueusement (...)
[Als altijd jou toegedaan]
Coco Chanel
(Peut être Randolph peut me donner de vos nouvelles.)
[Misschien kan Randolph me nieuws over je sturen.][65]

Churchill was niet in Londen om Chanels brief in ontvangst te nemen. Hij lag in Tunesië met negenendertig graden koorts op bed; hij kampte al sinds 12 december 1943 met een longontsteking. Churchill was in Teheran geweest voor een conferentie met Roosevelt en Stalin en vervolgens naar Tunesië gegaan voor een onderhoud op doorreis met Eisenhower. Op 5 januari werd de premier overgebracht naar La Mamounia, een paleis van een hotel in Marrakech in Marokko. Hij zou pas op 19 januari 1944 naar Londen terugkeren. Churchills ziekte werd strikt geheimgehouden, hoewel ambassadeur Hoare in Madrid wellicht wist dat hij niet in orde was. Hoe dan ook, de Modellhut-missie was mislukt. Het feit dat Chanel aan Churchills gezondheid refereert betekent wellicht dat ze van Hoare had vernomen dat de premier ziek was.[66]

Tegen de tijd dat Chanels brief in Downing Street 10 arriveerde waren Chanel en Dincklage alweer terug in Parijs. Later zou Chanel nog naar Berlijn reizen om Schellenberg uit te leggen waarom de zaken zo slecht waren gelopen in Madrid.[67]

In de nasleep van de mislukte missie van Chanel en Dincklage in Madrid zouden Winston Churchill, de Britse geheime dienst MI6 en Britse diplomaten verstrikt raken in de chaos rond Vera Lombardi. Chanel zou later nog bang zijn dat ze gechanteerd zou worden door personen die bij de Modellhut-missie betrokken waren geweest.

In maart 1944 werd een handgeschreven brief van twee pagina's bezorgd bij het statige huis van lady Ursula Filmer Sankey, de dochter van Bendor, in South Street, Londen. Het was een dringend verzoek van Vera Lombardi aan haar vriendin Ursula of ze de hulp van haar vader en Churchill wilde inroepen: Vera wilde weg uit Madrid en terug naar huis, naar Rome.[68] Vera maakte zich na het vertrek van Chanel steeds meer zorgen. Ze wist dat de Britten haar ervan verdachten dat ze een SS-agent was. En ze was bang dat de Britten haar niet zouden toestaan naar het bevrijde Rome terug te keren en naar haar man, Alberto Lombardi.

Het verzoek aan Bendors dochter arriveerde op het moment dat Churchill met de Amerikanen ruziede over de te volgen strategie in het mediterrane gebied. De Verenigde Staten wilden Frankrijk binnenvallen om Stalin zoet te houden. Churchill wilde de aanval inzetten via de Middellandse Zee.

In de komende maanden zou de Britse premier kostbare tijd vrijmaken om Vera Lombardi te redden.

Sommige historici en biografen zijn van mening dat Schellenbergs intentie om Chanel via Madrid in contact te laten treden met Churchill een onbesuisde actie was. Sir Stuart Hampshire, tijdens de Tweede Wereldoorlog in dienst van MI6, stelde dat Schellenberg slecht geïnformeerd was over Churchills voornemen om de oorlog tot het bittere einde – tot de capitulatie van Duitsland – vol te houden.

Tijdens de conferentie van Casablanca in januari 1943 hadden de ge-allieerden de onvoorwaardelijke overgave van Duitsland geëist. Nietemin waren er hoge functionarissen in de Verenigde Staten en Groot-Brittannië die meenden dat als Hitler werd afgezet en de vijandigheden met de Verenigde Staten en Groot-Brittannië werden opgeschort, het Duitse leger de Russische opmars in Oost-Europa en Duitsland kon te-genhouden. Op deze wijze zou een communistische machtsovername in Europa worden afgewend.

Tegen het voorjaar van 1944 waren veel officieren van de inlichtin-gendiensten van Schellenbergs SD-onderdeel en de Abwehr, onder wie Dincklage, hun geloof in de ultieme victorie van Duitsland verloren. De inlichtingendienst van de Abwehr zou spoedig onder generaal Schellen-berg worden geïntegreerd in de militaire inlichtingendienst van de SS; er werd naarstig gezocht naar mogelijkheden om onderhandelingen te starten over de beëindiging van de oorlog. Schellenbergs steeds wanho-piger zoektocht naar openingen, zijn manoeuvres en strategieën, vielen samen met signalen van geallieerde en Britse politici dat alleen een spoe-dig einde aan de vijandigheden met Duitsland een halt kon toeroepen aan de Sovjet-opmars in Duitsland en Stalins invasie van heel Europa.

Schellenberg stond niet alleen in zijn pogingen. In 1943 overlegden de Duitse minister van Buitenlandse Zaken Von Ribbentrop en Dincklages chef in de Abwehr, admiraal Wilhelm Canaris, met hoge geallieerde offi-cieren over een mogelijk pact. In 1943 was ook de Amerikaan Dulles, de oss-chef in Bern, al in het geheim op zoek naar een vroege overeenkomst met Duitsland via Zwitserse en Zweedse tussenpersonen en sympathise-rende Duitse functionarissen en officieren. Dulles was van mening dat de Verenigde Staten en Groot-Brittannië een regeling met de Duitsers moesten treffen voordat de Russen Europa onder de voet hadden gelo-pen. Hij redeneerde dat de verklaring van Casablanca, die een onvoor-waardelijke overgave van Duitsland eiste, 'slechts een papiertje [was] dat zonder omhaal naar de prullenbak moest worden verwezen indien Duits-land om vrede zou verzoeken'. Dulles stelde: 'Hitler moet weg.'

De achtendertigjarige graaf Claus von Stauffenberg, op dat moment stafchef voor het Duitse reservistenleger, kwam nu met een aantal an-dere officieren in actie. Hun plan om Hitler uit de weg te ruimen, Ope-ratie Walküre, hield ook in dat er een snelle vredesovereenkomst met Engeland moest komen om te voorkomen dat de Sovjets Berlijn onder de voet zouden lopen en het communisme zouden invoeren.

Op 20 juli 1944 woonde Von Stauffenberg een militaire stafbespreking bij die werd voorgezeten door Hitler. Toen hij Hitlers commandopost in de *Wolfsschanze* (wolvenhol) bij het Oost-Pruisische Rastenburg had betreden, zette hij een aktetas met explosieven naast de Führer neer. Hij activeerde de ontsteking die in de tas verborgen zat en verliet de ruimte.

Slechts een van de explosieven kwam tot ontploffing. Hitler raakte gewond, het complot was mislukt. Von Stauffenberg en zijn heldhaftige medeplichtigen betaalden met hun leven. Enkele maanden later arresteerde Schellenberg admiraal Canaris op bevel van Himmler: er waren aanwijzingen dat Canaris de plegers van de aanslag had geholpen. De admiraal werd in april 1945 omgebracht in het concentratiekamp Flossenburg. In diezelfde periode werd Dincklage overgeplaatst naar de nieuwe militaire inlichtingendienst van de SS.

11

Coco's mazzel

De mensen die rijk of slim waren, of de juiste contacten
hadden, ontsnapten aan hun straf – zij keerden terug toen de
storm was gaan liggen.
— DE FRANSE VERZETSMAN GASTON DEFFERRE

Vroeg in de ochtend van dinsdag 6 juni 1944 berichtte de BBC in haar
Franstalige uitzendingen over D-day, de geallieerde landing in Normandië. Ze voorspelde dat Parijs snel bevrijd zou zijn. Duizenden Amerikaanse, Britse, Franse en andere geallieerde soldaten landden op de
stranden, kwamen met parachutes op daken en in boomtoppen neer en
vlogen het land binnen, slechts honderdvijfentwintig kilometer van het
centrum van Parijs vandaan. Frankrijk was verbouwereerd. Het nieuws
werd al snel bevestigd door verslaggevers van de radio en de schrijvende
pers. *Le Matin* kopte: 'Frankrijk is wederom een slagveld!'[1]

Het was een grimmig moment voor Chanel en alle anderen die met
de nazi's hadden gecollaboreerd. Zij en Jean Cocteau, Serge Lifar en Paul
Morand stonden met honderden anderen op de zwarte lijst van de Franse Résistance. Als de Duitsers Parijs moesten verlaten, zouden Chanel
en haar vrienden berecht en gestraft worden door mannen en vrouwen
die hadden geleden onder de nazi's.[2] In de dagen die volgden hielden
de Parijzenaars de ogen gericht op de vlaggenstokken op vrijwel elk
openbaar gebouw in Parijs. Wapperde het hakenkruis nog steeds? Zo
ja, dan waren de Duitsers er nog. Voor de Parijzenaars betekende een
kale vlaggenmast dat de Duitsers wellicht gevlucht waren.

Aan de Engelse kust, bij Portsmouth, leek Dwight D. Eisenhower, de opperbevelhebber van Operatie Overlord, ook bekend als D-day, een eeuwige grijns op zijn gezicht te hebben.[3] In Berlijn raakte Hitler daarentegen buiten zinnen van woede. Zijn ooit favoriete bevelhebbers, generaal Gerd von Rundstedt en generaal Erwin Rommel, de Woestijnvos, hadden hun baas ronduit gewaarschuwd om 'deze oorlog nu te beëindigen, nu het Duitse leger nog niet helemáál verwoest is'.[4] Von Rundstedt werd ontslagen; Rommel pleegde zelfmoord om zijn gezin voor Hitlers wraak te behoeden.[5]

In Hôtel Lutetia begonnen Dincklage, Momm en hun collega-officieren van de Abwehr hun dossiers in te pakken of te verbranden. Terwijl ze zich op hun vertrek naar Duitsland voorbereidden, begonnen de vliegtuigen van de geallieerden de regio Parijs te bombarderen. De Ritz liep langzaam leeg. De Duitse gasten probeerden een veilig heenkomen te vinden in eigen land.

Dincklage vluchtte ergens na 20 juli, toen het complot om Hitler om te brengen was mislukt. Chanel, nu eenenzestig jaar (hoewel ze gerust voor vijftig door kon gaan), betrok snel daarna, in de verzengende hitte van augustus, toen wederom alles door as werd bedekt, haar appartement in de Rue Cambon, tegenover de Ritz. Terwijl geallieerde bommenwerpers de buitenwijken van Parijs platlegden, waren de Duitsers dag en nacht bezig met het verbranden van hun documenten, net zoals de Fransen vier jaar eerder hadden gedaan toen Parijs werd geëvacueerd. Chanel was niet helemaal alleen: ze had haar butler Leon en haar trouwe dienstmeid Germaine bij zich.[6]

In Berlijn probeerde Schellenberg opnieuw met neutrale bemiddelaars om de tafel te gaan zitten. Hij kwam uiteindelijk in contact met graaf Folke Bernadotte, een Zweedse diplomaat, en aan hem vroeg hij om te proberen een wapenstilstand te bewerkstelligen via Britse diplomaten in Stockholm. Als teken van zijn oprechtheid beval Schellenberg zijn SS-agenten om een aantal Amerikaanse, Franse en Engelse gevangenen uit Ravensbrück en Neuengamme vrij te laten en uit te leveren. Dit was zijn manier om de Britten ervan te overtuigen dat hij en Himmler niet langer onverzoenlijke nazi's waren. Die actie zou Schellenberg later het leven redden.[7]

Terwijl de geallieerden Parijs naderden, nam Chanel contact op met Pierre Reverdy, met wie ze de afgelopen twintig jaar een knipperlichtrelatie had gehad. Helemaal aan het begin van de bezetting was Reverdy naar Parijs gegaan voor een bezoek aan Chanel, voor hij zich bij een Franse verzetsgroep zou aansluiten om tegen de Duitsers te vechten. Chanel was er toen niet. Ze zat nog met het gezin Palasse in Corbère. Nu ging hij op Chanels aandringen op pad om Vaufreland te arresteren. Chanel moet hebben gehoopt dat Vaufreland, de enige Fransman die van haar connecties met de nazi's af wist, voorgoed zou verdwijnen.

Met zijn partizanen spoorde Reverdy Vaufreland op in het Parijse appartement van graaf Jean-René de Gaigneron.[8] De baron werd opgepakt en met andere collaborateurs weggebracht naar een gevangenis van de Résistance. Later zou hij vastzitten in het kamp Drancy aan de periferie van Parijs – dezelfde faciliteit die kort daarvoor nog joodse gezinnen had geherbergd in afwachting van hun deportatie naar de ovens van de nazi's. Het enige wat Vaufreland later losliet over de merkwaardige interventie van Reverdy was: 'Hij had iets tegen mij.'[9]

Chanels vriend Serge Lifar had de hele maand juni gerepeteerd voor het ballet *Chota Rostaveli* in de Parijse Opéra, onder leiding van de operameesters Arthur Honegger en Charles Munch. Hoewel de geallieerden naar Parijs oprukten, sloeg hij een aanbod af om naar het neutrale Zwitserland te vliegen in het privévliegtuig van de Oostenrijkse operadirigent Herbert von Karajan. Lifar verborg zich in plaats daarvan in Chanels appartement in de Rue Cambon.[10] Aan een vriend vertelde Chanel: 'Ik kon niet eens half aangekleed in mijn appartement rondlopen, omdat Serge misschien wel in de kast zat.' Later gaf Lifar zichzelf vrijwillig aan bij de zuiveringscommissie van de opera. Hij mocht een jaar lang zijn vak niet uitoefenen, een milde straf voor zijn collaboratie met de nazi's.[11] Veel goede vrienden van Coco hadden gegronde redenen om onder te duiken. 'Haat- en wraakgevoelens vervulden de Franse maatschappij (...) er was zo veel leed, vernedering en schande geweest, zo veel slachtoffers van verraad, marteling en deportatie.'[12] De meeste Fransen hadden vier lange jaren als gevangenen geleefd, met ongeveer een miljoen Duitsers die hen bewaakten en vernederden. Ze hadden geprobeerd te overleven, sommigen op integere wijze, maar anderen, zoals Chanel, Vaufreland, Cocteau en Lifar, zouden weldra van collaboratie beschuldigd worden.

De laatste trein met joodse gevangenen verliet Parijs op 17 augustus, met bestemming Auschwitz; een dag later braken er straatgevechten uit tussen Duitse troepen enerzijds en de Vrije Fransen en communistische partizanen anderzijds. De revolte om Parijs te bevrijden van de gehate moffen was begonnen, terwijl generaal Charles de Gaulle in Normandië landde. Ondertussen rukten de Vrije Fransen onder leiding van generaal Philippe Leclerc op naar de stad.

Laat in de avond van 24 augustus bereikte Leclercs colonne Parijs. De volgende dag namen zijn tankbemanningen, gehuld in het kaki van de Amerikanen, en Franse matrozen met hun opvallende baretten met rode pompons strategische punten in de stad in. In de komende maanden zou heel Frankrijk worden bevrijd.

Op 25 augustus had het leger van Leclerc heel Parijs in handen. De Duitse generaal Dietrich von Choltitz gaf zich over en generaal Charles de Gaulle, het hoofd van de voorlopige Franse regering, kwam naar Parijs voor een bijeenkomst met Leclerc en andere hoge officieren en medewerkers.

De volgende dag hield De Gaulle zijn beroemde mars door Parijs. Aan het hoofd van zijn troepen trok hij over de Champs-Élysées naar de Notre Dame voor een plechtige dienst. Later riep hij voor het Hôtel de Ville: 'Paris! Paris outragé! Paris brisé! Paris martyrisé! Mais Paris libéré!' (Parijs! Een gekwetst Parijs! Een gebroken Parijs! Een gemarteld Parijs! Maar een vrij Parijs!) – woorden die vreugdetranen ontlokten aan de Parijzenaars.[13]

Voor sommigen waren die woorden echter onheilspellend: ze betekenden dat de vergelding aanstaande was.

Chanel, Lifar en een keur aan gasten waren samengekomen in het appartement van de Serts met uitzicht op de Place de la Concorde, om getuige te zijn van De Gaulles triomftocht.[14] Afgaand op hun biografen maakten velen, onder wie Chanel, haar vriend graaf De Beaumont en Lifar, zich zorgen omdat ze zo zichtbaar met de Duitsers hadden gecollaboreerd. Ze hoopten dat José Sert, die tijdens de oorlog de ambassadeur van Spanje bij het Vaticaan was (maar in Parijs woonde), hen kon behoeden voor de wraak van De Gaulles verzetsstrijders.

Twee weken later werd Chanel gearresteerd.[15]

De Franse schrijver Robert Aron heeft berekend dat na de bevrijding tussen de dertig- en veertigduizend collaborateurs zonder vorm van proces zijn geëxecuteerd.[16] Om aan deze vorm van eigenrichting een einde te maken, riep de voorlopige regering van De Gaulle medio september 1944 speciale recht-

Vernederde Duitse officieren in handen van soldaten van de Tweede Franse Pantserdivisie, Parijs, augustus 1944.

banken in het leven die belast werden met collaboratiezaken. Wie schuldig werd bevonden, kon op de doodstraf rekenen. Minder ernstige gevallen van collaboratie – waarvoor de nieuwe term 'nationale onwaardigheid' (*indignité nationale*) werd uitgevonden – werden bestraft met het verlies van stemrecht, uitsluiting van verkiezingen en een verbod op het uitoefenen van openbare functies en bepaalde andere beroepen.

De komst van de Franse en geallieerde troepen maakte in heel Frankrijk krachtige reacties los. In Parijs werden midden in het feestgedruis Duitstalige straatnaambordjes bij de Opéra en elders met blote handen van de gevels gerukt. Velen proostten op de vrijheid, anderen zonnen op wraak. Bekende collaborateurs hadden de keus tussen vluchten of de dood; wie gevonden werd, liep het risico ter plekke te worden doodgeschoten. Vrouwen, 'horizontale collaborateurs', werden naakt naar buiten gesleurd en en plein public kaalgeschoren. Twaalfduizend Duitse

In heel bevrijd Frankrijk werd er op Duitse collaborateurs gejaagd. Vrouwen die zich met de Duitse bezetter hadden ingelaten werden vernederd. Op deze foto twee vrouwen met hakenkruisen op hun kaalgeschoren hoofden.

militairen, functionarissen en sympathisanten konden Parijs niet ontvluchten. Velen werden in Franse kampen gevangengezet.

Onder hen was de voormalige echtgenote van Dincklage, Catsy, die er door de inlichtingendienst van de Vrije Fransen van verdacht werd een Duitse spion te zijn geweest.[17] Vlak vóór de bezetting was ze geïnterneerd in Gurs, een Frans kamp voor Duitse burgers. Tijdens de bezetting was ze weer vrijgelaten en naar Parijs teruggekeerd.[18] Na de oorlog beweerde Catsy's halfzuster Sybille Bedford in een boek over deze periode dat Catsy tijdens de bezetting ontberingen had moeten doorstaan omdat ze joods was.[19]

Uit een geheim naoorlogs rapport van de Franse inlichtingendienst blijkt iets heel anders: Catsy werkte gedurende de hele bezetting samen met de Duitsers, beschermd door Dincklage en een heleboel nazivriendjes.[20] Uit het dossier blijkt dat Catsy zich na de bevrijding, doodsbang dat ze door het Franse verzet zou worden opgepakt, bij de Parijse politie had gemeld. Ze hoopte dat ze bescherming kon krijgen, maar werd onmiddellijk vastgezet met andere Duitse burgers in het voormalige SS-doorgangskamp voor joden in Drancy. Later werd ze overgeplaatst naar een kamp in Noisy-le-Sec, een Parijse buitenwijk. Uiteindelijk kwam ze terecht in een strafkamp in Basse-Normandie, waar ze achttien maanden verbleef.

Catsy werd na herhaaldelijke inspanningen van haar advocaat vrijgelaten. Hij wist de autoriteiten zelfs een brief te bezorgen waarin de echtgenote van een hoge Franse officier haar vrijlating aanbeval. Maar uit geheime rapporten van de Franse contra-inlichtingendienst blijkt dat Catsy bepaald geen slachtoffer van de Duitse bezetting is geweest, maar een collaborateur, een zwarthandelaar en een spion voor het naziregime. Ze was nooit ondergedoken als jodin; in plaats daarvan was ze tijdens de vier bezettingsjaren 'dikke vrienden met de Duitsers (...) die ze nu zogenaamd verafschuwt'.[21]

Voor haar vrijlating 'verzamelde Catsy brieven van vrienden die medeplichtig waren aan haar handelsoperaties op de zwarte markt, waar ze lingerie verkocht. Ze gebruikte die brieven om [tegenover de bevrijdingsautoriteiten] te bewijzen dat ze van de Duitse bezetter had gewalgd'.[22] In het geheime Franse rapport staat: 'Ondanks haar getuigenis tegenover de Franse autoriteiten ontving Catsy regelmatig haar ex-echtgenoot Hans Günther von Dincklage in haar appartement in de Rue des Sablons.' Ze waren immers collega-Abwehr-agenten en vrienden. Het rapport spaart Dincklage niet: 'Dincklage was een actieve, gevaarlijke propaganda-agent. Hij gebruikte Mme Chasnel [sic] om inlichtingen in te winnen voor zijn dienst.'[23] Het rapport vermeldt dat toen de geallieerde troepen Parijs naderden 'Catsy's vriend, SS Standartenführer Otto Abetz, haar adviseerde Frankrijk te verlaten'. De conclusie luidt: 'Maximiliane von Schoenebeck [Catsy] is een agent van de Duitse inlichtingendienst en haar aanwezigheid in Frankrijk vormt een gevaar voor de nationale veiligheid. We moeten aannemen dat ze orders heeft gekregen in Frankrijk te blijven om ooit weer als spion aan het werk te gaan. Ze moet als ongewenst persoon in Frankrijk worden beschouwd.'[24]

Ondanks het feit dat Catsy en Dincklage op 5 juli 1947 bij ministerieel besluit officieel verbannen werden uit Frankrijk, kreeg Catsy het voor elkaar in Frankrijk te blijven, waar ze in 1978 op negenenzeventigjarige leeftijd in Nice overleed. De familie Schoenebeck verklaarde in een interview in hun woning in Oostenrijk, in de zomer van 2009 dat Catsy na de oorlog door Chanel in dienst werd genomen, maar dit konden ze niet staven.[25]

Chanel stond al sinds 1942 op de officiële zwarte lijst van de FFI.[26] In de eerste week van september 1944 namen enkele jonge FFI-verzetsstrijders – 'Les Fifis', zoals Chanel de sterke arm van de zuiveringscommissie van de Vrije Fransen noemde – Chanel voor ondervraging mee naar hun kantoor.[27]

De biografen van Chanel melden dat de modeontwerpster de gewapende jongeren met hun sandalen en opgerolde hemdsmouwen verachtte.[28] De groep die Chanel ondervroeg had echter geen bewijzen van haar geheime missies. Ze waren niet op de hoogte van haar collaboratie met de Abwehr of haar missie van 1941 met Vaufreland in Madrid. En bovendien hadden ze er geen idee van dat ze de hoofdrol had gespeeld in de _Modellhut_-missie van 1944, die door Schellenberg was gefinancierd.

Naar verluidt was Chanel meer beledigd door de wreedheid en slechte manieren van 'les Fifis' dan door haar aanhouding. Na een paar uur te zijn ondervraagd door de _épuration_-commissie, mocht ze weer terug naar haar appartement in de Rue Cambon. Haar nicht Gabrielle Palasse Labrunie weet nog dat Chanel bij thuiskomst aan haar meid Germaine vertelde: 'Churchill heeft voor mijn vrijlating gezorgd.'[29]

Hoewel er geen bewijs voor bestaat, geloven Labrunie en sommige Chanel-biografen dat premier Churchill via Duff Cooper, de Britse ambassadeur bij de voorlopige regering van De Gaulle, heeft bemiddeld voor Chanels vrijlating. Biograaf Paul Morand schrijft dat Churchill Cooper had geïnstrueerd om 'Chanel te beschermen'.[30]

Chanels dienstmeisje Germaine zei tegen Labrunie dat Chanel kort daarop 'plotseling haar appartement in de Rue Cambon verliet (...) ze had een dringend bericht ontvangen van [de hertog van] Westminster' via een onbekend persoon. Westminster had gezegd: 'Verspil geen tijd (...) zorg dat je uit Frankrijk wegkomt.' Binnen een paar uur had Chanel Parijs verlaten in haar Cadillac met chauffeur en was ze naar het veilige Lausanne in Zwitserland vertrokken.[31]

Over Churchills vermeende interventie is door verschillende biografen gespeculeerd. Eén theorie luidt dat Chanel wist dat Churchill zijn eigen Trading with the Enemy Act had geschonden (een wet uit 1939 die stelt dat het een misdaad is om in oorlogstijd zaken te doen met de vijand). Hij zou de Duitsers in het geheim betaald hebben om het appartement van de hertog van Windsor in het Zestiende Arrondissement van Parijs te beschermen. De woning bleef ongeschonden terwijl de Windsors in ballingschap waren op de Bahama's, waar de hertog gouverneur was. Een Windsor-biograaf stelt: 'Als Chanel voor de rechtbank had moeten verschijnen op verdenking van collaboratie met de vijand, was wellicht de collaboratie van de Windsors en verschillende andere hooggeplaatsten in de Britse maatschappij aan het licht gekomen. De koninklijke familie zou een ontmaskering van een familielid niet snel hebben toegelaten.'[32]

De koninklijke familie vond de collaboratie van de hertog zo precair dat de Britse historicus Anthony Blunt in de laatste dagen van de oorlog naar het Europese vasteland was gezonden. Blunt, die later als Russische spion werd ontmaskerd, reisde in 1945 in het geheim naar het Duitse Schloss Friedrichshof om gevoelige brieven van de hertog van Windsor aan Adolf Hitler en andere prominente figuren terug te halen. (De correspondentie van de hertog met Hitler en de nazi's is nog steeds geheim.)

Chanel was wel degelijk op de hoogte van de pro-nazistische houding van de hertog en zijn vrouw. Wellicht wist ze ook van zijn correspondentie met Hitler. MI6-agent Malcolm Muggeridge diende tijdens de bevrijding van Parijs als Brits verbindingsofficier bij de Franse *sécurité militaire*. Hij verwonderde zich over de wijze waarop Chanel aan de zuiveringsacties had weten te ontsnappen. 'Met een zet van majesteitelijke eenvoud, zo een waardoor Napoleon zo'n succesvol generaal was geweest, zette ze gewoon een bordje in de etalage van haar modehuis dat haar parfum gratis verkrijgbaar was voor GI's, die vervolgens in de rij stonden voor gratis flesjes Chanel No. 5. Deze Amerikaanse militairen zouden woedend zijn geworden als de Franse politie ook maar een haar op haar hoofd had gekrenkt.'[33] Chanel kreeg het voor elkaar om niet te hoeven getuigen voor de rechtbank, waar het lot van Maurice Chevalier, Jean Cocteau, Sacha Guitry en Serge Lifar werd bepaald.

Vanaf 1944 zou Lausanne een van Chanels woonplaatsen worden. Dincklage werd door vrienden in Duitsland of Oostenrijk verborgen gehouden voor de geallieerden. Hij voegde zich bij Chanel in het viersterrenhotel Beau Rivage aan het Meer van Genève, waar Chanel verbleef totdat ze een huis kocht in de bergen boven het meer en het Forêt de Sauvabelin, ten noorden van Lausanne.

Na de Tweede Wereldoorlog reisde Chanel regelmatig naar Parijs. Van daaruit ging ze met Misia Sert naar Monaco terug via Lausanne om drugs te kopen. Omdat het gevaarlijk was verboden of niet vrij verkrijgbare stoffen te kopen, gingen ze volgens de biografen van Misia Sert naar welwillende apotheken buiten Frankrijk voor hun drugs. Ze gingen ervan uit dat hun 'machtige vrienden' hen wel zouden beschermen.

Misia was 'roekeloos en ongeduldig. Ze verhulde in het geheel niet wat ze deed. Al pratend op diners of rondwandelend op een vlooienmarkt kon ze ineens stoppen om een naald dwars door haar rok in haar been te steken. In Monte Carlo liep ze eens een apotheek binnen en vroeg om morfine – een doodsbange Chanel aan haar zijde, die haar smeekte vooral wat voorzichtiger te zijn.'

In Zwitserland had Chanel een vertrouwelijke relatie met een apotheek in Lausanne; zij en Misia kochten ook daar drugs. 'De twee oude vriendinnen waren in de loop der jaren veranderd: Chanels jongensachtige schoonheid was veranderd in aapachtige chic, haar geslepenheid in rancune. De ooit zo stralende, jeugdige Misia was nu een verlopen vrouw.' Op treinreizen naar Lausanne 'waren ze diep in gesprek met elkaar, lachend, gedistingeerd en elegant. Gewoonte – de lijm van oude vriendschappen – had hen onmisbaar voor elkaar gemaakt.'

De biografen van Misia vertellen dat als Chanel bij 'haar medecollaborateur Paul Morand was, ze nog steeds kritiek leverde op Misia's relaties met joden en homoseksuelen; en ze klaagde dat Misia een perfide mannenverslindster was, een parasiet van het hart. Maar hoewel ze haar soms haatte, vertelde ze Morand, ging ze altijd weer naar Misia toe als ze iemand nodig had, want Misia was alle vrouwen en alle vrouwen waren verenigd in Misia.'[34]

In de laatste maanden van de oorlog werd Winston Churchill opgeslokt door de politieke nasleep van de dood van Franklin D. Roosevelt, de Russische inname van Berlijn en de Duitse overgave in mei 1945. Toch vond hij nog tijd om zich in de zaken van Chanel en Vera Lombardi te mengen; de laatste was immers een lid van de Britse aristocratie en een persoonlijke vriendin van Churchill, de hertog van Windsor en de hertog van Westminster, en een intieme kennis van leden van de koninklijke familie.

Van de winter van 1944 tot en met het voorjaar van 1945 verzond kolonel S.S. Hill-Dillon vanuit het hoofdkwartier van de geallieerde strijdkrachten in Parijs een aantal berichten naar Churchill op Downing Street 10. In een daarvan informeerde hij de premier dat onderzoekers wilden weten waarom Vera Lombardi 'door de Duitse inlichtingendienst op een missie [was gestuurd] naar Madrid'. Op 28 december 1944 zond P.N. Loxley, een hoge officier van SIS-MI6 en de belangrijkste particulier secretaris van lord Alexander Cadogan, de permanente onderminister van Buitenlandse Zaken, een uiterst geheim bericht naar het Britse hoofdkwartier van de gewapende strijdkrachten (AFHQ) in Rome. Een kopie werd verzonden aan de secretaris van Churchill op Downing Street 10, sir Leslie Rowan (met een onjuiste datum):

Toen Madame Lombardi in december 1941 [sic] in Parijs was, overdreef haar vriendin Madame Chanel bewust haar sociale belang, teneinde bij de Duitsers de indruk te wekken dat zij [Madame Lombardi] wellicht nuttig voor hen kon zijn, zodat zij haar naar Madrid zouden laten gaan.[35]

Los daarvan lijkt Lombardi het wilde plan te hebben opgevat om te proberen een vredesverdrag te regelen en zodoende de oorlog te beëindigen. Tijdens haar verblijf in Madrid ontving Ma-

Terwijl Churchill onderhandelingen voerde met Stalin, vond hij op 14 oktober 1944 nog tijd om dit topgeheime telegram naar generaal Wilson in Rome te sturen: 'VAN MOSKOU AAN BUITENLANDSE ZAKEN: Ik bespreek met jou graag op mijn terugreis de zaak Vera Lombardi, geboren Arkwright, die zich weer bij haar echtgenoot in Italië wil voegen. Gelieve ervoor te zorgen dat de veiligheidsautoriteiten beschikbaar zijn op AFHQ.'

dame Lombardi via clandestiene kanalen brieven uit Rome. Ze is beslist niet antifascistisch, maar er zijn ook geen aanwijzingen dat de Duitsers haar een missie hadden toevertrouwd.

Ik heb AFHQ gemeld dat ik onder deze omstandigheden niet kan aanbevelen dat zij nog uit Italië wordt geweerd (...) Ik denk dat [de mensen] in Rome die Madame Lombardi waarschijnlijk in het sociale leven zullen ontmoeten, gewaarschuwd moeten worden dat ze nog steeds onder verdenking staat.[36]

Downing Street 10 was al eerder ingelicht door een Britse functionaris van Buitenlandse Zaken:

[Vera Lombardi] is van meet af aan als verdacht bestempeld door onze mensen in Madrid. Zij vonden haar verhaal over een reis door Duitsland en Duits bezet gebied niet overtuigend en vol tegenstrijdigheden. Er was daarenboven sluitend bewijs dat ze rechtstreeks geholpen werd door de Sicherheitsdienst [de inlichtingendienst van de SS].[37]

In Madrid deed Vera eind 1944 en begin 1945 vergeefse pogingen om naar Rome terug te keren. Maar plotseling, even na nieuwjaarsdag 1945, adviseerde het Britse ministerie van Buitenlandse Zaken in een gecodeerd bericht aan de ambassade in Madrid: 'Het hoofdkwartier van de geallieerde strijdkrachten heeft zijn bezwaar ingetrokken en het staat de dame vrij om naar Italië terug te keren. Vooraf moet doorgegeven zijn waar ze naartoe gaat en op welke dag ze aankomt.'[38] Churchill was tussenbeide gekomen.

Vier dagen later zond Downing Street een zeer geheime notitie aan kolonel Hill-Dillon op het hoofdkwartier van de geallieerden in Parijs: 'Ik heb uw brief van 30 december (...) over de zaak van Madame Lombardi aan de premier laten zien. Mr. Churchill vroeg me u zeer hartelijk te bedanken voor de ingewonnen inlichtingen en alle moeite die inzake deze kwestie is gedaan.'[39] (De handtekening op het briefje is onleesbaar.)

In april of mei 1945 werd Vera eindelijk herenigd met haar man Alberto, zoals blijkt uit haar bedankbriefje aan Churchill:

C/8299.

LONDON.

28th December, 1944.

Will you please refer to Dickson's letter to Rowan,
No. R.13230/13230/G of the 30th September, 1944, about
Madame Vera Lombardi. You may like to know that prolonged
enquiries which my officers have made in Paris, have resulted
in my informing A.F.H.Q. that:-

1. When Madame Lombardi was in Paris in December, 1941,
her friend Madame Chanel deliberately exaggerated her
social importance in order to give the Germans the
impression that she (Madame Lombardi) might be useful
to them, so that they would allow her to go to Madrid.

2. Independently Lombardi appears to have had a fantastic
notion about trying to arrange Peace terms and thus
end the war.

3. While she was in Madrid, Madame Lombardi received
letters from Rome by clandestine means.

4. She is by no means anti-Fascist, but there is no
indication that she was entrusted by the Germans with
a specific mission.

I have told A.F.H.Q. that, in these circumstances, I
cannot recommend her continued exclusion from Italy, but that
I think Charles and others in Rome who are likely to meet
Madame Lombardi socially, should be warned that she is still
under a cloud.

P. M. Loxley, Esq.,

Copy sent Mr. Rowan.

Topgeheim bericht uit december 1944 van een Britse diplomaat die meldt dat Chanel Vera's sociale belang overdreef om bij de Duitsers de suggestie te wekken dat zij (Madame Lombardi) wellicht nuttig voor hen kon zijn, zodat ze haar toestemming zouden geven naar Madrid te gaan. (Het jaartal 1941 is een fout.)

Rome, 9 mei 1945

Mijn beste Winston,

Met heel mijn hart wil ik je danken voor wat je voor me hebt gedaan en dat je mij kunt vergeven wat ik mijzelf niet kan vergeven. Dat je je geroepen hebt gevoeld aandacht en tijd te besteden aan zo'n onbeduidend persoon terwijl je zo druk was de wereld te redden. Randolph is zeer prettig gezelschap geweest voor ons en ik zal hem erg missen. Zijn Engelse inslag en grote, genereuze hart hebben me weer doen opleven, na vijf jaar gekooid te zijn geweest in die verstikkende landen.

Als het God behaagt ben ik snel thuis en kan ik weer even ademhalen.

Veel liefs en dank,

(getekend) Vera[40]

Het was Alberto Lombardi ondertussen gelukt zijn vroegere connecties met Mussolini weg te poetsen. Hij diende voortaan de geallieerden zoals hij eerst de fascistische dictator had gediend. Vera Lombardi overleed een jaar na haar terugkomst uit Madrid in Rome aan een ernstige ziekte.

Een paar maanden na Parijs bevrijdde de pantserdivisie van de Franse generaal Philippe Leclerc de Franse stad Straatsburg. Amerikaanse troepen braken los uit de Duitse val bij het Ardennen-offensief. Twee maanden later bereikten Russische troepen Auschwitz, het door de SS gerunde Poolse vernietigingskamp. Ondertussen had Dincklage via de Berlijnse Abwehr – nu onder leiding van generaal Schellenberg – geregeld dat een Duitse firma onderhandelingen met de Zwitserse autoriteiten zou beginnen om hem een vergunning voor een bezoek aan Zwitserland te verschaffen.[41] Volgens de Zwitserse vreemdelingenpolitie wilde een Duitse firma, de Vereinigte Seidenwebereien te Berlijn, Dincklage naar Zürich sturen voor besprekingen met de Zwitserse dochteronderneming van het bedrijf en de Duitse industriële commissie in de Zwitserse hoofdstad Bern. Het bedrijf had verklaard dat Dincklage moest onderhandelen over de import van zijde en de export van gereedschappen. In werkelijkheid bestond de transactie uit het ruilen van Zwitserse kunstzijde tegen Duits gereedschap van gietstaal. Volgens de zijdeweverij ging het om een deal ter waarde van één miljoen tweehonderdduizend Zwitserse francs.[42]

De Zwitserse autoriteiten doorzagen de truc. Ze gaven in december 1944 geen vergunning af voor Dincklage. Het Zwitserse rapport is hier kort over: 'De Duitse burger van het Reich, Hans Günther von Dincklage, inwoner van Berlijn, wordt een vergunning om het neutrale Zwitserland te bezoeken geweigerd.'

Later diende Dincklage via een Zwitserse advocaat een verzoek in om zich te mogen naturaliseren tot staatsburger van Liechtenstein – waarmee hij automatisch toegang tot Zwitserland zou hebben. Het Zwitserse ministerie van Justitie en Politie liet de autoriteiten in Liechtenstein daarop weten dat Dincklage een ongewenst persoon was. Zijn aanvraag werd geweigerd.

Bern was nog niet vergeten dat Dincklage in 1939 voor de Duitse Abwehr had gespioneerd in Zwitserland. De Liechtensteinse autoriteiten kregen te horen: 'Informatie over Dincklage is negatief en hij is in 1947 uit Frankrijk verbannen.'[43] Het zou niet de laatste keer zijn dat Dincklage probeerde een legale vergunning te verkrijgen om in Liechtenstein of Zwitserland te wonen.

In Parijs vroegen degenen die op de hoogte waren zich af of Chanels mazzel niet op zou raken. In mei 1946 opende rechter Roger Serre van

TOP SECRET

ALLIED FORCE HEADQUARTERS
Office of the Assistant Chief of Staff, G-2
APO 512 U.S. ARMY

GBI,389.506/PF   30 December 1944

Dear Martin,

You will recall that I explained in my letter of 3rd December 1944, the then current position in the case of Mme. Vera Lombardi (née Vera Arkwright.) Mme. Chanel has been undergoing interrogation by the French authorities since that time and further enquiries have been made in France.

While there is no indication, as a result of these enquiries, that Mme. Lombardi was sent to Madrid on a specific mission by the German Intelligence Service, it is equally clear that Mme. Chanel deliberately exaggerated Mme. Lombardi's social position in order to give the Germans the impression that if she were allowed to go to Madrid she might be useful to them. Mme. Lombardi herself seems to have had some curious notion of trying to arrange peace terms.

In the above circumstances, while it is considered that Mme. Lombardi may now be allowed to return to Italy, she obviously cannot be considered as completely cleared of all suspicion. This view is being communicated to H.M. Ambassador in Rome.

Arrangements are being made through the Resident Minister's Office for Mme. Lombardi's return to Italy.

The personal papers in the case are returned as requested by the Prime Minister.

Yr. sincerely,
S.S. Hill-Dillon

J. M. Martin, Esq.

30 december 1944, topgeheime brief van het hoofdkwartier van de geallieerde strijdkrachten in Parijs, dat aan Londen meldt dat '... Mme Chanel ondervraagd is geweest door de Franse autoriteiten... Het is duidelijk dat Mme Chanel bewust de sociale positie van Mme Lombardi overdreef om de Duitsers de indruk te geven dat ze nuttig voor hen zou kunnen zijn als ze naar Madrid zou mogen gaan. Mme Lombardi zelf schijnt een merkwaardige notie te hebben gehad dat ze mee zou werken aan vredesonderhandelingen...'

het Parijse Cour de Justice een zaak tegen haar. Het Chanel-dossier over deze periode is verdwenen uit de nationale archieven van het Franse ministerie van Justitie. Er is alleen nog een registerkaartje over met haar naam erop geschreven en de notitie 'art 75 14787' – wat betekent dat het dossier gerelateerd was aan een Franse bepaling in het Wetboek van Strafrecht inzake spionage. Volgens de hoofdconservator van de twintigste-eeuwse Franse archieven is de kaart een duidelijke aanwijzing dat 'het Franse hof dat zich bezighoudt met collaboratie een zaak had geopend onder het Franse Wetboek van Strafrecht aangaande Chanels relaties met de vijand in oorlogstijd'.[44]

Rechter Serre was er in 1946 op gebrand Chanel te verhoren. Zijn bronnen in Berlijn, personen van de Franse inlichtingendienst, hadden documenten weten te bemachtigen waarin Chanel genoemd wordt als Abwehr-agent F-7124, codenaam Westminster, een pseudoniem dat verwijst naar haar goede vriend en vroegere minnaar Bendor, de hertog van Westminster. Het inlichtingenteam van Serre ontdekte ook dat Vaufreland een aantal rapporten voor de Abwehr had geschreven, maar kon daarin niets over Chanel vinden. Om die reden, én omdat onderzoekers nooit het verband legden met de informatie in Franse inlichtingendossiers, is Chanel nooit formeel gearresteerd. Niettemin werd Chanel wel gedagvaard om voor rechter Serre te verschijnen.[45]

Chanel wist hoe kwetsbaar ze geworden was. Ze geloofde dat ze bedreigd werd – niet alleen door Vaufreland, maar ook door Theodor Momm en Walter Schellenberg. De hoofdpersonen van de Modellhutmissie konden haar toekomst in Frankrijk duidelijk in gevaar brengen. En Dincklage, wat zou hij bij een verhoor kunnen onthullen? Een scherpzinnige waarnemer schreef later: 'Spatz (...) was haar hel op aarde.' Zij was 'als een woedende zeekapitein die over het dek van een zinkend schip liep'.[46] Pierre Reverdy wist van Chanels verraad en zou haar later vergeven.[47]

Het verhoor van baron Louis de Vaufreland begon met diens arrestatie door Reverdy en zijn partizanen van de Résistance. Het zou vijf jaar duren voor Vaufreland voor het gerecht werd gedaagd bij het Palais de Justice, de Parijse rechtbank waar Marie-Antoinette werd berecht en tot de guillotine werd veroordeeld tijdens de zuiveringen van de Franse Revolutie. Op 12 en 13 juli 1949, zo'n honderdzestig jaar later, moest Vaufreland zich tegenover de rechtbank verantwoorden voor verschillende aanklachten wegens hulp aan de vijand in oorlogstijd. Hij stond tegenover één rechter in strenge toga en een vierkoppige burgerjury.[48]

Na herhaaldelijk door rechter Serre te zijn gesommeerd, verscheen Chanel uiteindelijk voor rechter Fernand Paul Leclercq. Leclercq baseerde zijn verhoor op lijvige rechtbankverslagen met daarin Vaufrelands verklaring over Chanels werk voor de Abwehr.[49] Een uittreksel van het verslag van de stenograaf van de rechtbank volgt hieronder. Het heeft er alle schijn van dat Chanel zorgvuldig geïnstrueerd was door haar advocaten:

Toen de geallieerden op het punt stonden Parijs te bevrijden, keerde Dincklage naar nazi-Duitsland terug. In december 1944 vroeg hij toestemming om Zwitserland in te mogen, een van zijn vele pogingen om zich bij Chanel te voegen, die naar Lausanne was gevlucht. Zwitserland weigerde zijn aanvraag.

Chanel begon tegen rechter Leclercq met te zeggen dat ze Vaufreland in 1941 had ontmoet in Hôtel Ritz, via graaf en gravin Gabriel de la Rochefoucauld.

Ze voegde daaraan toe dat Vaufreland haar de indruk had gegeven 'een frivole jongeman [te zijn] die een heleboel onzin uitkraamde. Hij hield er duidelijk abnormale gewoontes op na en zijn manier van kleden en zich parfumeren sprak boekdelen. Ik vertrouwde hem niet. Als hij al relaties had met bepaalde Duitsers, kan dat alleen op seksueel gebied zijn geweest (...)' Echter, 'hij was een aimabele jongen en stond altijd klaar om je te helpen'.

Chanel gaf toe dat Vaufreland bij hun eerste ontmoeting alles wist over haar neef André Palasse, die toen in Duitsland in een krijgsgevangenkamp zat.

Leclercq hoefde niet van Chanel te weten hoe Vaufreland wist dat André gevangenzat in Duitsland of hoe hij Chanel eigenlijk

*Registerkaart uit een Frans archief met Chanels naam
handgeschreven boven de vermelding 'art 75 14787', hetgeen verwijst naar
een dossier van het Franse ministerie van Justitie (nooit gevonden) en
verband houdt met Chanels vermoedelijke collaboratie met de Duitsers
in oorlogstijd.*

had ontmoet. Hoe dan ook, volgens Chanels verklaring 'beweerde Vaufreland dat hij hem [André] terug kon brengen. Ik accepteerde het aanbod dat Vaufreland zo spontaan deed (...)

Mijn neef werd een paar maanden later gerepatrieerd en ik kan zelf niet zeggen of dat wel of niet door interventie van de Duitsers, op verzoek van Vaufreland, is gekomen. Hij verzekerde me dat hij [Palasses] vrijheid persoonlijk had geregeld, en dat geloof ik nog steeds (...) Hij leek me graag een plezier te willen doen (...) en ik bood Vaufreland geld, maar dat sloeg hij af. Hij vroeg me alleen of ik hem wat meubels wilde lenen.'

De tekst van Chanels getuigenis bevat niet de vragen die rechter Leclercq tijdens zijn onderzoek aan Chanel stelde. Hij vroeg echter wel door om te bepalen of ze in contact stond met Duitse functionarissen toen ze Vaufreland ontmoette. Hierop bracht Chanel te berde dat 'Vaufreland me verschillende malen kwam bezoeken met het voorwendsel me op de hoogte te brengen van zijn inspanningen. Hij is nooit in gezelschap van een Duitser bij mij thuis geweest, althans niet in mijn privéwoning. Het is mogelijk dat hij de winkel bezocht, waar ik nooit aanwezig was en waar inderdaad wel eens Duitsers parfum kochten. Hij heeft me nooit aan een Duitser voorgesteld, en de enige Duitser die ik tijdens de bezetting heb gekend, was baron Dinchlage [sic], die al voor de oorlog in Frankrijk woonde en getrouwd is met een Israëliet.'

Rechter Leclercq moet Vaufrelands getuigenis tegenover rechter Serre hebben bestudeerd. Hij drong er bij Chanel op aan te verklaren hoe ze ertoe was gekomen met Vaufreland naar Madrid te reizen. Chanel verklaarde:

Ik kwam Vaufreland tegen in de trein naar Spanje, die ik ergens in augustus 1941 had genomen. Ik had een paspoort gekregen via de gebruikelijke kanalen van de Préfecture de Police (...) om het paspoort en het visum te verkrijgen trof ik persoonlijk de nodige maatregelen met de Duitse dienst (...) zonder enige inmenging van Vaufreland. Het was niet meer dan toeval dat we elkaar in de trein tegenkwamen. Niettemin was ik blij dat ik met hem in Madrid was, want aangezien hij een Spaanse moeder heeft en de taal vloeiend spreekt, kon hij mij helpen in een land waar onlangs een revolutie had plaatsgevonden en waar de politieformaliteiten erg streng waren (...) Hij gedroeg zich in mijn ogen nooit verdacht. Nadat mijn neef was teruggekeerd, vroeg ik De Vaufreland om iets minder frequent op bezoek te komen. Mijn neef, die ik verzocht had vriendelijk te zijn tegen De Vaufreland (...) wond er namelijk geen doekjes om dat hij dat soort individuen [homoseksuelen] na een jaar gevangenschap niet kon luchten (...) En aangezien mijn neef bij mij woonde en ik elk incident tussen hen wilde voorkomen, zag ik het als mijn plicht De Vaufreland te waarschuwen.

Rechter Leclercq stelde een reeks vragen aan Chanel naar aanleiding van documenten die door de politie en officieren van de inlichtingendienst waren verstrekt. Toen haar werd gevraagd naar haar relatie met de bazen van Vaufreland bij de Abwehr, antwoordde Chanel: 'Ik heb nooit een Duitser gekend met de naam Neubauer of Niebuhr (...) De

Vaufreland heeft me nooit voorgesteld aan de Duitsers met wie hij banden had.'

Leclercq ondervroeg Chanel vervolgens naar aanleiding van getuigenverklaringen onder ede door Vaufrelands baas bij de Abwehr, de Duitse luitenant Niebuhr, en Sonderführer Notterman (beide heren werkten inmiddels voor de contra-inlichtingendienst van het Amerikaanse leger (CIC) in Duitsland).

Toen Chanel op de hoogte werd gesteld van Niebuhrs en Nottermans verklaringen over hun bijeenkomsten, hun relatie en Chanels trip naar Spanje, reageerde ze met: 'Ik blijf erbij dat ik nooit iets van Vaufreland heb gevraagd, noch voor mijn neef, noch voor de reis die ik naar Spanje wilde maken.'

Vaufreland had tegenover rechter Serre verklaard dat hij Chanel had geholpen in contact te komen met de nazi-autoriteiten die over de Arisierung van joodse eigendommen of bedrijven gingen, en in het bijzonder over het aandeel van negentig procent dat de Wertheimers bezaten in het parfumbedrijf van Chanel. Toen Chanel hierover werd ondervraagd, stelde ze: 'Ik heb Vaufreland nooit verzocht zich te bemoeien met de heropening van mijn parfumbedrijf.' Gevraagd naar het feit dat ze naziwetten om joodse zaken te *ariseren* wilde aanwenden, antwoordde Chanel ontwijkend door te zeggen: 'De Chanel-ondernemingen zijn nooit geconfisqueerd. Er was een tijdelijke administrateur voor ongeveer drie weken; en dat het bedrijf "gariseerd" werd dankzij een constructie van de gebroeders Wertheimer met een van hun vrienden (...) het is mogelijk dat Vaufreland toevallig een gesprek over dit onderwerp heeft opgevangen, maar ik heb nooit iets van hem gevraagd.'

Rechter Leclercq vroeg niet verder. Hij wist blijkbaar niet dat Félix Amiot – een niet-jood met connecties met Hermann Göring – het parfumimperium voor de Wertheimers in bewaring had.

Chanel vervolgde: 'En wat mijn trip naar Spanje betreft: het officiële doel hiervan was om ingrediënten te kopen die essentieel zijn voor de parfumproductie – daarom had ik een paspoort nodig (...) Het is waar dat ik in Engeland mensen uit de hogere kringen kende, met wie ik telefonisch contact had dankzij de Britse ambassade in Madrid. Ik wilde boven alles graag horen hoe het ging met de hertog van Westminster, die toen erg ziek was (...) Ik kende Mr. Winston Churchill persoonlijk, maar ik heb hem niet over dit onderwerp gebeld, omdat ik hem daar toen niet mee wilde lastigvallen.'

Toen Chanel werd geconfronteerd met Vaufrelands verklaring onder ede dat een Abwehr-officier genaamd Hermann Niebuhr overleg had gepleegd met Chanel op haar kantoor, en dat ze in 1941 een door de Abwehr gefinancierde trip naar Spanje had gemaakt, getuigde ze: 'Wat het zogenaamde bezoek van Niebuhr aan de Rue Cambon betreft, tegen deze bewering van Vaufreland protesteer ik hevig. Vaufreland heeft nooit een Duitser naar me toe gebracht. Ik kan zelfs zeggen dat ik hem slechts één keer in gezelschap van een Duitser heb gezien en dat was op de laatste dag van de bezetting, toen hij langskwam in de Rue Cambon in het gezelschap van een Duitse officier (...).'

Noch rechter Leclercq, noch rechter Serre heeft ooit gerefereerd aan Chanels tweede reis naar Madrid, in 1944, die ze in opdracht van SS-officier Walter Schellenberg maakte. Misschien hebben ze de documenten in de dossiers van de Franse inlichtingendienst nooit onder ogen gekregen of hebben ze er om politieke redenen voor gekozen om Chanels collaboratie met de SS te negeren. De rechtbank heeft Chanel nooit ondervraagd over haar vier jaar durende relatie in oorlogstijd met de hoge Abwehr-officier baron Hans Günther von Dincklage.

Rechter Leclercq vertelde Chanel dat Niebuhr onder ede had verklaard dat de missie van Vaufreland en Chanel naar Madrid in 1941 was gefinancierd door de Abwehr, iets wat Vaufreland had bevestigd.

Chanel antwoordde hierop: 'Ik protesteer tegen zijn verklaringen, die duidelijk implausibel zijn. Ik kan me niet herinneren dat Vaufreland me aan een Duitser heeft voorgesteld.' Vervolgens zei ze, geconfronteerd met Niebuhrs verklaring: 'In de Ritz ontmoette men veel mensen in een gemengd gezelschap (...) Vaufreland kan me best aan deze man hebben voorgesteld, die ik dan wel eens zou willen zien; in elk geval heb ik die man dan niet in uniform gezien. Hij moet vloeiend Frans hebben gesproken, waardoor ik niet kon weten wat zijn nationaliteit was.'

Ze vervolgde: 'Ik respecteerde Vaufreland in het geheel niet en stak dat niet onder stoelen of banken – ik ben niet gewoon een blad voor de mond te nemen. En wat het denkbeeld aangaat dat ik op een missie naar Engeland zou zijn gestuurd om de premier en de hertogin van York, destijds de koningin van Engeland, te benaderen: [dat idee] blijft niet overeind als je het nader onderzoekt; en ik heb nooit geld van een dergelijk persoon ontvangen (...) [Mijn financiële] situatie is zo gezond dat zoiets belachelijk zou zijn. Naar mijn mening heeft deze persoon [luitenant Niebuhr] met wat verzinsels geprobeerd een verklaring te geven voor zijn eigen relatie met De Vaufreland.'

Toen ze werd geconfronteerd met de stukken die aantoonden dat de Abwehr haar als een van zijn agenten had geregistreerd, reageerde Chanel als volgt: 'Ik ben me er nooit bewust van geweest dat ik geregistreerd stond bij een Duitse dienst en ik protesteer verbolgen tegen zo'n absurditeit (...) Het is waar dat ik de grenspost bij Hendaye ben gepasseerd, maar noch ik, noch Vaufreland is daarbij speciaal behandeld door de Duitsers. We hebben twee uur in een wachtkamer staan wachten en na een uur bood een Duitse officier, die zag hoe moe ik was, me een stoel aan. Dat was de enige speciale behandeling die me daar ten deel viel.' Hieraan voegde Chanel toe: 'Ik herinner me nu (...) Vaufreland heeft me verteld dat hij eveneens [uit Parijs] zou vertrekken. Als hij heeft gemeend dat hij ons vertrek aan deze Niebuhr moest doorgeven, heeft hij dat uit zichzelf, en zonder dat ik daarvan af wist, gedaan, ongetwijfeld om moeilijkheden aan de grens voor ons te voorkomen.'

Tot slot vertelde Chanel rechter Leclercq: 'Ik zou Mr. Duff Cooper, voormalig Brits ambassadeur, om een verklaring kunnen vragen. Hij kan instaan voor het feit dat ik veel aanzien geniet in de Engelse society.'[50]

Nergens staat dat rechter Leclercq geprobeerd heeft te achterhalen waarom Chanel zo'n lange relatie onderhield met Vaufreland, die ze in haar villa in Roquebrune aan de Côte d'Azur liet verblijven, in de lente van 1942, rond dezelfde tijd dat zij en Dincklage daar waren.[51]

Leclercq had eerder André Palasse ondervraagd. Zijn verklaring was kort en duidelijk:

Voor de oorlog was ik directeur van de zijdefirma van Chanel. In 1940 werd ik gevangengenomen, in november 1941 werd ik gerepatrieerd. Daar het voor mij onmogelijk was om weer in de directie te stappen van Chanels onderneming in Lyon gaf (...) Mme Chanel mij de functie van directeur bij het hoofdkantoor van Chanel in de Rue Cambon 31 te Parijs.

Ik kende Vaufreland niet al voor de oorlog. Ik leerde hem pas een paar dagen nadat ik directeur was geworden kennen (...) [toen] hij verklaarde dat ik op vrije voeten was gesteld dankzij zijn relaties met de Duitsers. Mademoiselle Chanel vertelde me ook dat

Een juryrechtszaak in het Palais de Justice in Parijs, waar Chanel een verklaring zou afleggen over haar reis naar Madrid met Abwehr-agent baron Louis de Vaufreland.

zij aan Vaufreland had gevraagd al zijn invloed aan te wenden om mij vrij te krijgen.

Ik heb Vaufreland vijf of zes keer ontmoet bij Mademoiselle Chanel thuis. Begin 1942 ben ik hem uit het oog verloren. Ik kan niet met zekerheid zeggen dat Vaufreland heeft geregeld dat ik op vrije voeten werd gesteld; ik heb er geen bewijs van. Ik herhaal – ik weet alleen wat Vaufreland en Mademoiselle Chanel me hebben verteld.[52]

Op 13 juli 1949 werd baron Louis de Vaufreland schuldig bevonden op een aantal punten die betrekking hadden op collaboratie met de vijand en tot zes jaar cel veroordeeld.[53] Er bestaan geen stukken die aangeven of deze straf met of zonder aftrek van voorarrest was. Chanel keerde terug naar haar veilige haven in Zwitserland, maar de rechter in Vaufrelands proces was nog steeds niet tevreden. In het procesverslag staat: 'De antwoorden die Mademoiselle Chanel aan het hof gaf, waren misleidend. Het hof zal nog beslissen of haar zaak een vervolg krijgt.'[54]

De pers heeft geen verslag gedaan van het proces tegen Vaufreland, en Chanels naam is niet gevallen. Het vonnis van de rechter kwam te midden van vele andere rechtszaken tegen nazicollaborateurs. Rechters en jury's werden overspoeld met zaken; de lezers van Franse kranten werden overstelpt met verslagen van processen waarin oorlogsmisdaden werden onthuld.

Een van de belangrijkste rechtszaken die in de internationale en Franse pers werden verslagen, was het proces tegen de oorlogsmisdadiger Otto Abetz – de nazigeneraal die als afgevaardigde van Berlijn in Parijs tijdens de bezetting uitbundige feesten gaf op de Duitse ambassade. In juli 1949 werd Abetz veroordeeld tot twintig jaar dwangarbeid. Hij werd in 1954 vrijgelaten en kwam vier jaar later om het leven bij een verkeersongeluk. In de kranten werd gespeculeerd over dat zijn dood wel eens een wraakactie kon zijn geweest voor de vele joden die door hem naar de gaskamer waren gestuurd.

Er zijn nooit vraagtekens gezet bij Chanels ontkenning van haar samenwerking met de Abwehr en haar uitspraken, die in tegenstrijd waren met de verklaringen van Vaufreland, luitenant Niebuhr en Sonderführer Notterman. Chanel is nooit geconfronteerd met een kopie van het bericht van de Abwehr dat de Gestapo aan de Frans-Spaanse grensovergang bij Hendaye beval om Chanel en Vaufreland zonder problemen Spanje in te helpen. Er is niets gedaan met de opmerkingen van neef André dat Vaufreland vaak een bezoek bracht aan de Rue Cambon en het kantoor van Chanel gebruikte. Er is geen bewijs dat rechter Serre of rechter Leclercq Chanel onder druk heeft gezet om uit te leggen waarom Louis de Vaufreland haar kantoor in de Rue Cambon en de Ritz eigenlijk zo vaak bezocht als zij zo'n hekel had aan hem. En rechter Leclercq ondervroeg Chanel nooit over haar relatie met Dincklage en haar missie van 1941. Ten slotte bevat het verslag van de rechtbank geen vragen over Chanels missie naar Madrid voor SS-generaal Schellenberg. De Amerikaanse autoriteiten kwamen pas na de oorlog te weten dat Chanels tweede missie naar Spanje, voor Himmler, betaald was door Schellenberg en dat zijn contactpersoon in Hendaye, SS-kapitein Walter Kutschmann, een nazioorlogsmisdadiger was. De Amerikaanse autoriteiten zijn wellicht nooit door de Amerikaanse inlichtingendiensten geïnformeerd over dit cruciale feit.

In 1949 was er maar weinig belangstelling om de verbanden te leggen die Chanels verraad aan Frankrijk hadden kunnen bewijzen. De details over haar collaboratie met de nazi's zijn jarenlang verborgen gebleven in Franse, Duitse, Italiaanse, Russische en Amerikaanse archieven. Tijdens de bezetting van Frankrijk hebben Duitse autoriteiten documenten uit Franse inlichtingendossiers meegenomen naar Berlijn. Later zouden die documenten door Russische inlichtingenofficieren in Berlijn ontdekt worden in de nazi-archieven en naar Moskou worden overgebracht. Ze bleven daar tot ongeveer 1985, als referentiemateriaal voor de Russische inlichtingendienst. Dankzij een verdrag tussen Rusland en Frankrijk zijn duizenden dossiers uiteindelijk naar de Franse militaire archieven in het Château de Vincennes teruggekomen.

Het onderzoek naar Vaufreland in Frankrijk en Duitsland nam zo'n vijf jaar in beslag. Er waren politie- en inlichtingenorganisaties in Berlijn en Parijs bij betrokken. De details van de Franse inlichtingendossiers waren slechts bij een enkeling bekend – en de Britse en Franse inlichtingendiensten wisselden geen informatie uit. De getuigenis van Vaufreland en de verklaringen van de Duitse Abwehr-officieren die met Chanel in Parijs te maken hadden gehad (zowel Niebuhr als Notterman werkte na 1945 voor de geallieerde inlichtingendiensten) zijn aangetroffen in honderden getypte pagina's die pas onlangs door de Franse en Duitse autoriteiten zijn vrijgegeven.

De Fransen die de bezetting hadden meegemaakt hadden hun ogen gesloten voor de gruwelen van de nazi's. Gevraagd naar die tijd, antwoordden velen: 'De bezettingsjaren waren een moeilijke tijd. In die periode gebeurden er vreemde dingen (...) we laten dat maar liever achter ons.'[55]

Nadat Chanel had getuigd bij de rechtszaak tegen Vaufreland, ging ze stilletjes de Franse grens weer over, waar ze vlak bij Lausanne een huis had gekocht en opgeknapt. Haar vier jaar lange collaboratie is eigenlijk nooit een publieke kwestie geworden.

Dincklage leefde ondergedoken in het naoorlogse Duitsland toen de geallieerde verhoorders op zoek waren naar voormalige Abwehr- en SS-officieren. Later zocht hij een veilig heenkomen in Noord-Duitsland, op het landgoed van zijn tante, Rosencrantz, bij Schinkel.

Op een dag in oktober 1945 was Dincklage met een Amerikaanse GI, Hans Schillinger, op weg naar Rosencrantz. Schillinger was een vriend

Het landgoed Rosencrantz in de buurt van het Duitse Kiel, waar
Dincklage enige tijd woonde terwijl hij probeerde toestemming te krijgen
om zich bij Chanel in Zwitserland te voegen.

van Chanels vroegere fotograaf Horst.[56] Plotseling werden de twee mannen aangehouden door een Britse patrouille toen ze het Nord-Ostsee-
kanaal wilden oversteken, in de Britse Zone van Duitsland.[57] Dincklage
was in gevaar. Hij bleek meer dan achtduizend dollar, dertienhonderd-
veertig Noorse kronen, honderd Tsjecho-Slowaakse koruna en drieën-
dertig goudstukken bij zich te hebben, en dat in een tijd dat het een misdrijf was om grote sommen niet-aangegeven buitenlandse valuta over
de grenzen van de geallieerde zones te vervoeren.[58] Dincklage en Schillinger werden gearresteerd en het geld werd in beslag genomen. De Britse autoriteiten stelden een onderzoek in.[59]

Tijdens zijn ondervraging door de Britse militaire politie gaf Schillinger toe dat 'hij het geld gekregen had van Mademoiselle Chanel van Société des Parfums Chanel, tijdens zijn verlof in Parijs. Chanel had hem
verzocht het geld aan Dincklage te bezorgen.'[60]

De Britten confisqueerden het geld uiteindelijk en de twee mannen werden vrijgelaten. Veel later, toen een Brits officier Chanel in Parijs ondervroeg, kregen de Britten het volgende antwoord op een vraag die aan Chanel was gesteld: 'Mademoiselle Chanel heeft verklaard dat ze het geld niet terug wil, omdat het haar wellicht in de problemen kan brengen bij de Franse regering, wegens het in bezit hebben van niet-aangegeven buitenlandse valuta. [Z]ij wil daarom graag dat het geld geschonken wordt aan een goed doel, gekozen door de autoriteiten.'[61] Er is nergens opgetekend wat de Britten uiteindelijk met het geld hebben gedaan.

In december 1945 bereikte Dincklage het landgoed Rosencrantz, waar zijn moeder Lorry al tijdens de oorlog was gaan wonen. Kort daarna vertrok hij naar Chanel in Zwitserland.

12

Coco's comeback

Ik ken geen mislukking.
– COCO CHANEL[1]

Chanel begon al aardig op leeftijd te komen, maar was nog lang niet klaar voor een rustig pensioen in Zwitserland, met of zonder Dincklage aan haar zijde. Jaren eerder had ze fotograaf Horst verteld: 'Ik ben moe! Natuurlijk is dat niet waar. Het gaat goed met me en ik zit vol ideeën voor de toekomst.'[2]

Chanels leven was verre van voorbij. Over haar collaboratie met de nazi's, haar diepgewortelde antisemitisme en haar poging om de Wertheimers schade te berokkenen met behulp van de Arisierungswetten van de nazi's werd nauwelijks nog gesproken. In de jaren na haar getuigenis bij het proces tegen Louis de Vaufreland had Chanel een teruggetrokken bestaan in vrijwillige ballingschap in Lausanne. Dincklage was er. Er gingen echter geruchten dat het koppel uit elkaar was gegroeid.[3] Gabrielle Palasse bracht vaak een bezoek aan tante Coco. Haar vader André was herstellende in een villa met uitzicht over het Meer van Genève – een cadeau van Chanel. Zijn toestand verbeterde mettertijd; hij en zijn nieuwe vrouw verhuisden naar een huis in Bretagne.

Vanaf 1945 begon Chanel het zwijgen te kopen van mensen die op de hoogte waren van haar betrokkenheid bij de Abwehr en Schellenbergs SS-onderdeel. En ze bleef verhalen verzinnen over haar kindertijd, haar liefdesaffaires en haar activiteiten in de oorlog. Toen Chanel de eerste versie van Louise de Vilmorins *Mémoires de Coco* onder ogen kreeg, zei ze tegen haar biograaf Paul Morand, zelf een voormalige Vichy-functionaris, dat het haar niet aanstond wat Vilmorin had geschreven.[4] Vanuit Zwitserland gaf ze een andere Franse auteur, Michel Déon, opdracht als ghostwriter haar memoires te schrijven. Déon werd later overigens tot de Académie Française toegelaten wegens zijn grote kwaliteit als schrijver van fictie. Na een jaar had hij een driehonderd bladzijden tellend manuscript klaarliggen, gebaseerd op 'lange dialogen' met Chanel. Een maand later bleek ook dit boek niet 'naar haar smaak'.[5] Chanel heeft hier nooit met Déon over gesproken, maar liet het hem weten via haar vriend Hervé Mille, de hoofdredacteur van *Paris Match*. Mille zei tegen Déon dat Chanel hem wilde laten weten dat 'in deze driehonderd pagina's geen enkele zin niet van haar is, maar nu ze het boek in zijn geheel ziet, ze niet denkt dat dit is waar Amerika op zit te wachten'.[6]

Volgens Morand reageerde Déon met: 'Chanel is van kindsbeen af bang geweest haar droomwereld te verlaten en de realiteit van het bestaan te aanvaarden.'[7]

Als banneling in Zwitserland was Chanel neerslachtig. In de loop der jaren rouwde ze om het verlies van de ene na de andere vriend. Aan het begin van het najaar van 1950 bracht ze een bezoek aan Parijs en de zieke Misia Sert. Vermoeid en verzwakt, en op achtenzeventigjarige leeftijd nog steeds aan drugs verslaafd, haalde Misia herinneringen op aan de tijd dat ze een van de favoriete modellen van Renoir en andere Franse impressionisten was geweest. Het bezoek bleek een laatste vaarwel te zijn. Misia stierf met Chanel aan haar zijde. Niet lang daarna overleed Bendor, kort nadat hij de kroning van koningin Elizabeth had bijgewoond. En Étienne Balsan kwam bij een auto-ongeluk om het leven, net als Boy Capel jaren daarvoor.

Chanel maakte zich nog steeds zorgen over de macht die anderen over haar hadden: Vaufreland, haar partner bij de Abwehr, Theodor Momm, Walter Schellenberg en natuurlijk Dincklage. Zij waren levende getuigen van haar collaboratie met de nazi's.

In juni 1951 hoorde Chanel van Momm dat Schellenberg was vrijgelaten omdat hij een ongeneeslijke leverziekte had.[8] Zijn zesjarige gevangenisstraf, opgelegd door het Militair Tribunaal in Neurenberg, had hij niet uitgezeten. Terwijl Schellenberg in zijn cel op zijn proces wachtte, had hij zijn memoires geschreven. Nu werkte hij eraan met een Duitse journalist. Het moest een boek worden over zijn leven als rechterhand van SS Reichsführer Heinrich Himmler. Het boek kreeg de titel *Das Labyrinth*.

Walter Schellenberg, ooit de rechterhand van Himmler, hier na zijn overgave aan geallieerde agenten in 1945. Later zou hij veroordeeld worden voor oorlogsmisdaden. Toen hij wegens zijn slechte gezondheid vroegtijdig werd vrijgelaten, betaalde Chanel zijn levensonderhoud in ballingschap.

Theodor Momm moet Chanel verteld hebben dat Schellenberg een uitgever voor zijn boek zocht, en Chanel was zich terdege van het gevaar bewust. Ze regelde via haar COGA-fonds (het acroniem is een combinatie van de eerste letters van Coco en Gabrielle) dat Schellenberg en zijn vrouw Irene een luxueus onderkomen kregen in het Zwitserse merendistrict. Maar de Zwitsers wilden geen veroordeelde oorlogsmisdadiger in Zwitserland, en dus werd hij uitgezet. Schellenberg had een vals Zwitsers paspoort weten te bemachtigen, op naam van ene Louis Kowalki; hij dook met Irene onder in een villa in het Italiaanse Pallanza, aan de oever van het Lago Maggiore.

Momm lichtte Chanel wederom vanuit Duitsland in dat Schellenberg voor zijn leveraandoening werd behandeld in Pallanza en dat hij geen geld had om zijn arts, dr. Francis Lang, en de Italiaanse kliniek waar hij onder behandeling was te betalen.

Professor Reinhard Doerries, de hoofdbiograaf van Schellenberg, vertelt wat er toen gebeurde:

Dr. Lang en zijn vrouw bezochten Schellenberg in Pallanza (...)
toen ze het over financiële aangelegenheden hadden, moet dokter
Lang [Schellenberg] hebben verteld dat hij in grote financiële
nood verkeerde omdat hij Schellenbergs medische en overige kos-

ten uit eigen zak had voorgeschoten, in totaal twintigduizend Zwitserse francs. Dr. Lang vertelde dat 'Schellenberg daarna contact opnam met Chanel en haar zijn financiële problemen voorlegde (...) de koningin van de haute couture arriveerde niet lang daarna [in Pallanza] in een zwarte Mercedes met gesloten gordijnen. Ze gaf Schellenberg ongeveer dertigduizend Zwitserse francs [de dokter zei dat het ook wel eens Franse francs konden zijn geweest].'

Chanels geste verklaarde dr. Lang als volgt: 'Tijdens de oorlog was Schellenberg haar en anderen in de modewereld behulpzaam geweest.'[9]

Walter Schellenberg stierf op 31 maart 1952 op tweeënveertigjarige leeftijd in Turijn. Hij werd er op 2 april begraven. Na zijn dood schreef zijn vrouw aan Momm: 'Madame Chanel bood ons financiële hulp in onze moeilijke situatie en dankzij haar konden we een paar maanden langer bij elkaar zijn.'[10] Na de dood van Schellenberg keerde Irene met haar kinderen terug naar Düsseldorf, waar ze een uitgever zocht voor de autobiografie van haar man. Chanel wist hiervan en heeft wellicht de toezegging gehad van Irene Schellenberg dat zij niet genoemd zou worden, mochten Schellenbergs memoires gepubliceerd worden.

Hoewel hij ongewenst was in Zwitserland wegens zijn werk als Duitse spion, woonde Dincklage enkele jaren samen met Chanel in Lausanne en Davos. Volgens vrienden was Spatz nog steeds de knappe Duitse officier. Er bestaat een foto van Chanel en Spatz in Zwitserland uit ongeveer 1949. Dincklage, in een fraaie lange jas en met een Homburghoed, heeft alles weg van een gedistingeerde gepensioneerde officier. Het stel ziet er ontspannen uit. Wie hem in die tijd kende, herinnert zich hem als een playboy op leeftijd: een man met een aantrekkelijk voorkomen en onberispelijke manieren.

Chanels biograaf Pierre Galante schreef dat de idylle tussen Dincklage en Chanel bleef voortduren. 'Ze verbleven samen in een Zwitsers skioord en maakten korte uitstapjes naar Italië. Mademoiselles Zwitserse vrienden, haar drie advocaten, haar tandarts, dokter, reumaspecialist en een oogspecialist zagen hen vaak samen – en er deden geruchten over een mogelijk huwelijk de ronde.'[11] Maar op een dag was Spatz opeens verdwenen.

Chanel en Dincklage samen in Zwitserland, 1949.

Dincklage had Chanel verlaten om permanent inwoner te worden van de Balearen, een zonnige eilandengroep in de Middellandse Zee met een aangenaam klimaat, niet heel anders dan dat in Sanary-sur-Mer, het terrein waar de voormalige spion in de jaren dertig actief was geweest. Hij leefde van een goed pensioen, dat betaald werd uit het COGA-fonds van Chanel. Niemand lijkt te weten of Chanel en Dincklage elkaar daarna nog ontmoet hebben.

Pierre Galante interviewde vrienden van Chanel uit die tijd. Op de vraag hoe het haar verging na Dincklages vertrek, omschreven ze haar als 'een charmante, eenvoudige, levendige vrouw. Ze ontving vaak vrienden, in de hotels waar ze op zo'n moment verbleef of in de restaurants van "oud" Lausanne. Ze at vrijwel altijd hetzelfde: groentesoep, filet mignon, rijst zonder boter en vruchtencompote.' Ze meldden ook dat Chanel uit dansen ging en met vriendinnen winkelde, vooral bij de meer betaalbare winkels. 'Ze at buiten de deur, op verschillende plaatsen, vaak met haar arts, op wie ze erg gesteld was. Later nodigde ze hem en zijn vrouw uit om in La Pausa te komen logeren.'[12]

Chanel had het nauwelijks nog over mode. Een vriendin zei: 'Het leek of het haar niet meer interesseerde. Of bijna niet meer (...) Op een dag droeg [een vriendin] een blouse die Coco niet aanstond; Coco kon het niet laten er ter plekke met de schaar wat aan te veranderen.'[13]

Fotograaf Horst schetste een ander beeld in 1951: 'Chanel voelde zich in die tijd wat verloren; ze leek verveeld. Haar haar zat anders, en ze was begonnen haar wenkbrauwen te epileren. Ze leek niet meer op de Chanel zoals ik die kende.'[14]

Wat moest deze bijzondere vrouw – nog altijd vol creatieve ideeën en energie – doen? Chanel, inmiddels zeventig, bezat één blijvende kwaliteit: haar talent. Ze bleef de bewondering en lof van Pierre Wertheimer oogsten, ondanks hun ruzies van de afgelopen veertig jaar. Pierre Wertheimer had al eerder ontdekt dat Chanel een parfum aan het maken was in Zwitserland. Dat was een duidelijke schending van het contract dat ze in 1924 had getekend, waarmee ze de rechten voor haar parfum- en cosmeticalijn verkocht had aan de Société des Parfums Chanel, het bedrijf dat voor negentig procent eigendom was van de Wertheimers.

In de lente van 1947 kwamen Wertheimer en zijn advocaat langs op het kantoor van René de Chambrun aan de Avenue des Champs-Élysées in Parijs. Pierre Wertheimer wilde een deal sluiten. Hij bood Chanel vijftigduizend dollar plus een klein extra percentage van de jaaromzet van Chanel No. 5. Chambrun eiste een hoger percentage. Hun onderhandelingen zouden bijna een dag duren – ze ruzieden over wat uiteindelijk een groot bedrag zou worden. Tijdens de lange, eindeloze onderhandelingen verliet Chambrun de kamer, zogenaamd om goedkeuring te vragen aan zijn cliënte in Lausanne via een privélijn in een suite een paar deuren verderop. Maar in feite verliet hij de kamer voor een gesprek onder vier ogen met Chanel: ze had de hele dag zitten wachten wat het aanbod van de Wertheimers zou behelzen.

Vroeg in de ochtend van de volgende dag kwam het tot een overeenkomst: Chanel zou driehonderdvijftigduizend dollar contant ontvangen plus twee procent van alle verkopen – meer dan een miljoen dollar per jaar (dit zou nu neerkomen op ongeveer negen miljoen dollar). De dividenden zouden gestort worden op Chanels rekening bij de Union de Banques Suisses.[15] Later vertelde Chanel aan een vriend: 'Nu ben ik rijk.'[16]

Pierre Wertheimer had in 1947 een schrandere berekening gemaakt. Als hij Chanel voor de Franse rechtbank had gedaagd, zouden Chanels banden met de nazi's, haar contact met dr. Kurt Blanke en haar poging de holdings van de Wertheimers te *arisieren* zijn onthuld. Voor de rechtbank waren dan wellicht de geheime regelingen tussen de Wertheimers en Félix Amiot aan het licht gekomen, evenals de betaling in 1939 van een groot bedrag aan Amiot en Amiots deal om oorlogsvliegtuigen te bouwen voor Hermann Görings Luftwaffe. Zelfs de geheime missie van Gregory Thomas was misschien openbaar geworden. De negatieve publiciteit zou de naam Chanel schade hebben berokkend; het lucratieve handelsmerk van de Wertheimers zou misschien voor altijd bezoedeld zijn. Wat Wertheimer deed, was de onderneming beschermen die de familie onvoorstelbare rijkdom zou brengen. Jaren later – in 2008 – werd 'elke dertig seconden' ergens in de wereld een flacon Chanel No. 5 verkocht.[17]

In 1970, na een relatie van dertig jaar, ontsloeg Chanel René de Chambrun. (Later zouden ze zich weer verzoenen.) Toentertijd zei ze: 'Ik kan advocaten, politieagenten en militairen niet uitstaan.'[18] Om vervolgens, ondanks haar minachting voor advocaten, Robert Badinter in te huren, een briljante advocaat internationaal recht die jaren later beroemd zou worden omdat hij zich inzette voor de afschaffing van de doodstraf in Frankrijk, die met de guillotine werd voltrokken.

Biograaf Pierre Galante vertelt hoe Badinter de advocaat van Chanel werd: 'Ik ben joods,' zei hij. 'Misschien weet u dat niet, Mademoiselle.'

'Jawel,' antwoordde Chanel, 'en dat stoort me in het geheel niet. Ik heb niets tegen joden.'

Chambrun en zijn vrouw Josée spraken in het openbaar nooit over Chanel. Het echtpaar was na de oorlog zijn straf ontlopen dankzij Chambruns immens machtige connecties – net zoals Chanel vermoedelijk Winston Churchill als redder had gehad. Chambrun had Chanel jarenlang naar beste kunnen verdedigd. Hoewel hij persoonlijk op de hoogte was van Chanels collaboratie in oorlogstijd, beschermde hij haar en loog hij in een retrospectief van de BBC over haar relatie met Dincklage en haar missie in 1943-1944 naar Berlijn.

In een transcriptie van het BBC-interview, dat voor het laatst werd uitgezonden in 2009, zegt Chambrun toen hem naar Dincklage gevraagd werd: 'Ik weet, omdat ze mij over hem vertelde, dat er op een gegeven moment sprake was van een Duitse tennisspeler van adel, Dincklage, en dat zij hem financieel hielp. En dat is alles wat ik weet van alle roddels die over Coco de ronde doen.' ·

Toen hem gevraagd werd naar Chanels missie van 1943-1944 naar Spanje, antwoordde hij: 'Ik zie niet wat haar belang in de missie moet zijn geweest. Ze was, eh – ik denk dat als het aan haar was voorgesteld, ze dan geweigerd zou hebben. Dat is de Chanel die ík ken, dat is wat ík denk dat zij zou hebben gedaan. Het gaat me niet aan. Ik weet alleen dat zij deze voormalige tennisspeler heeft geholpen, werkelijk heeft geholpen, maar alle geklets over een aparte vrede die ze zou bekokstoven, is wat míj betreft klinkklare onzin.'[19]

Chambrun was meer dan dertig jaar de trouwe vazal van Chanel.

In de herfst van 1953 schreef Chanel aan Carmel Snow van *Harper's Bazaar*: 'Ik dacht dat het wel weer leuk zou zijn om aan het werk te gaan (...) wie weet creëer ik op een dag een nieuwe stijl die bij het leven van nu past (...) ik geloof dat die tijd gekomen is.' Pierre Wertheimer was het daarmee eens: dit zou een uitstekende manier zijn om de onderneming Chanel te stimuleren.

De Parijse modewereld gonsde van de geruchten. 'Mademoiselle Chanel komt terug! Chanel keert terug naar de haute couture!' Ze zei tegen de pers: 'Ik heb misschien nog een paar dingen in mijn mars.' Terwijl kerst 1953 naderde schreven de media dat 'Chanel in februari een comeback zou maken.' Enkele Parijse couturiers feliciteerden haar, andere beefden van schrik. Chanel bracht een paar medewerkers van vroeger samen en nam nieuwe mensen aan. Haar handen deden vaak pijn van de jicht; ze was al over de zeventig. De fotograaf en kostuumontwerper Cecil Beaton merkte op dat Chanels vingers 'sterk genoeg leken om een paard van hoefijzers te voorzien'. Ze kroop op handen en knieën rond, speldde zelf zomen af, altijd met haar strohoed op om de kale plekken te verbergen, de altijd aanwezige Camel-sigaret tussen haar lippen.[20]

Een paar weken voor de show vertelde ze aan *Vogue*: 'Ik ga een collectie beginnen (...) Ongeveer honderd [stuks] (...) niets revolutionairs (...) maar een collectie met liefde gemaakt door een vrouw.' Chanels eerste naoorlogse show opende op 5 februari 1954 – wederom op de vijfde, want ze was ervan overtuigd dat vijf haar geluksgetal was. Dat bleek deze keer niet waar te zijn. De Parijse kenners knikten beleefd tijdens de zorgvuldig ontworpen choreografie in Chanels weelderig gerenoveerde salon. Een verslaggever van het toonaangevende Franse dagblad *L'Aurore* schreef: 'Iedereen was gekomen in de hoop weer de sfeer van de collecties van vroeger te voelen. Maar er is niets van over, alleen mannequins die paraderen voor een publiek dat zichzelf er niet toe kan zetten te applaudisseren.' De verslaggever voegde toe: 'Een nogal melancholisch retrospectief.'[21] Lucien François van *Combat* (ooit de krant van Camus) schreef een vernietigend stuk over Chanels eerste collectie na de oorlog: 'Haar jurken zijn goed om kantoren in schoon te maken.'[22] Chanels modellen werden 'vergeleken met een koppel ganzen'.[23]

Na de show bezocht Pierre Wertheimer Chanel in haar showroom in de Rue Cambon. Hij trof haar op haar knieën aan, een jurk afspeldend. Hij keek toe terwijl ze aan het werk was en liep daarna met haar mee terug naar de Ritz. 'Weet je, ik wil graag doorgaan,' zei ze tegen hem. 'Ik wil doorgaan en winnen.'

'Je hebt groot gelijk,' antwoordde hij. 'Je moet zeker doorgaan.'[24]

Ondanks de lauwe reactie van de Franse pers en een veeg uit de pan van de Britse pers, die haar show een flop vond, waren de Amerikaanse media wél onder de indruk. *Life* schreef: '[Chanel] heeft alle collecties van nu beïnvloed. Op eenenzeventigjarige leeftijd brengt ze ons meer dan alleen een stijl – ze heeft een ware storm ontketend. Ze heeft besloten terug te komen en haar oude positie te heroveren – die van nummer één.' *Harper's Bazaar* en *Vogue* waren het daarmee eens.[25] Marlene Dietrich kwam naar de Rue Cambon en bestelde enkele mantelpakken, waaronder de *tailleurs Chanel*, de getailleerde mantelpakjes die in 1956 beroemd zouden worden.[26]

Chanels creaties mochten dan succesvol zijn, Chanels modebedrijf ging het in het geheel niet goed. Haar comeback had een slordige vijfendertig miljoen francs (achthonderdduizend dollar in 2010) gekost – de firma was bankroet.[27] En weer stapte Chanels beschermengel, Pierre Wertheimer, naar voren. In de lente van 1954 tekenden Chanel en de organisatie van de Wertheimers hun laatste zakendeal: Chanel verkocht haar modebedrijf, haar commerciële onroerend goed en al haar holdings met de naam Chanel aan de Wertheimers. De Wertheimers zouden al haar onkosten betalen: haar vertrekken in de Ritz, haar huishoudelijke hulp, telefoonrekeningen, post en andere kosten van levensonderhoud. In ruil hiervoor hoefde ze slechts nieuwe parfums te ontwikkelen en haar modehuis te leiden.[28] De deal was van onschatbare waarde voor Chanel en zou voor de Wertheimers een geldmachine blijken te zijn.

In de herfst van 1956 presenteerde Chanel een nieuwe collectie, die een warm onthaal kreeg in de pers. De *New York Times* schreef vanuit Parijs: 'Met [Chanels] terugkeer in de haute couture afgelopen februari verwachtte de modewereld een verbluffende revolutie, [maar] dat werd niet bewaarheid. Ze ontwierp nog in dezelfde geest als ze vóór de oorlog had gedaan. In de laatste acht maanden is de modewereld echter gewend geraakt aan de Chanel-look. Er blijkt bij veel vrouwen van nu behoefte aan de soepele, ongedwongen en ingetogen uitstraling van Chanels ontwerpen.'[29]

Chanel was weer terug van weggeweest – en hoe. Dat jaar introduceerde ze haar beroemde *tailleurs Chanel*. En in datzelfde jaar verscheen de Engelse uitgave van Schellenbergs memoires, *The Labyrinth*, met een inleiding door de Britse historicus Alan Bullock, die later een invloedrijke, door critici bejubelde biografie over Hitler schreef. In de memoires werd met geen woord over Chanel gerept.

Wederom kon Chanel een zucht van verlichting slaken.

Zoals het een modekoningin betaamt, werd Chanel door de dynamische, innovatieve Stanley Marcus uitgenodigd naar Dallas te komen. Marcus stond bekend om zijn buitengewoon dure aanbod in zijn winkel in Dallas. In zijn kerstcatalogus bood hij spullen aan 'voor hem en haar': bij elkaar passende badkuipen, vliegtuigen en miniatuurduikboten. In 1957 arriveerde Chanel in Dallas, waar ze de Neiman Marcus Award in ontvangst nam wegens haar 'Distinguished Service in the Field of Fashion' (buitengewone verdienste voor de mode). Ironisch genoeg was de directeur die Chanel naar Dallas vergezelde H. Gregory Thomas, inmiddels president van Chanel Parfums.

Chanel vond de Amerikaanse gewoontes ordinair, maar wilde niettemin een ranch in Texas bezoeken. Er werd een bezoek geregeld aan de Black Mark-ranch van Marcus' broer, compleet met een diner in westernstijl en een Bronco-show met lasso werpen.

Helaas bleek Chanel niet van het western-eten te houden, dus leegde ze haar bord met gebarbecued vlees en bonen onder de tafel – boven op het stijlvolle satijnen muiltje van een andere gast, Elizabeth Arden, die naast haar zat. Coco had weer toegeslagen.[30]

Chanel keerde via New York naar Parijs terug. Daar werd ze geïnterviewd door een verslaggeefster van *The New Yorker* in het Waldorf Astoria aan Park Avenue. De verslaggeefster vond haar 'er sensationeel uitzien met haar donkerbruine ogen, stralende glimlach en vitaliteit van een twintigjarige, die bij een stevige handdruk zei: *"I'm très, très fatiguée."* Ze had het zelfvertrouwen van een vrouw die weet dat ze het zich kan permitteren dat te zeggen.'[31]

En er zouden nog meer loftuitingen komen. Jaren later kwam de Broadway-producent Frederick Brisson met het voorstel voor een musical, *Coco*, met Katharine Hepburn in de titelrol. Alles kwam bij elkaar

De beroemde trap van de Rue Cambon, nagebouwd voor de Broadway-musical Coco, *met Katharine Hepburn, 1970. De Chanel-pakjes* (tailleurs) *die de actrices droegen, waren authentieke Chanel-ontwerpen.*

toen Hepburn een paar dagen met Chanel in Parijs doorbracht. De actrice vertelde later dat ze op haar bezoek aan Parijs per ongeluk Chanels middagslaapje verstoorde. 'Ik verliet Parijs in de overtuiging dat ik Chanel kon spelen,' zei Hepburn.[32]

Hoe ongelooflijk het ook lijkt, ergens na 1962 nam Chanel, op negenenzeventigjarige leeftijd, een nieuwe minnaar. François Mironnet was een vrijgezel toen Chanel hem als butler in dienst nam. Hij schijnt op Bendor, de hertog van Westminster, te hebben geleken. Volgens Lilou Marquand Grumbach, een goede vriendin en assistent van Chanel, was het 'praktisch liefde op het eerste gezicht'.[33] Mironnet werd al snel haar ka-

Chanel, met bril, kijkt naar een modeshow vanaf haar wenteltrap in de Rue Cambon.

meraad en vertrouweling. Hij bood haar zijn arm als ze hulp nodig had op de trap en herinnerde haar eraan haar medicijnen in te nemen. Als beloning voor zijn trouw leerde Chanel hem sieraden te ontwerpen.[34] Hij zat vaak naast haar aan haar eigen tafel in de eetzaal van de Ritz. Ze negeerde de dertig jaar leeftijdsverschil en werd verliefd op François, vertelt Grumbach, die het stel elke dag samen zag. Volgens haar vroeg Chanel hem ooit met haar te trouwen.[35]

Janet Wallach, een van Chanels biografen, had er een andere kijk op: volgens haar was Chanel bang voor de eenzaamheid. 'In de laatste fase van haar leven omgaf ze zichzelf met vrouwen (...) ze ruilde haar mannelijke minnaars, zo geloofde de modewereld, in voor vrouwen. Haar jonge, bloedmooie mannequins, sommigen lesbisch, allemaal gemodelleerd naar haar beeltenis, werden het onderwerp van haar genegenheid.'[36] Chanel was eenvoudigweg eenzaam, en hoewel ze misschien met haar beeldschone mannequins heeft geflirt, was ze wanhopig op zoek naar gezelschap. Ze had een man aan haar zij nodig, en François Mironnet was haar laatste mannelijke vriend.

Claude Delay, een Franse schrijver en psychoanalyticus en een goede vriend van Chanel, had er weer een ander idee over. Chanels vele liefdesaffaires, haar bevliegingen, haar hofmakerijen aan het adres van François Mironnet had ze zelf al voorspeld: 'Welke leeftijd ze ook heeft, een vrouw van wie niet gehouden wordt is verloren – zonder liefde kan ze net zo goed dood zijn.'[37] Naarmate ze ouder werd, werden haar uitspraken milder. Maar ze was nog steeds overdonderend.

Chanel poseerde voor *Vogue* in een van haar kenmerkende pakjes, met een bontje en een pillbox. Ondanks het zorgvuldige werk van haar persoonlijke *maquilleuse* zag ze er op eenentachtigjarige leeftijd uit als een blaadje aan een verlepte boom – en nu nog afhankelijker van haar avondinjectie morfine dan ooit. Tien maanden voor haar dood fotografeerde Cecil Beaton Chanel, en daar was die blik weer, die 'permanente allure'.[38]

Een bekronend moment voor Chanel kwam acht maanden voor haar dood. Claude Pompidou, de echtgenote van de Franse president Georges Pompidou, was al jarenlang een klant en bewonderaar van Chanel. In juni 1970 nodigde ze de ontwerpster uit voor een diner in de presidentiële woning in het Élysée-paleis. Als je biograaf Pierre Galante moet geloven zou Chanel na de ontvangst hebben opgemerkt: 'In mijn tijd nodigde je je kleermaakster niet uit voor een diner.'[39]

Gabrielle 'Coco' Chanel overleed in haar appartement in de Ritz op de avond van 10 januari 1971. Bij haar was Jeanne, haar kamermeisje. Haar laatste woorden waren: 'Nou, zo is het dus om dood te gaan.'[40]

Even voor zeven uur in de koude ochtend van donderdag 13 januari werd een gesloten kist met Chanels lichaam de schitterende La Madeleine binnengedragen, een kerk op een paar minuten lopen van de Rue Cambon en Hôtel Ritz. Het was nog donker. In Parijs was het nog zo goed als stil. Rond negen uur kwamen de genodigden de kerk binnen: Lilou Marquand Grumbach aan de arm van Salvador Dalí, zes van Chanels mannequins in Chanel-mantelpakjes, haar oude vrienden Serge Lifar en lady Abdy en een keur aan concurrenten van Chanel, onder wie Yves Saint Laurent en Marc Bohan van Dior. Luchino Visconti had twee kransen van rode rozen gestuurd.

Na de mis werd de kist in de lijkwagen, een Renault, geplaatst en naar Lausanne gereden, waar Chanel een marmeren grafkelder had gereser-

Op deze schets van Cecil Beaton is Chanel bij een mannequin in
de weer met een schaar.

veerd met vijf leeuwenkoppen en een eenvoudig kruis met haar naam
erop.

Chanels fortuin, dat beheerd werd door het COGA-fonds onder leiding
van haar nicht Gabrielle Palasse Labrunie en Zwitserse advocaten, werd
bij haar dood geschat op tien miljoen dollar, ofwel een slordige vierenvijftig miljoen dollar in 2010. Bijna iedereen wilde er een deel van.

Op de derde woensdag van maart 1973 verscheen de vroegere butler
van Chanel – de man die haar laatste minnaar zou zijn geweest, François
Mironnet – voor de rechter bij de hoogste civiele rechtbank van Parijs.
Mironnet eiste een deel van Chanels fortuin op. Als bewijs voerde hij
een brief van Chanel aan, waarin zij Mironnet een bedrag van één miljoen dollar had nagelaten, evenals haar onroerend goed in Lausanne en
haar juwelen.[41] Zijn eis werd aangevochten door Chanels Zwitserse ad-

Claude Pompidou, de vrouw van de Franse president, was een vaste klant van Coco Chanel. Hier ziet u haar in Maison de Chanel in 1962.

vocaten en een vertegenwoordiger van de Union de Banques Suisses in opdracht van Gabrielle Labrunie.[42] Mironnets claim werd echter gesteund door een aantal Parijse beroemdheden, waaronder Jean Cau, de voormalige secretaris van Jean-Paul Sartre en een bekroond schrijver voor *L'Express*, *Le Figaro* en *Paris Match*; Jacques Chazot, een vriend van Chanel en een bekende danser; en Chanels 'gezelschapsdame en secretaresse, Lilou Marquand Grumbach'.[43] Lilou beweerde dat Chanel de brief waarin stond dat Mironnet het fortuin zou erven, in mei 1968 aan haar had voorgelezen.[44] Nadat het document als bewijsstuk aan de rechter was overhandigd, werd het door Zwitserse deskundigen als 'vervalst' bestempeld en door Franse experts als 'authentiek'.[45]

Hoe het allemaal eindigde? De zaak werd buiten de rechter om geschikt volgens Gabrielle Labrunie, die er verder niet over uitweidde.[46]

Drie jaar later, in de avond van 24 maart 1976, overleed Dincklage, niet ver van Hitlers Adelaarsnest, waar de Führer in vroeger tijden de hertog en hertogin van Windsor had ontvangen. Twee van de laatste personen met wie Dincklage nog omging waren Hurberta von Dehn, een Beierse van adellijke komaf met wie hij in een dorp nabij Berchtesgaden, Schönau am Königssee, woonde, en een zekere Dr. Herbert Pfistere. Toen de laatste werd gevraagd wat hij zich van Dincklages laatste levensjaren wist te herinneren, antwoordde hij dat Dincklage hem had verteld dat hij een tijdje gevangen had gezeten na de oorlog en dat hij een SS-officier was geweest.

Dincklage werd gecremeerd in het naburige Salzburg.[47] Zijn as werd overgebracht naar Hannover, al meer dan honderd jaar de geboortegrond van de Dincklages. Daar, op een oorlogskerkhof aan een meer, werd zijn as ter aarde besteld naast de Hannoverse doden van twee wereldoorlogen en slachtoffers van de geallieerde bombardementen. Het was een passend einde voor een Duitse strijder, een man die zijn land gedurende meer dan veertig jaar en in twee wereldoorlogen had gediend.

Elf maanden later overleed Louis de Vaufreland op vijfenzestigjarige leeftijd in een villa buiten Parijs. De zeer goed betaalde Abwehr-agent uit het Parijs van de Tweede Wereldoorlog en Chanels naoorlogse Nemesis had na zijn vrijlating een zeer wisselende carrière. Hij was betrokken bij een aantal fraudezaken in Frankrijk en Ierland, waaronder een poging valse honderddollarbiljetten te verkopen en zich voor een politieagent uit te geven. In 1956 zat hij straffen uit in de gevangenissen van Fresnes en Santé.

In 1951 meldden bronnen van de Franse inlichtingendienst dat Vaufreland in de villa La Sauvageonne van Donald Maclean gezien was, in de buurt van Saint Maxime aan de Côte d'Azur. Dat was op hetzelfde moment dat Maclean en Guy Burgess, twee van de spionnen van de Cambridge Five, Engeland ontvluchtten en de wijk namen naar de Sovjet-Unie.

Gregory Thomas, de gepensioneerde president van Chanel Inc., stierf op vijfentachtigjarige leeftijd in Florida. Thomas, een onderscheiden oss-officier uit de Tweede Wereldoorlog en officier van de Franse Légion d'honneur, was ooit undercover gegaan als don Armando Guevaray Sotto Mayor om de familie Wertheimer in het bezette Frankrijk te helpen. Tegen de tijd dat hij met pensioen ging had hij meer dan dertig jaar

in verschillende hoge functies bij het bedrijf van de Wertheimers gewerkt. Als wijnliefhebber werd hij de stichter en grand maître van de
Commanderie de Bordeaux in de Verenigde Staten – een elitegroep van
liefhebbers van bordeauxwijnen.

Epiloog

En voor altijd zult gij dwalen
In de geest van deze betovering
— RALPH WALDO EMERSON, *WIDE WORLD* (CITAAT
VAN LORD BYRON, *MANFRED*)

In de herfst van haar leven werd Chanel gelauwerd om haar creatieve geest. André Malraux, een Franse historicus en een van de favoriete ministers van Charles de Gaulle, durfde zelfs te stellen dat 'uit deze eeuw in Frankrijk drie namen zullen blijven voortbestaan: De Gaulle, Picasso en Chanel'.[1]

De naam Chanel is om allerlei redenen wereldwijd een icoon gebleven. Een daarvan is de enorme aantrekkingskracht die ze als ontwerpster op koningshuizen en beroemde vrouwen heeft gehad. Tot de vrouwen die ze na haar comeback heeft gekleed en van parfum voorzien behoren Madame Georges Pompidou, de echtgenote van de Franse president, Jacqueline Kennedy, die een roze Chanel-pakje droeg op de dag dat haar man werd vermoord in Dallas, en de actrices Jeanne Moreau, Romy Schneider, Elizabeth Taylor en Marilyn Monroe, die beweerde dat Chanel No. 5 het enige was wat ze in bed droeg.

Jean Cocteaus kijk op Chanel is minder heroïsch: 'Ze kijkt je zacht aan, knikt, en je bent ter dood veroordeeld!'[2]

Twee visies: één heroïsch, één demonisch.

Pierre Reverdy, een romantische dichter en man met negentiende-eeuwse opvattingen, was van mening dat vrouwen zwak waren. Als ze verliefd waren, kwamen ze in de ban van de man en voerden zijn bevelen

Voor de film L'Année dernière à Marienbad *uit 1961 ontwierp Chanel dramatische kostuums met veren en kant voor hoofdrolspeelster Delphine Seyrig.*

uit. Hij hield intens veel van Chanel en wilde graag geloven dat Dinck-lage Chanel in zijn macht had gehad – 'Spatz was haar verdoemenis'.[3]

Reverdy wist hoe diep Chanels eenzaamheid en verdriet gingen, maar hij heeft nooit geweten hoe ver haar collaboratie in oorlogstijd ging. Hij had als een goede katholiek zijn weerzin over haar daden opzijgezet en haar vergeven voor haar zwakte en verwerpelijke samenwerking met de Duitsers. De katholieke dichter geloofde dat hij Chanel moest verlossen van haar schulden.

Voordat hij in 1960 op zeventigjarige leeftijd in de Abbaye Saint-Pierre, een benedictijnenklooster in Solesmes, stierf, sprak Reverdy zijn zegen over Chanel uit in een gedicht. De vastberaden, toegewijde ver-zetsman die tegen de Duitse bezetter en het Vichy-regime had gestre-den, die met vrienden had gebroken vanwege hun geheul met de nazi's, liet Chanel een laatste grafschrift na:

In de film Les Amants *van Louis Malle uit 1958 draagt hoofdrolspeelster Jeanne Moreau een 'little black dress' van Chanel.*

In de film Boccaccio '70 *uit 1962 van Luchino Visconti en drie andere regisseurs omringt Romy Schneider, gekleed in een klassiek mantelpakje van Chanel, zichzelf met dure snuisterijen, waaronder een flacon parfum Chanel No. 5.*

Lieve Coco, hier is
Het beste van mijn hand
En het beste van mij
Ik bied jou dit aan
Met mijn hart
Met mijn hand
Vóór ik naar
Het einde van de donkere weg ga
Veroordeeld
Vergeven
Weet dat je geliefd bent.[4]

Eindnoten

AFKORTINGEN

ADV: Archives départementales du Var

APP: Archives de la Préfecture de Police

ASM: Archives de la Ville de Sanary-sur-Mer

BCRA: Bureau Central de Renseignements et d'Action (Centraal Bureau voor Inlichtingen en Operaties)

BMT: Bibliothèque municipale de Toulon

BNA: British National Archives, Kew

BNF: Bibliothèque nationale de France

BRO: Berlin Registry Office (Bureau Burgerlijke Stand Berlijn)

CARAN: Centre d'Accueil et de Recherche des Archives Nationales

CHADAT: Centre Historique des Archives du Département de l'Armée de Terre, dossiers van het Deuxième Bureau, inlichtingendienst van het leger

EFP: Eidgenössische Fremdenpolizei (afdeling van de federale politie belast met vreemdelingenzaken), Bundesarchiv, Zwitserland

HRC: Harry Ransom Center, University of Texas, Austin

HRO: Hanover Registry Office (Bureau Burgerlijke Stand Hannover)

kew: British National Archives

LASH: Landesarchiv Schleswig-Holstein

MDN: Ministero della Difesa Nazionale, Rome

MVN: Mairie de la Ville de Nice

NARA: National Archives, Verenigde Staten

PVM: Paris-Var-Méditerranée

sb: Schweizerische Bundesanwaltschaft
ssf: Services spéciaux français
uswd: US War Department (Ministerie van Oorlog, Verenigde Staten)
vd: Vesna Drapac, 'A King is killed in Marseille...'
V1: Artikel in *Vendémiaire*: 'Gestapo über alles'
V2: Artikel in *Vendémiaire*: 'La fébrile activité...'
ZO: Zone d'ombres, 1933-1944, blz. 50-52

MOTTO BLZ. 6

1. Nederlandse vertaling Willy Courteaux. William Shakespeare, *Verzameld werk*. Amsterdam/Antwerpen: Meulenhoff/Manteau, 2007.

PROLOOG

1. Paul Morand, *The Allure of Chanel*, blz. 181.
2. Hebe Dorsey, 'Looking Back', *International Herald Tribune*, 26 september 1972.
3. Ibid.
4. Opmerking van Victoria Wilson, senior editor en vicepresident van Knopf, december 2010.
5. Robert O. Paxton, *Vichy France: Old Guard and New Order, 1940-1944*.
6. Milt Frudenheim, 'Chanel's Past Haunts Exhibit', *Salt Lake Tribune*, 29 september 1972.
7. Dorsey, *International Herald Tribune*, 26 september 1972.
8. Ibid.
9. Toen ik Chanel-biograaf Edmonde Charles-Roux in het voorjaar van 2009 op de hoogte bracht van mijn bevindingen en haar documenten van de Franse contra-inlichtingendienst toonde, gaf ze toe dat ze in 1974, toen ze de laatste hand legde aan haar Chanel-biografie (*L'Irrégulière*), misleid was door Chanels advocaat René de Chambrun, die haar had doen geloven dat Dincklage een playboy was.
10. *Boches* was het Franse woord voor 'moffen' tijdens de Eerste en Tweede Wereldoorlog.
11. Gabrielle Palasse Labrunie, telefonisch interview door de auteur, Yermenonville, Frankrijk, 8 november 2009.

12. Ousby, *Occupation*, blz. 310
13. CARAN Z/6/672 greffe 5559. Personeelsdocument Duitse Abwehr: *Personalalbogen, 159, Paris, den 9. Juni 1941*. Ook Shirer, *The Rise and Fall of the Third Reich*, blz. 1044.
14. *Annuaire de la Magistrature*, zonder paginanummer.
15. CARAN Z/6/672 greffe 5559. APP BA 1990. SSF. CARAN: een systeemkaart met de naam 'Gabrielle Chanel' en de vermelding 'art. 75 14787', hetgeen betekent dat 'een onderzoek naar Chanel is geopend onder de Franse strafwet, artikel 75: betrekkingen met de vijand'.
16. CARAN Z/6/672 greffe 5559.
17. SSF-document.
18. Ibid.; BNA, KV2/159, Ledebur-dossier.

1. METAMORFOSE – GABRIELLE WORDT COCO

1. Geciteerd in Sylviane Degunst, *Coco Chanel: Citations*, blz. 8 en 44.
2. Er bestaan talloze voorbeelden van de weggevallen 's' of andere letters in Franse achternamen en woorden, zoals in 'Surène' voor 'Suresne' en 'Quénel' voor 'Quesnel'. Chasnel was en is nog steeds een algemeen voorkomende Franse achternaam.
3. Edmonde Charles-Roux, *Chanel* (Londen, Jonathan Cape, 1976), blz. 40.
4. Marcel Haedrich, *Coco Chanel*, blz. 120.
5. Ibid.
6. Paul Morand, *The Allure of Chanel*, blz. 54-55.

2. DE GEUR VAN EEN VROUW

1. Arthur Gold en Robert Fizdale, *Misia*, blz. 26.
2. Ibid., blz. 38.
3. Ibid., blz. 4.
4. Ibid., blz. 197-198.
5. Morand, *The Allure of Chanel*, blz. 65.
6. Dit bedrag zou nu overeenkomen met 769 000 dollar. Henry Gidel, *Coco Chanel*, blz. 131.
7. Ibid.

8. Axel Madsen, *Chanel: A Woman of Her Own*, blz. 82.

9. Ibid.

10. Inflatieanalyse uit 2010 van de Union Bank of Switzerland.

11. Landesarchiv Schleswig-Holstein (LASH), Büro für Kriegsstammrollen, sw 29 (Berlijn, Duitsland): militaire regering van Duitsland, 'Fragebogen', ongedateerd document. Idem (Schleswig-Holstein): dossier 'Dincklage'.

12. U.S. War Department. *Histories of the German Army 1914-1918*, blz. 729.

13. Shirer, *Berlin Diary*, blz. XIII.

14. De officiële naam van de firma was Th. Momm & Co. Baumwoll-Spinnerei und Weberei (e-mail van Michael Foedrowitz aan de auteur, augustus 2008).

15. Militärregierung, US Army Military Government-dossiers, DET, 1.370, circa 1946. Momms lidmaatschapsnummer van de NSDAP wordt gegeven als: 4 428.309.

16. SSF doc. 814; Dincklage majoor in het leger – biografische informatie, Bundesarchiv Berlin.

17. Landesarchiv *Antrag* 'Request'. War Department Histories, 23565, Government Printing Office, Washington DC, 1920. Memoires in Zwitserse archieven.

18. CHADAT 7NN 2973.

19. Christian Ingrao onderzoekt de Völkische Mythe in *Croire et détruire – Les intellectuels dans la machine de guerre SS*.

20. SS-generaal Heinrich Himmler geciteerd in Robert G.L. Waite, *Vanguard of Nazism*, blz. 29. Dincklages band met het Vrijkorps is terug te vinden in Marcel Haedrich, *Coco Chanel*, blz. 137; Manfred Flügge, *Amer Azur: Artistes et écrivains à Sanary*, blz. 61: 'Van Sybille Bedford werd vernomen dat [Dincklage] betrokken was bij de liquidatie van Rosa Luxemburg in 1919.' Manfred Flügge, interview in Parijs door de auteur, 13 september 2009.

21. SSF, doc. 814.

22. MI6, Ledebur-dossier, BNA.

23. Chanel maakte in Venetië een periode van religieuze hartstocht door terwijl ze bad en rouwde om Boy Capel. Het was het begin van een levenslange gewoonte: het verzamelen van bidprentjes van katholieke heiligen – Thérèse de l'Enfant-Jésus, St.-Agatha, de Madonna des Oliviers, en een bidprentje van haar familie gewijd aan 'de gezegende Pierre Marie Louis Chanel (1803-1841)'. Ze bewaarde de prentjes in

een kleine portefeuille, samen met een handgeschreven briefje: 'Ik ben rooms-katholiek en verzoek in geval van een ernstig ongeval of transport naar het ziekenhuis om een katholieke priester aan mijn bed. Mocht ik sterven, dan verzoek ik de zegen van de katholieke Kerk.' Was getekend: Chanel, 31 Rue Cambon, Parijs. Toen Chanel in 1971 overleed, werd de portefeuille in haar handtas aangetroffen, samen met foto's van haar neef André Palasse en diens twee kleindochters. Isabelle Fiemeyer, *Coco Chanel: Un parfum de mystère*, blz. 65-66.

24. Galante, *Mademoiselle Chanel*, blz. 50.

25. Ibid., blz. 51.

26. Ibid., blz. 64.

27. Ibid., blz. 54.

28. Madsen, *Chanel: A Woman of Her Own*, blz. 116.

29. Uit Chanels citaten, gezegden en bon mots zoals gevonden op Citations Chanel: http://www.citation-du-jour.fr

30. Gold en Fizdale, *Misia*, blz. 230.

31. Morand, *L'Allure de Chanel*, blz. 32.

32. Galante, *Mademoiselle Chanel*, blz. 60.

33. Pierre Assouline, *Simenon: A Biography*, blz. 73.

34. Galante, *Mademoiselle Chanel*, blz. 2.

35. Ibid., blz. 62.

36. Wallach, *Chanel: Her Style and Her Life*, blz. 42.

37. Fiemeyer, *Coco Chanel: Un parfum de mystère*, blz. 87.

38. Edmonde Charles-Roux, *Chanel*, blz. 220.

39. Charles-Roux, *Chanel*, blz. 224. De manuscripten worden tegenwoordig bewaard in het Franse Yermenonville, in de woning van Gabrielle Labrunie.

40. In de nacht van 16 december 1916 slaagden twee mannen er met de hulp van Britse geheim agenten in Raspoetin te vergiftigen. Ze bewerkten hem daarna met knuppels, maar de 'heilige monnik' ging maar niet dood. Zijn belagers maakten de klus af met geweerschoten en gooiden de halfdode monnik in het ijskoude water van de Neva, waar hij aan onderkoeling overleed. Dimitri Pavlovitsj werd er later van verdacht de schoten te hebben gelost.

41. Gidel, *Coco Chanel*, blz. 171.

42. Madsen, *Chanel: A Woman of Her Own*, blz. 135.

43. Galante, *Mademoiselle Chanel*, blz. 146.

44. Ibid.

45. Haedrich, *Coco Chanel: Her Life, Her Secrets*, blz. 156.
46. APP BA 1990.

3. COCO'S GOUDEN HERTOG

1. Franse *Vogue*, maart 2009, blz. 295.
2. Paul Morand, *The Allure of Chanel*, blz. 157.
3. Ibid., blz. 186.
4. Claude Delay, *Chanel solitaire*, blz. 125. Janet Wallach, *Chanel: Her Style and Her Life*, blz. 2. Delay, een gerenommeerde Franse psychoanalyst en bekroond auteur, is de enige Chanel-biograaf die deze anekdote over Chanel en de kroonprins vertelt. Hoewel het een van de vele verzinsels van Chanel kan zijn, is haar kortstondige affaire met de prins in 2010 tegenover de auteur bevestigd door Edmonde Charles-Roux.
5. Charles-Roux, *Chanel*, blz. 249-250.
6. Chanel tegen haar vriendin, de Russische vluchtelinge en ontwerpster lady Iya Abdy, in Field, *Bendor, the Golden Duke of Westminster*, blz. 183.
7. Galante, *Mademoiselle Chanel*, blz. 96-99.
8. APP BA 1990.
9. Delay, *Chanel solitaire*, blz. 126.
10. Field, *Bendor, the Golden Duke of Westminster*, blz. 184.
11. Morand, *The Allure of Chanel*, blz. 158.
12. Ridley, *Bend'Or, Duke of Westminster*, blz. 74.
13. Churchill en Bendor vochten zij aan zij in de Boerenoorlog. Ze vochten in 1918 samen aan het westelijk front met de prins van Wales.
14. Charles-Roux, *L'Irrégulière*, blz. 417-418.
15. Homoseksuele activiteit was in 1931 strafbaar in Engeland. De zevende graaf van Beauchamp was drager van de Orde van de Kousenband en droeg in 1910 het Rijkszwaard bij de kroning van koning George V. Hij was een steunpilaar van de anglicaanse kerk en het Hogerhuis en kreeg samen met lady Lettice zeven kinderen. De affaire maakte een eind aan zijn carrière. Beauchamp vluchtte naar Frankrijk; lady Lettice, met wie hij negentwintig jaar getrouwd was geweest, scheidde van hem. De reactie van de koning op Beauchamps gedragingen was: 'Ik dacht dat zulke mannen zichzelf neerschoten' en 'Ik dacht dat zo-

iets alleen in het buitenland voorkwam'. Lady Lettice, volkomen van streek, kreeg een 'zenuwinzinking' en ging bij haar broer wonen. Ze beweerde tegenover Bendor dat ze nog nooit van homoseksualiteit had gehoord en niet begreep waar haar broer het over had. Field, *Bendor, the Golden Duke of Westminster*, blz. 244-247.

16. Morand, *The Allure of Chanel*, blz. 136-138.

17. Wallach, *Chanel: Her Style and Her Life*, blz. 72.

18. Ibid., blz. 75.

19. Chanel was verslaafd aan Camel-sigaretten, volgens Gabrielle Palasse Labrunie. Interview door de auteur in Yermenonville, Frankrijk, 9 juni 2009.

20. Foto in Edmonde Charles-Roux, *Le Temps Chanel*, blz. 244.

21. Justine Picardie, *Coco Chanel*, blz. 166.

22. Field, *Bendor, the Golden Duke of Westminster*, blz. 184-185.

23. Haedrich, *Coco Chanel*, blz. 124.

24. Sir Winston Churchill Archive Trust, CHAR 2157.

25. Churchill refereert misschien aan het feit dat Vera in de Eerste Wereldoorlog samen met mevrouw Churchill als verpleegster aan het westelijk front had gediend. Field, *Bendor, the Golden Duke of Westminster*, blz. 201.

26. Ibid.

27. Wallach, *Chanel: Her Style and Her Life*, blz. 166.

28. Galante, *Mademoiselle Chanel*, blz. 95.

29. Field, *Bendor, the Golden Duke of Westminster*, blz. 201.

30. Foto in Wallach, *Chanel: Her Style and Her Life*, blz. 82.

31. Galante, *Mademoiselle Chanel*, blz. 116. NB: Charles-Roux zegt dat Chanel haar eigen geld gebruikte: Charles-Roux, *Chanel*, blz. 255.

32. Galante, *Mademoiselle Chanel*, blz. 120.

33. Ibid., blz. 141.

34. Ibid., blz. 111.

35. Field, *Bendor, the Golden Duke of Westminster*, blz. 185.

36. Ibid., blz. 207.

37. Roger Peyrefitte, *Les Juifs*, blz. 71-72.

38. APP BA 1990, Chanel-dossier

39. Ibid.

40. Morand, *L'Allure de Chanel*, blz. 192.

41. Edmonde Charles-Roux, *L'Irrégulière*, blz. 458.

42. Marcel Haedrich, *Coco Chanel: Her Life, Her Secrets*, blz. 130.

43. Henry Gidel, *Coco Chanel*, blz. 237-238.
44. Ibid., blz. 238.
45. Ibid., blz. 240.
46. Gold en Fizdale, *Misia*, blz. 240.
47. Haedrich, *Coco Chanel*, blz. 205.
48. Field, *Bendor, the Golden Duke of Westminster*, blz. 225.
49. Galante, *Mademoiselle Chanel*, blz. 113-114.
50. Betrouwbare bronnen en biograaf Edmonde Charles-Roux (*L'Irrégulière*, blz. 545) melden dat Dincklage en zijn vrouw vanaf 1928 aan de Côte d'Azur woonden. Volgens bronnen bij de Franse politie en contra-inlichtingendienst was het stel in 1929 Frankrijk binnengekomen.
51. CHADAT 7NN 2620.
52. Marje Schuetze-Coburn, Bill Dotson, Michaela Ullmann, *Against the Eternal Yesterday – Essays commemorating the Legacy of Lion Feuchtwanger*, blz. 26.
53. CHADAT 7NN 2620.
54. De Abwehr gebruikte vaak agenten van joodse komaf. Joods-zijn was een goede dekmantel en de Abwehr kon dreigen met represailles tegen de familie van de agent in Duitsland. Joden werkten mee met de inlichtingendiensten uit vaderlandsliefde of, na 1933, om zichzelf en hun familie te beschermen tegen vervolging door de nazi's.
55. De Duitse Abwehr-officieren Ledebur en Feihl verklaarden dat Maximiliane aandelen had in I.G. Farben. Auteur Sybille Bedford, Catsy's halfzuster, meldt dat de moeder van Catsy een eigen vermogen had.
56. Duitse archieven in Berlijn, 1929: 'Dincklage', blz. 139.
57. CHADAT 7NN 2973.
58. Ibid. 17 november 1934.
59. Sybille Bedford Papers, HRC, Doos 46-1, juli 1932.
60. Jacques Grandjonc en Theresia Grundtner, *Zones d'ombres, 1933-1944: Exil et internement d'Allemands et d'Autrichiens dans le sud-est de la France*, blz. 50-52.
61. Ibid.
62. CHADAT 7NN 2973.
63. Warschau: Archiwum Akt Nowych; Du Plessix Gray, *Them*, blz. 136.

1. Samuel Goldwyn.
2. Veertien miljoen dollar berekend aan de hand van de Consumer Price Index.
3. Meredith Etherington-Smith, *Patou*, blz. 121-130.
4. Beth Moore, 'Two for the Runway', *Los Angeles Times*, 4 mei 2005.
5. In een telefoongesprek met de auteur op 6 september 2009 bevestigde Gabrielle Palasse Labrunie dat Chanel Hollywood 'vulgair' vond. Ook: Edmonde Charles-Roux, *L'Irrégulière*, blz. 474-475.
6. Delay, *Chanel solitaire*, blz. 149.
7. *Vogue*, geciteerd in Meredith Etherington-Smith, *Patou*, blz. 115.
8. 'Mlle Chanel to Aid Films', *New York Times*, 20 januari 1931.
9. Arthur Gold en Robert Fizdale, *Misia*, blz. 247-257.
10. Ibid.
11. Ibid., blz. 231.
12. Francis Steegmuller, *Cocteau: A Biography*, blz. 389.
13. De Serts hadden het Franse episcopaat samen verzocht hun huwelijk nietig te verklaren. Roussy zou in 1938 sterven aan tuberculose en de Serts zouden elkaar weer vinden. Gold en Fizdale, *Misia*, blz. 281, 303-312, 332 en 335.
14. 'Chanel Visits America', *New York Times*, 8 maart 1931.
15. Ibid.
16. Ibid.
17. Ibid.
18. 'If Blonde, Use Blue Perfume, Says Chanel', *Los Angeles Examiner*, 17 maart 1931.
19. Galante, *Mademoiselle Chanel*, blz. 159-161.
20. Ibid.
21. Ibid.
22. Paul Morand, *L'Allure de Chanel*, blz. 59.
23. *Sunday Express* (Londen), 21 februari 1932, geciteerd in Pierre Galante, *Mademoiselle Chanel*, blz. 162.
24. Charles-Roux, *Chanel*, blz. 269-270.
25. Madsen, *Chanel: A Woman of Her Own*, blz. 194.

1. Pierre Galante, *Mademoiselle Chanel*, blz. 164.

2. Toen Boy Capel besefte dat Chanel een bril nodig had om haar loensen te corrigeren, maakte hij een afspraak voor haar bij een specialist. Chanel weigerde niettemin een bril te dragen. Janet Wallach, *Chanel: Her Style and Her Life*, blz. 104.

3. Madsen, Chanel: *A Woman of Her Own*, blz. 197.

4. Marcel Haedrich, *Coco Chanel: Her Life, Her Secrets*, blz. 236-237.

5. Janet Flanner, '31 Rue Cambon', *The New Yorker*, 14 maart 1931, blz. 25.

6. Ibid.

7. Galante, *Mademoiselle Chanel*, blz. 149.

8. Wallach, *Chanel: Her Style and Her Life*, blz. 87-92.

9. Madsen, *Chanel: A Woman of Her Own*, blz. 109.

10. Galante, *Mademoiselle Chanel*, blz. 166.

11. Robert S. Wistrich, *Who's Who in Nazi Germany*, blz. 78.

12. Ibid., blz. 29.

13. De Abwehr, afgeleid van het Duitse *abwehren* (afweren, pareren), was de inlichtingen- en contra-inlichtingendienst (spionage- en contra-spionagedienst) van de Reichswehr, later de Wehrmacht (het Duitse leger) onder Hitler. David M. Crowe, *Oskar Schindler*, blz. 15.

14. CHADAT 7NN 2973.

15. Ibid.

16. Manfred Flügge, *Amer Azur: Artistes et écrivains à Sanary*, blz. 61-62, en uit Flügges interview met Sybille Bedford in het Engelse Chelsea in januari 2000. In Edmonde Charles-Roux, *L'Irrégulière*, blz. 556, staat dat Dincklage Chanel en zijn vele andere minnaressen 'fysieke bevrediging' bood.

17. In hun boek *Zones d'ombres* onthullen Jacques Grandjonc en Theresia Grundtner dat een Franse marineofficier, Charles Coton, in 1930 in Sanary bevriend raakte met de Dincklages en dat Dincklage bekendstond als Duits agent. Voor Charles Coton, zie Jacques Grandjonc en Theresia Grundtner, *Zones d'ombres, 1933-1944: Exil et internement d'Allemands et d'Autrichiens dans le sud-est de la France*, blz. 50-52. Voor Gaillard, zie CHADAT 7NN 2973.

18. De verhuiswagens waren gehuurd bij de firma Gustav Knauer, Wichmannstrasse 62. De Dincklages verhuisden naar 64 Rue Pergolèse.

19. Brief van Dincklage aan Herr Goersch, ca. 1958; brieven 1961; PAdAA document 681/5, 3 oktober 1933.

20. CARAN F/7/15327 'Feihl Statement', PAdAA, dossier Deutsche Botschaft.

21. Ibid.

22. CHADAT 7NN 2737.

23. Ibid.

24. Ibid.

25. Ibid.

26. Ibid.

27. Charles-Roux, Chanel, blz. 290.

28. Le Témoin, 24 februari 1933, zonder paginanummer.

29. Charles-Roux, Chanel, blz. 290-291.

30. Ibid.

31. Gabrielle Palasse Labrunie, telefonisch interview door de auteur, 7 september 2009.

32. Isabelle Fiemeyer, Coco Chanel: Un parfum de mystère, blz. 108. Sedol, een sterk Frans kalmeringsmiddel, werd door Theraplix gemaakt en bevatte morfinehydrochloride.

33. Wallman/Wartell/Crosby, 'My Woman', opgenomen door Ted Lewis en zijn band, Columbia Records 2635-D. Chanel zong het terwijl ze in de auto rondreed met Gabrielle Palasse Labrunie. Telefonisch interview met Labrunie, 6 september 2009.

34. Randolph Churchill, 'Mlle Chanel's Tribute', Daily Mail, 20 juni 1934.

35. William L. Shirer, Berlin Diary, blz. 21.

36. CHADAT 7NN 2719.

37. BNA: brief op briefpapier van de Britse ambassade in Berlijn, 3 januari 1935.

38. Wistrich, Who's Who in Nazi Germany, blz. 38.

39. Allard, Quand Hitler espionne la France, blz. 38-50.

40. Ledebur-dossier, SSF. Ledebur noemden de twee vrouwen 'de zussen Joyce'.

41. Archief Duits ministerie van Buitenlandse Zaken, 1934.

42. Ibid.

43. CHADAT 7NN 2973. Het rapport vermeldt dat er foto's van Dincklage en Lucie Braun zijn toegevoegd, maar alleen de foto van Braun bevindt zich nog in het dossier.

44. Telegram van 2 december 1935. Chartwell Trust.

45. CHADAT 7NN 2973.

46. Ibid.

47. Ibid. Aga Baltic was de Zweedse fabrikant van een superheterodyne radio-ontvanger uit 1938. 'Le Grand Livre de la TSF' (oude radio's), http://www.doctsf.com/grandlivre/index.php.

48. Ibid.

49. Ibid. Was getekend: Le Capitan Adjoint, Paillole. Paul Paillole was 'een van de bekendste figuren in de Franse contraspionagedienst tijdens de oorlog. Hij was een hoge inlichtingenofficier voor de Vrije Fransen en een vooraanstaand lid van de Franse Résistance. Douglas Porch, *The French Secret Services: From the Dreyfus Affair to the Gulf War*, blz. 44. Toen de Duitsers Frankrijk bezetten, werden alle uitzettingsprocedures tegen Duitsers bevroren. Het duurde tot 1947 voordat de Fransen Hans Günther von Dincklage en zijn vrouw Maximiliane op legale wijze konden uitwijzen.

50. CHADAT 7NN 2973.

51. Ibid. Het rapport noemt vervolgens zeven nummerborden, waaronder Duitse, Italiaanse en Britse. Dincklages eigen auto stond geregistreerd in Monaco. Het rapport vermeldt niet welk type auto Dincklage had.

52. Dessoffy's volledige naam luidde: gravin Dessoffy de Czerneck et Tarko, geboren Bonneau du Chesne de Beauregard. CHADAT 7NN 2650.

53. CHADAT 7NN 2973.

54. Ibid.

55. Ibid.

56. Ibid.

57. SSF-dossier: 'Dincklage'. Na de Duitse inval in Frankrijk was Maximiliane von Dincklage een van de vele Duitse staatsburgers die uit het kamp Gurs werden vrijgelaten. Ze zou de rest van de oorlog in het bezette Parijs wonen. Haar familie geloofde ten onrechte dat ze als jodin wellicht verplicht was de gele davidster te dragen. Familie Schoenebeck, interview door researchassistente Sally Gordon-Marks, Hinterstoder, Oostenrijk, 3 juli 2009.

58. Marcel Haedrich, *Coco Chanel: Her Life, Her Secrets*, blz. 148.

59. Gabrielle Palasse Labrunie, interview door de auteur, 18 mei 2009.

60. Pierre Lazareff, *Deadline: The Behind the Scenes Story of the Last Decade in France*, vertaald door David Partridge, 1942, blz. 110.

61. Pierre Lazareff, bijgenaamd 'Pierre met de bretels', was een grote

naam in de Franse pers (1931). Hij was redacteur van *Paris-Soir* en later de oprichter van *France Soir* (in 1970 goed voor een oplage van twee miljoen exemplaren) en een tv-persoonlijkheid.

62. Lazareff, *Deadline: The Behind the Scenes Story of the Last Decade in France*, blz. 100, 111 en 117.

6. EN TOEN KWAM DE OORLOG

1. Pablo Picasso, *New York Review of Books*, 25 nov.-8 dec. 2010, blz. 27.
2. Shirer, *Berlin Diary*, blz. 6-8.
3. Roulet, *Ritz: A Story That Outshines the Legend*, blz. 99.
4. Edmonde Charles-Roux, *L'Irrégulière*, blz. 524.
5. Gabrielle Palasse Labrunie, telefonisch interview door de auteur, 28 april 2009.
6. Charles-Roux, *Chanel*, blz. 298.
7. Gabrielle Labrunie, interview door de auteur, Yermenonville, Frankrijk, 27 april 2009; Leslie Field, *Bendor, the Golden Duke of Westminster*, blz. 262.
8. Wallach, *Chanel: Her Style and Her Life*, blz. 19.
9. Ibid., blz. 112.
10. Galante, *Mademoiselle Chanel*, blz. 169.
11. Charles-Roux, *Chanel*, blz. 304.
12. Madsen, *Chanel: A Woman of Her Own*, blz. 220.
13. Ibid, blz. 221.
14. Charles-Roux, *Chanel*, blz. 302.
15. Clare Boothe Luce, *Europe in the Spring*, blz. 61, 63 en 126.
16. Charles-Roux, *Chanel*, blz. 305.
17. Haedrich, *Coco Chanel: Her Life, Her Secrets*, blz. 142.
18. Edmonde Charles-Roux, interview door de auteur, Parijs, 21 april 2009.
19. Field, *Bendor, the Golden Duke of Westminster*, blz. 265.
20. ADGMD, persoonlijke dossiers, Lombardi, Alberto, Nr. B728.
21. Archivio centrale dello Stato (ACS). Met de hand geschreven brief van Lombardi aan de minister van Justitie over zijn echtgenote Vera Bate: timbro della SPD 12.8.41, data in alto 23.8.41, n. 111684 A4-24.8.41.
22. ACS, ministerie van Binnenlandse Zaken, Envelop 216, rapport Vera Lombardi.

23. Ibid.
24. Gabrielle Palasse Labrunie, interview door de auteur, Yermenonville, Frankrijk, 27 april 2009.
25. Galante, *Mademoiselle Chanel*, blz. 141.
26. Ibid., blz. 141.
27. Charles-Roux, *L'Irrégulière*, blz. 536-537.
28. Ibid., blz. 535.
29. Ibid., blz. 533-534.
30. Ibid., blz. 534.
31. Paul Morand, *L'Allure de Chanel*, blz. 206.
32. Het artikel, 'Gems of Far East Blend with Gowns' van Kathleen Cannell, verscheen pas op 6 mei 1940 in de *New York Times*.
33. Gidel, *Coco Chanel*, blz. 292-293.
34. Ibid., blz. 302.
35. Roulet, *Ritz: A Story That Outshines the Legend*, blz. 106-107.
36. 'Half-Year Mark', *Time*, 11 maart 1940.
37. 'GERMANY: To Paris', *Time*, 20 mei 1940, blz. 32.
38. Ousby, *Occupation*, blz. 6. Anders gezegd: als de Franse oorlogsdoden van 1914-1918 waren herrezen en in een gewoon tempo onder de Arc de Triomphe door waren gemarcheerd, hadden ze daar elf dagen en elf nachten voor nodig gehad.
39. Ousby, *Occupation*, blz. 22.
40. Ibid., blz. 14.
41. Michael Bloch, *The Secret File of the Duke of Windsor: The Private Papers, 1937-1972*, blz. 149.
42. Roulet, *Ritz: A Story That Outshines the Legend*, blz. 103-104.
43. A.P.H. in *Punch*, Londen, 14 februari 1940, geciteerd in het voorwoord van Luce, *Europe in the Spring*.
44. 'Half-Year Mark', *Time*, 11 maart 1940.
45. Roulet, *Ritz: A Story That Outshines the Legend*, blz. 109.
46. Zwitsers Nationaal Archief: N7811B.A.6.
47. Ibid. Kentekenbewijs L 878995.
48. CHADAT 7NN 2650.
49. Du Plessix Gray, *Them*, blz. 170.
50. CHADAT 7NN 2650.
51. Edmonde Charles-Roux, interview door de auteur, Parijs, 21 april 2009.
52. ADV 158W848.
53. Schweizerisches Bundesarchiv: rapport van de politie van Lugano, ge-

dateerd 1 december 1939 en ondertekend door 'Botta'. In 1939 was het illegaal om in Zwitserland te verblijven zonder voorafgaande toestemming van het Zwitserse federale of kantonale gezag. Strenge wetten dwongen vreemdelingen zich ofwel bij een hotel, ofwel bij de plaatselijke politie te laten registreren. De registratieformulieren werden iedere avond door een politiefunctionaris verzameld en naar het centrale Zwitserse registratiekantoor gestuurd voor routinecontrole. Ongewenste vreemdelingen konden direct worden beboet en uitgezet.

54. Ibid.

55. Schweizerisches Bundesarchiv, Police de Sûreté, 24 november 1939.

56. Ibid.

57. ssf-documenten.

58. Uit een samenvatting van door Michael Foedrowitz vertaalde documenten, 2009, gevonden in het Zwitsers Nationaal Archief.

59. NARA Waag, geheim, 26 januari 1946, samenvatting U.S. Forces. Schweizerisches Bundesarchiv, rapport 24 november 1939.

60. 'GERMANY: To Paris', *Time*, 20 mei 1940, blz. 32.

61. William L. Shirer, *Berlin Diary*, blz. 332-333.

62. Ibid., blz. 335.

63. Ibid., blz. 385.

64. *Harper's Bazaar*, oktober 1939.

65. Boothe Luce, *Europe in the Spring*, blz. 230.

7. PARIJS BEZET – CHANEL VLUCHTELING

1. Charles-Roux, *Chanel*, blz. 265.

2. Will Brownell en Richard N. Billings, *So Close to Greatness: A Biography of William C. Bullitt*, blz. 255.

3. William L. Shirer, *Berlin Diary*, blz. 412-413.

4. Vier miljoen vluchtelingen trokken in juni 1940 over de Franse wegen. Vaughan, FDR's *Twelve Apostles*, blz. 28.

5. 'Foreign News', *Time*, 17 juni 1940, blz. 32.

6. 'Foreign News', *Time*, 1 juli 1940, blz. 25.

7. Gabrielle Palasse Labrunie, interview door de auteur, Yermenonville, Frankrijk, 27 april 2009.

8. Ousby, *Occupation*, blz. 63; Montagnon, *La France dans la guerre de 39-45*, blz. 179.

9. Labrunie gebruikte Chanels woord voor 'verraad', *trahison*. Labrunie-interview, 27 april 2009.

10. Ian Ousby, *Occupation*, blz. 63.

11. Montagnon, *La France dans la guerre de 39-45*, blz. 187.

12. In mei en juni 1940 had het Franse leger in zes weken tijd 120 000 gewonden en 120 000 doden te betreuren. De Duitsers hadden een verlies van 45 000 man geleden, de Belgen van 7500 man, de Nederlanders van 2900 en de Britten van 6800. Montagnon, *La France dans la guerre de 39-45*, blz. 207.

13. Marcel Haedrich, *Coco Chanel: Her Life, Her Secrets*, blz. 144.

14. Shirer, *Berlin Diary*, blz. 422.

15. Ibid., blz. 79-81.

16. Thomas Wieder, 'Découverte du projet de "statut des juifs"', *Le Monde*, 5 oktober 2010, blz. 10.

17. Labrunie-interview, 19 mei 2009.

18. Katharina en de meisjes kwamen erachter dat André van de Maginotlinie weg had kunnen komen. Zijn eenheid van vier man had samen één fiets gedeeld. Toen het Andrés beurt was voor de fiets, had hij gemakkelijk kunnen vluchten, maar hij gaf hem aan een kameraad, die een paar uur voor de linie zich overgaf wist weg te komen. Toen de man thuiskwam, schreef hij Mme Palasse en vertelde haar van Andrés daad en zijn waarschijnlijke gevangenneming door de Duitsers.

19. André-Louis Dubois, *À travers trois Républiques*, blz. 56-60.

20. Haedrich, *Coco Chanel: Her Life, Her Secrets*, blz. 143.

21. Allan Mitchell, *Nazi Paris: The History of an Occupation, 1940-1944*, blz. 13-14.

22. Frederic Spotts, *The Shameful Peace: How French Artists and Intellectuals Survived the Nazi Occupation*, blz. 33.

23. Voor beschrijvingen van de Duitse bezetter in Parijs, 1940, zie foto's en tekst David Pryce-Jones, *Paris in the Third Reich*, blz. 3-29.

24. Francine du Plessix Gray, *Them*, blz. 218.

25. CHADAT 7NN 2973. In de Britse Nationale Archieven in Kew en de nationale archieven van Frankrijk liggen BCRA-documenten (van de inlichtingendienst van generaal De Gaulle) over Dincklage als Abwehragent in Frankrijk.

26. Labrunie-interview, 18 mei 2009.

27. CARAN AJ/40/871, 'Vordering van de Ritz'. Zie Claude Roulet, *Ritz: A Story That Outshines the Legend*, blz. 107. Dincklages bemiddeling zo-

dat Chanel haar intrek kon nemen in het hotel, wordt bevestigd in een artikel in *Time* van juni 1998. Edmonde Charles-Roux, in *L'Irrégulière*, en de schrijver Alex Madsen geven verschillende versies van hoe Chanel in augustus 1940 naar de Ritz terugkeerde. Auteur Pierre Galante vermijdt het onderwerp.

28. Ibid., 'Instructie over Hôtel Ritz', uitgegeven door *Der Militärbefehlshaber in Frankreich* (militair bevelhebber in Frankrijk), Parijs, 2 februari 1941.

29. Ibid. Voor bijzondere gasten van het naziregime, zie Roulet, *Ritz: A Story That Outshines the Legend*, blz. 108-109.

30. Roulet, *Ritz: A Story That Outshines the Legend*, blz. 111.

31. Henri Amouroux, *La Vie des Français sous l'Occupation*, blz. 141.

32. Haedrich, *Coco Chanel*, blz. 136.

33. Galante, *Mademoiselle Chanel*, blz. 181.

34. Haedrich, *Coco Chanel: Her Life, Her Secrets*, blz. 136.

35. CARAN F/7/15327. Map 209 'feihl'.

36. APP DB 540.

37. Interview met Gabrielle Palasse Labrunie door de auteur, Yermenonville, 9 juni 2009.

38. SSF-document. Fern Bedaux gebruikte de Franse term *'une intoxiquée'*.

39. Morand, *The Allure of Chanel*, blz. 10.

40. Madsen, *Chanel: A Woman of Her Own*, blz. 242.

41. Barbara Lambauer, 'Francophile contre vents et marée? Otto Abetz et les Français, 1930-1958', *Bulletin du Centre de Recherche Français de Jérusalem* 18 (2007), blz. 159. De schilderijen van de Rothschilds waarnaar verwezen wordt waren eigendom van baron Élie Robert, tijdens de oorlog een gevangene van de nazi's in Duitsland.

42. Ousby, *Occupation*, blz. 112.

43. Ibid., blz. 84.

44. In haar memoires over haar vader heeft Josée het vaak over Chanel. Zie Yves Pourcher, *Pierre Laval vu par sa fille*, blz. 213, 215 en 313.

45. Pourcher, *Pierre Laval vu par sa fille*, blz. 213-214.

46. Keating in een ongepubliceerd artikel, 1981, geciteerd in Hal Vaughan, *Doctor to the Resistance*, blz. 44, 46-48.

47. Donald en Petie Kladstrup, *Wine and War: The French, the Nazis, and the Battle for France's Greatest Treasure*, blz. 112-116.

8. DINCKLAGE ONTMOET HITLER, CHANEL WORDT EEN AGENT VAN DE ABWEHR

1. Woordspeling van Dincklage: Du Plessix Gray, *Them*, blz. 218.
2. CHADAT 7NN 2717.
3. CHADAT 7NN 2973.
4. CARAN 117M128.
5. De mijnen van Bor in het voormalige Joegoslavië waren eigendom van de Fransen. Ze werden in 1940 geconfisqueerd door de nazi's. De Franse contra-inlichtingendienst onthult in een onthutsende verklaring: 'De Gestapo is er niet in geslaagd Von D. te liquideren (...) en heeft nu besloten met hem mee te spelen.' Voor Dincklage in Berlijn en de poging van de Gestapo om hem te vermoorden, zie CHADAT 7NN 2973. Voor Vaufreland in Berlijn en Tunesië, zie BNA-document, item 317, H57/139.
6. CARAN Z/6/672 greffe 5559, Vaufreland, Abwehr-personeelsdossier, Personalbogen, 9 juni 1941.
7. Ibid. Vaufreland vertelde dat hij al voordat hij Chanel ontmoette, wist dat ze André Palasse naar huis wilde halen.
8. Ibid.
9. Franse, Britse en Amerikaanse diplomatieke rapporten en beoordelingen van de inlichtingendiensten bevestigen het Londense rapport. BNA: Britse berichten, 20 januari 1941, Z 407/132/17 en Z 5423. Amerikaanse consul, Casablanca-brief, 30 mei 1941. CARAN 171 MI/125 en 127: 'Zeer geheim rapport van 25 juni 1944, Leden van Duitse diensten'.
10. CARAN Z/6/672 greffe 5559.
11. APP BA 1990.
12. Voor het telegram, zie CARAN Z/6/672 greffe 5559.
13. Edmonde Charles-Roux verklaart dat Brian Wallace 'Ramon' als codenaam gebruikte toen Chanel in 1943 in Madrid was voor haar tweede missie voor de nazi's. Zie Charles-Roux, *L'Irrégulière*, blz. 595.
14. BNA-document 1139.
15. CHADAT 7NN 2717.
16. Verklaring van Vaufreland voor het Cour de Justice, CARAN Z/6/672 greffe 5559.
17. Edmonde Charles-Roux, *Chanel*, blz. 320.

1. Haedrich, *Coco Chanel: Her Life, Her Secrets*, blz. 146.
2. Ibid., blz. 157.
3. Jeremy Josephs, *Swastika Over Paris*, blz. 70.
4. John Updike, 'Qui qu'a vu Coco?', *The New Yorker*, 21 september 1998, blz. 135-136.
5. Gold en Fizdale, *Misia*, blz. 287.
6. Vaufreland getuigde na de oorlog dat een zekere prins Ratibor hem aanbevelingsbrieven had gegeven voor dr. Blanke, 'via wie ik het parfumbedrijf van Mlle Chanel terug wilde krijgen (...) Les Parfums Chanel, waarvan Messieurs Wertheimer de grootste aandeelhouders waren (...) en dat aangemerkt was als "joods bedrijf", toegewezen aan een tijdelijke afgevaardigde'. CARAN z/6/672 greffe 5559; de tekst van Vaufrelands brief aan de Franse onderzoeksrechter Roger Serre, 2 december 1946, blz. 34-36. Uit andere documenten blijkt dat de echtgenote van Vaufrelands vriend prins Ernst von Ratibor-Corvey bevriend was met Dincklage. Dincklage gebruikte prinses Ratibor-Corvey in 1939 als geheim 'doorgeefluik' voor zijn post in Zwitserland.
7. MBF-document.
8. Martin Jungius en Wolfgang Seibel van de Universiteit van Konstanz schrijven dat dr. Blanke:

(...) intelligentie, volharding en toewijding aan zijn overtuigingen tentoonspreidde (...) hij stak zijn energie en vindingrijkheid in de ontwikkeling van een effectief systeem voor de economische vervolging van de joden (...) Blankes oorlogsactiviteiten maken veel duidelijk over [nazistische] bureaucratische daders tijdens de Holocaust (...) In het bezette Frankrijk vertoonde Blanke geen enkele remming om vele duizenden joden de materiële basis voor hun levensonderhoud af te nemen, waardoor ze nog weerlozer waren tegen aanvallen van de SS, de Gestapo en Franse collaborateurs (...) Blanke legde persoonlijk controlebezoeken af bij zaken met joodse eigenaars, gaf zelf orders voor strafmaatregelen als de anti-joodse verordeningen niet werden uitgevoerd en was zeer goed op de hoogte van het effect van zijn maatregelen op specifieke personen. Blanke was er vooral op gespitst joden uit de Franse economie te weren. In Frankrijk waren zijn slachtoffers niet de joden uit de gegoede middenklasse, die in zijn eigen land zijn buren waren geweest, maar met name de joodse handelaars en winkeliers uit de Parijse buitenwijken (vaak joden van Oost-Europese afkomst), alsook de prominentere joden wier namen werden benadrukt in 'de *Entjudung* van de Franse economie'. Dit waren de stereotiepe doelwitten van het Duitse antisemitisme, en Blanke (...) nam de antisemitische clichés van de nazi's over. Blanke was een van de onmisbare bureaucraten van de Holocaust.

Jungius en Seibel, 'The Citizen as Perpetrator: Kurt Blanke and Aryanization in France, 1940-1944', *Holocaust and Genocide Studies* 22, nr. 3 (winter 2008), blz. 441-474.

9. In de Kristallnacht, 9-10 november 1938, werden eenennegentig joden vermoord en vijfentwintig- tot dertigduizend joden opgepakt en naar concentratiekampen gestuurd. Er werden tweehonderdzevenenzestig synagogen vernield en duizenden woningen en bedrijven geplunderd, zowel in Duitsland als in Oostenrijk.

10. SECM: Société d'Emboutissage et de Constructions Mécaniques. De transfer van vijftig miljoen Franse francs naar Amiots fabriek in augustus 1939: CHADAT 7NN 2659. Een rapport van de Franse contra-inlichtingendienst meldt: 'Amiot had de plannen voor een Amiot 370-bommenwerper gegeven.'

11. De fondsen werden naar Amiot overgeboekt via de Banque Mannheimer-Mendelssohn in augustus 1939. Ibid.

12. Bruno Abescat en Yves Stavridès, *L'Express*, 11 juli 2005, blz. 1.

13. Tussen 1940 en 1945 hadden Amerikanen en vluchtelingen in New York heimwee naar Parijs en Frankrijk, een gevoel dat in grote Amerikaanse steden leefde. Dat Frankrijk door de Duitsers was verslagen, was in die tijd onderwerp van veel boeken, tijdschriften en Hollywood-films. Kenmerkend hiervoor was de film *Casablanca* uit 1942, met Humphrey Bogart, Ingrid Bergman en Paul Henreid.

14. Voor een beschrijving van Thomas, zie NARA, OSS-personeelsdossier, 'Thomas, Herbert Gregory', Item 168A, Doos 2. Aline, gravin Romanones, een OSS-agent in Madrid, werkte voor Thomas, codenaam Argus, op de OSS-basis in Madrid. Haar beschrijving bevestigt Thomas' lengte. Aline Griffith, gravin Romanones, *The Spy Wore Red*, blz. 83.

15. National Archives, NARA, OSS-personeelsdossier, 'Thomas, Herbert Gregory', Personal History Statement, SA-One.
16. *Jasmin de Grasse*, waaruit het natuurlijke extract voor de productie van Chanel No. 5 wordt gewonnen, wordt alleen in het Zuid-Franse Grasse geteeld en moest in grote hoeveelheden naar Amerika worden verscheept. Sommige deskundigen zijn van mening dat Thomas een concentraat meenam, *absolue de jasmin*; veertig tot vijftig kilo was genoeg voor een paar jaar productie. Het kon in een koffer met de trein naar Lissabon worden meegenomen, zij het illegaal, en vervolgens met de boot naar New York.

John Updike schreef in *The New Yorker* dat 'zo'n driehonderd kilo jasmijn [door Thomas] uit het Franse Grasse naar Hoboken gesmokkeld moest worden'. Updike, 'Qui qu'a vu Coco?', *The New Yorker*, 21 september 1998, blz. 135-136. De New York Toilet Goods Association meldde het ministerie van Buitenlandse Zaken in 1941: 'Een pond van een kostbaar natuurlijk aromatisch product [zoals jasmijn] kan in 1941 wel vier- tot vijfduizend dollar opleveren.' Voor de formule die in een kluis van Chanels bedrijf lag, zie Véronique Maurus, 'No. 5, l'éternel parfum de femme', *Le Monde*, 20 april 1997, blz. 9. Voor het benutten van de antisemitische wetten, zie Updike, 'Qui qu'a vu Coco?', *The New Yorker*. NARA: brief van de American Perfume Association aan Binnenlandse Zaken, 25 maart 1941. De klassieke flacon van Chanel No. 5, in 1924 ontworpen door Jean Helleau, wordt al sinds 1958 tentoongesteld in het Museum of Modern Art in New York City. No. 5 zou de favoriete geur worden van Marilyn Monroe, Catherine Deneuve en Vanessa Paradis. In 2010 gingen flacons van 7,5 ml in de grote Amerikaanse steden en daarbuiten over de toonbank voor meer dan honderd dollar. Voor de datum van Thomas' reis, zie 'Studies Cosmetic Needs', *New York Times*, 18 augustus 1940. Thomas' pseudoniem werd door Peter Sichel ontdekt in een aantekening met de kop *Commanderie de Bordeaux History*. Adres en cv van Thomas uit: NARA, OSS-personeelsnamendossier, Thomas, Item 168 A, Doos 2. Nadat de Verenigde Staten in december 1941 bij de Tweede Wereldoorlog betrokken raakten, nam Thomas verlof bij de firma van de Wertheimers en ging aan de slag bij het Office of Strategic Services (OSS) van generaal William 'Wild Bill' Donovan. Hij werkte als afdelingshoofd in Madrid en Lissabon en had in die hoedanigheid de leiding over alle activiteiten van de Amerikaanse inlichtingendienst op het strategische Iberisch Schiereiland. Hij was ook verantwoordelijk voor het plaatsen van oss-agenten in Frankrijk. Na afloop van de oorlog beloonden de Wertheimers Thomas door hem in 1945 aan te stellen als president van Chanel Inc., een baan die hij tot aan zijn pensionering in 1972 behield. Allen Dulles, een hoge functionaris van de oss (en later directeur van de CIA), zat in de sollicitatiecommissie die Thomas ondervroeg. In april 1942 schreef hij: 'Thomas heeft buitengewone kwaliteiten en is een indrukwekkend persoon. Als zijn geloofsbrieven in orde zijn, vind ik dat we gebruik van hem moeten maken.'

17. Details van Thomas' missie voor de Wertheimers in Frankrijk in 1940 uit Bruno Abescat en Yves Stavridès, 'Derrière l'empire Chanel', *L'Express*, 4-12 juni 2005, blz. 2; Phyllis Berman en Zina Sewaya, 'The Billionaires behind Chanel', *Forbes*, 3 april 1989, blz. 104; en Updike, 'Qui qu'a vu Coco?', *The New Yorker*. Voor de benoeming van Thomas tot president en later voorzitter van de raad van bestuur van Chanel Inc., zie: 'Executive Changes', *New York Times*, 14 april 1971. Zie www.zoominfo.com/people/Sichel_Peter_14493897.aspx.

18. Peter Sichel in e-mails aan de auteur, oktober 2007 en mei 2008. De louis d'or werd in 1640 door Lodewijk XIII geïntroduceerd. De munt dankt zijn naam aan het portret van de koning – Louis – op de ene zijde; op de andere staat het Franse koninklijke wapen.

19. Over hulp van bendeleden, zie Berman en Sewaya, 'The Billionaires behind Chanel', *Forbes*.

20. De Excalibur werd door het Amerikaanse leger gebruikt als troepentransportschip. Tijdens de invasie van Noord-Afrika door Amerikaanse en Britse troepen werd het schip bij een zeeslag voor de kust in november 1942 tot zinken gebracht.

10. EEN MISSIE VOOR HIMMLER

1. Charles-Roux, *L'Irrégulière*, blz. 356.

2. *Le Matin*, maandag 9 november 1942, voorpagina.

3. *Le Petit Parisien*, 10 november 1942, voorpagina.

4. Churchills woorden, geleend van een frase die Talleyrand in 1812 na de Slag bij Borodino had gesproken. Churchill sprak ze uit tijdens een lunch op Lord Mayor's Day in Londen op 10 november 1942.

5. Carmen Callil, *Bad Faith: A Forgotten History of Family, Fatherland and Vichy France*, blz. 305. BBC-uitzendingen, zie Frederic Spotts, *The Shameful Peace: How French Artists and Intellectuals Survived the Nazi Occupation*, blz. 255.

6. Voor de schilderijen die door de nazi's ontvreemd waren uit de collecties van de joodse families Schloss en Rosenberg en die in het bezit waren van Josée Laval de Chambrun, zie Callil, *Bad Faith: A Forgotten History of Family, Fatherland and Vichy France*, blz. 335 en 352.

7. 'Black List', *Life*, 24 augustus 1942, blz. 86.

8. Zie CARAN F/7/14939, 'Black List', 27/12/43, 'Black List', *Life*, 24 augustus 1942, blz. 86. Chambrun vertelde de *New York Times* in oktober 1941 dat alle aantijgingen 'belachelijk' waren. René de Chambrun, *Mission and Betrayal*, blz. 140.

9. Yves Pourcher, *Pierre Laval vu par sa fille*, blz. 270.

10. Voor meer informatie over Chambruns collaboratie, zie CARAN F/7/15327 dossier 208 3. Voor Chambrun als vertegenwoordiger van National City Bank en General Motors (GM) in Parijs en zijn filialen in bezet Frankrijk, en voor GM's investering in nazi-Duitsland, zie Pierre Abramovici, *Enquête avec Carine Lournaud. Un rocher bien occupé. Monaco pendant la guerre 1939-1945*, blz. 78-79. Chambrun was het petekind van maarschalk Pétain. Hij fungeerde als schakel tussen Pétain en Laval en tussen Vichy en de Verenigde Staten. Toen Parijs bevrijd werd, hielden de Chambruns zich schuil in de buurt van de stad. De Franse autoriteiten gaven opdracht René de Chambrun te arresteren. Later verscheen hij voor het Parquet de la Cour de Justice van het Département de la Seine; op 11 augustus 1948 werd hij vrijgesproken van alle aanklachten. Bron M. Vallée-M. Vielledent, Parquet de la Cour de Justice du Département de la Seine, 11 Août 1948, Affaire: Pineton de Chambrun René, Ordonnance de Classement. Chambrun werd ook weer toegelaten tot de Franse orde der advocaten, met het argument dat zijn 'vaderlandsliefde buiten kijf stond'. Zie ook 'Rapport de René de Chambrun au Juge Marchat lors de son inculpation, au lendemain de la Libération', stencilkopie van document, zonder datum. Zie David Thompson, *A Biographical Dictionary of War Crimes Proceedings, Collaboration Trials and Similar Proceeding Involving France in World War II*, geschreven en samengesteld in opdracht van de Grace Dangberg Foundation, Inc., http://reocities.com

11. www.meteo-paris.com

12. Vaughan, *Doctor to the Resistance*, blz. 78.

13. Mitchell, *Nazi Paris: The History of an Occupation*, 1940-1944, blz. 94-98.

14. Citaat over Chanels opmerking aan de Côte d'Azur afkomstig uit Antony Beevor en Artemis Cooper, *Paris After the Liberation, 1944-1949*, blz. 134. Dodenlijst: CARAN F/7/14939, 'Black List', 27/12/43. Zie ook APP BA 1990.

15. Zie BCRA-rapport, CHADAT 7NN 2973.

16. BNA, KV2/159. In het Ledebur-dossier wordt Momms broer geïdentificeerd als het hoofd van de dienst Economische spionage van de Abwehr in Istanbul: 'IWi K.O. Istanbul, Turkije'. (De letters 'IWi K.O.' duiden op economische spionage in een buitenlandse staat.) Auteur Vaughan heeft gecorrespondeerd met Theodor Momms dochters Monika en Kathrin (achternamen achtergehouden door de auteur) in Duitsland. Monika was bereid de Duitse assistent van de auteur medio januari 2010 te ontvangen. Ze verklaarde dat haar zus Kathrin papieren en foto's met betrekking tot Chanels missie in 1943 bezat. Kathrin besloot echter op het laatste moment dat, zolang Momms echtgenote (naam achtergehouden) nog leefde, ze geen inzage zou geven in 'privédocumenten/brieven'. Uit e-mails van Michael Foedrowitz (research-assistent van de auteur in Berlijn) aan de auteur, 26 januari en 8 februari 2010.

17. Gabrielle Palasse Labrunie bevestigt dat haar tante wilde dat Dincklage in Parijs bleef. Gabrielle Palasse Labrunie, telefonisch interview door de auteur, 12 februari 2010.

18. BNA, KV2/159, Joseph von Ledebur Wicheln-dossier.

19. Ibid.

20. Voor het verblijf van Dincklages moeder (Valery Cutter Dincklage, ook bekend als 'Lorry') op Rosenkranz in Schinkel bij Kiel in 1943, zie Zwitsers dossier L878995 Hf. Tegen 1945 zou meer dan de helft van Kiel verwoest zijn door geallieerde bombardementen.

21. Joseph von Ledebur Wicheln-dossier, British National Archives, Kew.

22. Gidel, *Coco Chanel*, blz. 315.

23. In een handgeschreven notitie van MI5 staat: 'Hij ging met medeweten van Buitenlandse Zaken naar Italië om zijn contacten te ontwikkelen. Hij overschreed zijn instructies in hoge mate.' MI5 besloot hem niet te arresteren, aangezien hij mogelijk gesteund werd door leden van het parlement (onder wie wellicht Neville Chamberlain), die ze

niet in verlegenheid wilden brengen. Lonsdale-Bryans ging op vriendschappelijke voet om met machtige leden van de Britse adel: lord Halifax, de hertog van Buccleuch en lord Brocket, net als hij nazisympa-
thisanten.

24. Robert S. Wistrich, *Who's Who in Nazi Germany*, blz. 114.
25. Reinhard R. Doerries, *Hitler's Intelligence Chief, Walter Schellenberg*, blz. 107.
26. Ibid., blz. 172.
27. William L. Shirer, *The Rise and Fall of the Third Reich*, blz. 653.
28. Anthony Cave Brown, *Bodyguard of Lies*, blz. 457.
29. NARA, Schellenberg-dossier, blz. 224.
30. Doerries, *Hitler's Last Chief of Foreign Intelligence: Allied Interroga-tions of Walter Schellenberg*, blz. 39.
31. MI6- en Service spécial-document. SSF en BNA, KV2/159.
32. Ibid.
33. Ibid. Voor Dincklages spionagewerk in Zwitserland, zie Zwitsers dos-sier L878995 Hf.
34. Citaten uit SSF- en BNA KV2/159-dossiers over Ledebur.
35. Ledebur-dossier in Kew. Ibid.: ik heb niet kunnen achterhalen welke archieven Ledebur heeft geraadpleegd.
36. Ibid.
37. SSF-document.
38. NARA, 27 december 1946, rapport, Politiek Adviseur van de VS in Duitsland, CIFIR/130. Ik heb geen gegevens kunnen vinden over het exacte bedrag dat Chanel van de SS ontving of hoe de SS-fondsen zijn verspreid. Chanel en Dincklage moeten veel geld nodig hebben gehad voor hun missie in Madrid. Na de oorlog werd Kutschmann in Duits-land gezocht vanwege zijn aandeel in de massamoord op Poolse joden in 1942 en de moord op zesendertig Poolse intellectuelen in 1941. Hij is ergens in 1945 vermomd als karmelieter monnik naar Argentinië ontkomen. Tegen de tijd dat de West-Duitse autoriteiten in 1967 een arrestatiebevel tegen hem uitvaardigden, was Kutschmann in Argen-tinië verdwenen.
39. Doerries, *Hitler's Intelligence Chief, Walter Schellenberg*, blz. 85.
40. In 1943 kregen ambassadeur Von Papen en Abwehr-agent Erich Ver-mehren het verzoek aartsbisschop (later kardinaal) Francis Spellman te ontmoeten in Istanbul. De Gestapo hoorde van Vermehrens 'vre-desinitiatief' en liet hem naar Duitsland terugroepen. Vermehren liep

over naar de Britten in Istanbul; hij werd met zijn vrouw naar Engeland gestuurd. Het is mogelijk dat Rittmeister Momm wilde dat Dincklage Vermehrens baan bij de Abwehr in Turkije zou overnemen. Voor Schellenbergs gesprekken met ambassadeur Von Papen, zie Doerries, *Hitler's Intelligence Chief, Walter Schellenberg*, blz. 136.

41. Uki Goñi, *The Real Odessa*, blz. 9-10.

42. Doerries, *Hitler's Intelligence Chief, Walter Schellenberg*, blz. 77.

43. Uit het Duitse Nationaal Archief: NSDAP V. 1.5.37 Nr. 4428309. Momms Abwehr-eenheid werd omschreven als Abwehrstelle, Wehrbezirke – Generalkommando – Hoofdkwartier Militaire Districten. Zie ook APP GA LI2.

44. De Britse transcriptie van Schellenbergs ondervraging geeft een foutieve datum voor Momms bezoek aan Berlijn, namelijk april 1944. Wellicht heeft Schellenberg zich vergist of is er een fout gemaakt bij de transcriptie van het ondervragingsdossier. Talloze archiefstukken in Kew en Churchills Chartwell-papieren plaatsen Momms bezoek aan het eind van de herfst of het begin van de winter van 1943. NARA, Schellenberg-dossier, blz. 65.

45. Het is niet duidelijk of Momm die keer is teruggekeerd naar Parijs. Mogelijk heeft hij Schellenbergs opdracht om Chanel naar Berlijn te laten komen telefonisch of via een beveiligde SS-telegraaflijn overgebracht.

46. Chanels reis, haar aankomst en haar verblijf in Berlijn zijn gereconstrueerd door Michael Foedrowitz.

47. Citaat van Schellenberg in Doerries, *Hitler's Intelligence Chief, Walter Schellenberg*, blz. 240.

48. Zie APP BA 1990: Rapport over Chanels paspoort. 1944: Chartwell-documenten voor de datum van Chanels brief uit Madrid.

49. Lombardi was niet geïnterneerd.

50. [Pietro] Badoglio was een Italiaanse generaal en politicus. Nadat Italië tijdens de Tweede Wereldoorlog verschillende nederlagen had geleden, riep Mussolini op 24 juli 1943 de Fascistische Grote Raad bijeen, die een motie van wantrouwen tegen hem aannam. De volgende dag werd Il Duce door koning Victor Emanuel III uit de regering gezet en gearresteerd. Badoglio werd tot premier van Italië benoemd terwijl het land in een grote chaos verkeerde; hij sloot uiteindelijk een wapenstilstand met de geallieerden. Volgens Italiaanse documenten stond kolonel Alberto Lombardi, de echtgenoot van Vera Bate Lom-

bardi, ten tijde van de ontmoeting tussen Schellenberg en Chanel aan het hoofd van een Italiaanse eenheid in het mediterrane operatieterrein en vocht hij tegen geallieerde eenheden. Mussolini werd later ontzet door Duitse troepen en zette onder de nazi's een Italiaanse regering op in Noord-Italië, in het gebied ten noorden van de Po.

51. Het bezoek van Chanel, Momm en Dincklage wordt verslagen in: NARA, 'Eindrapport', Schellenberg-dossier, 65: OSS-dossier: XE001752, Doos 195, 65. Voor Dincklage als lid van de Abwehr en de SD, en voor Schieber, zie Doerries, *Hitler's Last Chief of Foreign Intelligence: Allied Interrogations of Walter Schellenberg*, blz. 164-1665; zie Doerries, blz. 240, voor details over de wijze waarop het rapport werd opgesteld en het feit dat de Britten bepaalde informatie weglieten toen het rapport aan de OSS werd overhandigd. Het rapport is incompleet in de vorm waarin het in NARA verschijnt; het is mij niet gelukt het door de Britten verwijderde materiaal te achterhalen. In Schellenbergs biografie *The Labyrinth* staat niets over Chanel, haar bezoek, zijn plan om via haar contact te leggen met Churchill of de ruimhartige wijze waarop ze voor Schellenberg zorgde na diens vrijlating uit een geallieerde gevangenis, waar hij een straf wegens oorlogsmisdaden uitzat. Doerries, *Hitler's Last Chief of Foreign Intelligence: Allied Interrogations of Walter Schellenberg*, blz. 164.

52. Charles-Roux, *Chanel*, blz. 332-337. Ondanks mijn verzoek daartoe is het niet gelukt een kopie van de brief te krijgen.

53. ACS, ministerie van Binnenlandse Zaken, rapport Politieke Politie, 21 april 1941.

54. The Sir Winston Churchill Archive Trust, CHAR 2/255, Bate, brief van juni 1935.

55. Italiaans Nationaal Archief, Hoofdkwartier Koninklijke Provinciale Politie, 12 november 1943.

56. Italiaans Nationaal Archief, Hoofdkwartier Koninklijke Provinciale Politie, 24 november 1943.

57. APP BA 1990. Als Chanels geboortejaar wordt 1893 gegeven in plaats van 1883. Ik heb niet kunnen achterhalen wie het paspoort heeft verstrekt waarmee Vera Lombardi van Rome naar Parijs en Madrid is gereisd.

58. Ibid.

59. CHAR 20/198, brief, Pierson Dixon aan Rowan, 30 september 1944.

60. Goñi, *The Real Odessa*, blz. 241.

61. NARA, rapport 10 december 1946. NARA, Schellenberg-dossier, 65.

62. Documenten, inclusief Chanels handgeschreven brief aan Churchill, ontdekt in de British National Archives in Kew. Churchills privépapieren in Chartwell en graaf Joseph von Ledeburs getuigenis na de oorlog bevestigen wat er gebeurd is toen Chanel in de winter van 1943-1944 in Madrid aankwam.

63. NARA, Schellenberg-dossier, 65.

64. Ibid.

65. Randolph Churchill was een goede vriend van Chanel. Notitie van Hankey en brief van Chanel uit The Sir Winston Churchill Archive Trust, Chartwell, CHAR 20/198A.

66. Voor informatie over Churchills ziekte, zie Field Marshal Lord Alanbrooke, *War Diaries*, blz. 497-515.

67. Les Archives du Monde, 8-9 februari 2004, 81. Alinea overgenomen uit Charles-Roux, *L'Irrégulière*, blz. 601.

68. CHAR 20/198A. De aan lady Sankey geadresseerde envelop is van het briefpapier van Hôtel Ritz, wat de mogelijkheid openhoudt dat Vera in het hotel verbleef, naar men mag aannemen op kosten van Chanel: Vera zelf had geen cent nadat ze uit de Romeinse gevangenis was vrijgelaten.

11. COCO'S MAZZEL

1. *Le Matin*, 7 juni 1944, voorpagina.

2. CARAN, F/7/14939. Chanels naam staat op een lijst in een FFI-rapport van 27 december 1943.

3. Stephen E. Ambrose, *The Supreme Commander: The War Years of General Dwight D. Eisenhower*, blz. 419.

4. William L. Shirer, *The Rise and Fall of the Third Reich*, blz. 1041.

5. Ibid. Voor Rommels zelfmoord en begrafenis: blz. 1078-1080.

6. *Paris-Soir*, 7 juni 1944, voorpagina. Roet van verbrande documenten: Centre Historique des Archives, *La France et la Belgique sous l'occupation allemande 1940-1944*, blz. 46. Rue Cambon: telefonisch interview met Gabrielle Palasse Labrunie, 2 februari 2010.

7. Schellenberg probeerde tot aan de Duitse overgave een jaar later steeds weer een uitweg te zoeken voor Himmler en hemzelf. Ze wisten welk lot hun te wachten stond als ze in handen van de geallieerden

vielen. Zie Doerries, *Hitler's Intelligence Chief, Walter Schellenberg*, blz. 302 en 327; Hal Vaughan, *Doctor to the Resistance*, blz. 158.

8. Cyril Eder, *Les Comtesses de la Gestapo*, blz. 208.

9. CARAN Z/6/672 greffe 5559.

10. David Pryce-Jones, *Paris in the Third Reich*, blz. 188.

11. Galante, *Mademoiselle Chanel*, blz. 185.

12. Frederic Spotts, *The Shameful Peace: How French Artists and Intellectuals Survived the Nazi Occupation*, blz. 254.

13. Eric Roussel, *Charles de Gaulle*, blz. 450.

14. Arthur Gold en Robert Fizdale, *Misia*, blz. 292.

15. Charles-Roux, *Chanel*, blz. 345.

16. Pryce-Jones, *Paris in the Third Reich*, blz. 206.

17. SSF.

18. Ibid.

19. Rapport van de familie Schoenebeck, interviews door Sally Gordon-Mark, Griesser Haus, Hinterstoder, 1-3 juli 2009, Oostenrijk.

20. SSF.

21. Ibid.

22. SSF. Catherine Jouhakoff, die Catsy lingerie leverde, was een van de mensen die haar een positieve referentie gaven.

23. Gabrielle Chanels naam zoals die, per abuis, op haar geboorteakte uit 1883 staat.

24. De telefonische waarschuwing van Abetz die bestemd was voor Catsy von Schoenebeck werd doorgegeven aan de dienstmeid van Catsy, Mme Bartuel, in haar appartement in Rue de Longchamp 77, Parijs.

25. De familie Schoenebeck: interview met de familie Schoenebeck, Sally Gordon-Mark, Hinterstoder, 3 juli 2009, Oostenrijk.

26. CARAN F/7/14939.

27. Chanel werd er door de Franse inlichtingendienst van verdacht 'inlichtingen aan de vijand' te verschaffen. APP BA 1990. Brief van de onderarchivaris van CARAN aan Sally Gordon-Mark, Parijs, 2 juli 2008.

28. Galante, *Mademoiselle Chanel*, blz. 186; Haedrich, *Coco Chanel: Her Life, Her Secrets*, blz. 148; Madsen, *Chanel: A Woman of Her Own*, blz. 262.

29. Gabrielle Labrunie, telefonisch interview door de auteur, 8 november 2009.

30. Paul Morand, *The Allure of Chanel*, blz. 178. Edmonde Charles-Roux

heeft de bemiddeling van Duff Cooper bevestigd. Edmonde Charles-Roux, telefonisch interview door de auteur, Parijs, 12 januari 2010.

31. Gabrielle Palasse Labrunie, telefonisch interview door de auteur, 2 februari 2010. Labrunie bevestigde nogmaals dat Germaine, Chanels dienstmeid, haar had verteld over het bericht van Westminster dat Chanel via ambassadeur Cooper bereikte.

32. Charles Higham, *The Duchess of Windsor: The Secret Life*, blz. 359-362.

33. Madsen, *Chanel: A Woman of Her Own*, blz. 263.

34. Gold en Fizdale, *Misia*, blz. 300-301.

35. De datum klopt niet. Lombardi ging pas eind oktober 1943 naar Parijs.

36. The Sir Winston Churchill Archive Trust, CHAR 20/198A, brief van P.N. Loxley, 28 december 1944.

37. CHAR 20/198 brief, Pierson Dixon aan Rowan, 30 september 1944.

38. Telegram, Buitenlandse Zaken aan Madrid, D. 15.10 uur, 4 januari 1945. CHAR 20/198.

39. Zie 8 januari 1945, topgeheim aan kolonel Hill-Dillon. CHAR 20/198.

40. CHAR 20/198.

41. SS-generaal Schellenberg nam de leiding van de Abwehr over nadat admiraal Canaris in 1945 wegens verraad gearresteerd was.

42. Zwitserse federale archieven, brief van de Vereinigte Seidenwebereien, Kreefeld, Berlijn, 21 november 1944, aan de Zwitserse legatie te Bern.

43. Resumé van Dincklage-zaken, Zwitsers Nationaal Archief, JAEGGI, november 1950, en Bern, 15 januari 1950.

44. Brief van senior-archivaris van CARAN aan Sally Gordon-Mark, Parijs, 2 juli 2008.

45. CARAN z/6/672 greffe 5559.

46. 'Derrière l'empire Chanel', Charles-Roux, *L'Irrégulière*, blz. 646-648.

47. Charles-Roux, *L'Irrégulière*, blz. 649.

48. Vaufreland werd in de loop van deze vijf jaar om verschillende redenen vrijgelaten en weer gearresteerd. De juryleden waren uitgekozen omdat ze geen verleden als collaborateur hadden. De procedures voor een rechtszaak tegen mensen die tijdens de bezetting met het naziregime hadden gecollaboreerd waren in september 1944 vastgesteld door de voorlopige regering van generaal Charles de Gaulle.

49. Memorandum voorbereid door Jules-Marc Baudel, Esq., die Franse juridische documenten voor de auteur analyseerde.
50. Getuigenverklaring van Gabrielle Chanel, 4 juni 1948, Cour de Justice, Parijs, ten overstaan van rechter Fernand Paul Leclercq. CARAN z/6/672 greffe 5559.
51. Cyril Eder, *Les Comtesses de la Gestapo*, blz. 204.
52. CARAN z/6/672 greffe 5559. Getuigenis van André Palasse, tweeënveertig jaar oud en neef van Chanel, tegenover rechter Roger Serre op 20 november 1947.
53. Ibid.
54. Ibid.
55. Gebaseerd op talloze verklaringen aan de auteur, in 1953 en later.
56. Axel Madsen, *Chanel: A Woman of Her Own*, blz. 264.
57. Interview met Volkmar von Arnim door Michael Foedrowitz, Schinkel, Duitsland, 11 augustus 2008. Ook BNA-dossier Buitenlandse Zaken.
58. BNA-dossier Buitenlandse Zaken. Beglaubigte Abschrift (gewaarmerkte kopie), certificaat, getekend Capt. A.H. Haynes, 3 december 1945.
59. BNA, 16 maart 1948, brief ministerie van Oorlog. Aan een zekere Mrs. Pollack.
60. BNA. Brief van de Major General aan het departement van Duitse binnenlandse zaken, ministerie van Buitenlandse Zaken, Londen, 13 november 1947.
61. Groot-Brittannië, Zonal Executive Offices, B.A.O.R. 1, Brief van de Major General aan Buitenlandse Zaken, Londen, 25 februari 1948.

12. COCO'S COMEBACK

1. Morand, *The Allure of Chanel*, blz. 174.
2. Valentine Lawford, *Horst*, blz. 192.
3. Gabrielle Palasse Labrunie, telefonisch interview door de auteur, 9 september 2010.
4. Paul Morand, *The Allure of Chanel*, blz. 178.
5. Morand, *The Allure of Chanel*, blz. 179.
6. Ibid.
7. Ibid.

8. ECR, Chanel, blz. 357-358. Wistrich, *Who's Who in Nazi Germany*, blz. 222.

9. Doerries, *Hitler's Intelligence Chief*, blz. 284, uit de memoires van dr. Lang.

10. Charles-Roux, *Chanel*, blz. 380.

11. Pierre Galante, *Mademoiselle Chanel*, blz. 189-190.

12. Ibid.

13. Ibid.

14. Lawford, *Horst*, blz. 322-324.

15. Bruno Abescat en Yves Stavridès, 'Derrière l'empire Chanel', *L'Express*.

16. Galante, *Mademoiselle Chanel*, blz. 193.

17. 'Chanel No. 5 Perfume History', Dulcinea Norton-Smith, http://www.suite101.com/content /icons-chanel-no-5-perfume-a44263, 11 februari 2008.

18. Claude Delay, *Chanel solitaire*, blz. 242.

19. René de Chambrun werd tweeënnegentig en stierf in 2002. De BBC-documentaire *Reputations* werd op 29 januari 2009 voor het laatst uitgezonden op BBC 4. Datum eerste uitzending onbekend.

20. Galante, *Mademoiselle Chanel*, blz. 204-209.

21. Ibid., blz. 209.

22. Geciteerd door Charles-Roux in *Mme Figaro*: gesprek tussen Edmonde Charles-Roux en Audrey Tautou, 18 april 2009.

23. Edmonde Charles-Roux, interview door de auteur, Parijs, 21 april 2009.

24. Charles-Roux, *Chanel*, blz. 367.

25. Galante, *Mademoiselle Chanel*, blz. 210-211.

26. Ibid., blz. 212.

27. Ibid., blz. 207.

28. Ibid., blz. 217. Ook Gidel, *Coco Chanel*, blz. 350.

29. 'Ease and Casualness Abound in Chanel's Autumn Showing', *New York Times*, 6 oktober 1956.

30. Marcus, *Minding the Store*.

31. Lillian Ross, 'The Strong Ones', *The New Yorker*, 28 september 1957.

32. Madsen, *Chanel: A Woman of Her Own*, blz. 315.

33. Lilou Marquand, *Chanel m'a dit*, blz. 125.

34. Marcel Haedrich, *Coco Chanel: Her Life, Her Secrets*, blz. 256-257.

35. Marquand, *Chanel m'a dit*, blz. 127.

36. Janet Wallach, *Chanel: Her Style and Her Life*, blz. 160.

37. Delay, *Chanel solitaire*, blz. 252-253.
38. Wallach, *Chanel: Her Style and Her Life*, blz. 165. Foto's: ibid. Foto-collectie Edmonde Charles-Roux, *Le Temps Chanel*, blz. 330; Lawford, *Horst*, blz. 154.
39. Galante, *Mademoiselle Chanel*, blz. 263.
40. Ibid., Isabelle Fiemeyer, *Coco Chanel: Un parfum de mystère*, blz. 161.
41. Bruno Dethomas, *Le Monde*, 23 maart 1973, in *Le Monde, Les Grands Procès: 1944-2010*, blz. 211-213.
42. Ibid.
43. Ibid.
44. Ibid.
45. Ibid.
46. Telefoongesprek met Gabrielle Palasse Labrunie, 26 maart 2010.
47. Duitse memo van Florian M. Beierl aan de auteur, november 2009, en memo aan de auteur van Michael Foedrowitz, onderzoeksassistent van de auteur in Berlijn, 3 april 2010.

EPILOOG

1. Charles-Louis Foulon, *André Malraux et le rayonnement culturel de la France*, blz. 99; Michel Guerrin, 'André Malraux, la culture en solitaire', *Le Monde*, 25 juni 2010.
2. Galante, *Mademoiselle Chanel*, blz. 260.
3. Edmonde Charles-Roux, *L'Irrégulière*, blz. 648.
4. Gedicht van Reverdy weergegeven in Charles-Roux, *L'Irrégulière*, blz. 649.

Bibliografie

ARCHIEVEN

Archives de la Ville de Sanary-sur-Mer, Frankrijk:
Serie 12: Police générale étrangers, réfugiés

Archives départementales du Var, Frankrijk:
158 W 848

Archives de la Préfecture de Police, Parijs, Frankrijk:
Serie BA: 1745, 1846, 1990, 2140, 2141, 2176, 2369, 2430
Serie DB: 540
Serie GA: D2, R8, L12, P8, S6, T2

29 Juli 2009, brief van Commissaire divisionnaire Françoise Gicquel,
Cabinet du Préfet, Service des archives et du musée

Bibliothèque nationale de France:
'Paris-Var-Méditerranée', 1935-1936, 1938, JO-55926

Bundesarchiv, Berlijn: SS-dossiers federale archieven

Centraal Staatsarchief, Archivio centrale dello Stato, documenten van
   Mussolini's secretaris:
Gewone correspondentie, envelop 1726, dossier nr. 523074

Centre Historique des Archives du Département de l'Armée de Terre
CHADAT, Vincennes, Frankrijk:
Serie 7NN Deuxième Bureau: 2145, 2162, 2164, 2268, 2402, 2502, 2515,
2641, 2650, 2655, 2659, 2708, 2717, 2719, 2735, 2736, 2737, 2752, 2973

Centre d'Accueil et de Recherche des Archives Nationales CARAN, Parijs, Frankrijk:
Serie AJ/40 Duitse/economische dossiers: 871
Serie F/7/ Politie: 14713, 14714, 14939, 14940, 14946, 15142, 15299, 15305,
15327, 15332
Serie 3AG2 prefix 171/MI/ BCRA Dossiers:
112, 119, 125, 127, 128, 326
Serie 3W/354 Archives de Berlin: Bordereau 2597, Bordereau 2745, nr. 4
Serie Z/6/762 greffe 5559 Justitiedossier

The Chartwell Trust, West Kent, Verenigd Koninkrijk:
1/272/83
2/255/25-27
20/173/44
20/181/19
20/198A/62, 63, 65-69, 71-82, 86-92

Hannover, Bureau Burgerlijke Stand (Hanover Registry Office):
Standesamt nr. 0193 Eintrag 7181

Harry Ransom Center, University of Texas, Austin:
Sybille Bedford Papers, Doos 46.1

Landesarchiv, archief van de bondsstaat Berlijn:
Bestand B Rep 012
Abt. 460 Nr. 1789, verwijzing D 120 – Denazificatiedossier
Abt. 611 Sta Nr. 53778 Staatsburgerdossier
Abt. 761 Nr. 18049 Herstelbetalingendossier

Ministero della Difesa, Rome, Italië:
Prot. n. M_D/GMIL V 16 5/0367479

Archivio di Stato – Ministerie van Binnenlandse Zaken, Politieke politie,
persoonlijke dossiers, Rome, Italië: B728, 'Lombardi Alberto'

National Archives and Records Administration, College Park, Maryland
'Walter Schellenberg', Dossier nr. XE001752, Doos 195
RG no. 319, Magazijn (Stack Area) 270, Rij 84, Compartiment 8, Plank 3
'oss-Schellenberg', Item (Entry) 125A, Doos 2, Map 21
RG no. 226, Magazijn 190, Rij 7, Compartiment 19, Plank 3
'oss-Schellenberg', Item 171, Doos 10, Map 61
RG no. 226, Magazijn 190, Rij 9, Compartiment 10, Plank 6
'CIA Name File – Alois Brunner', RG N 263, Magazijn 2000, Rij 6, Compartiment 4, Doos 9

National Archives, Kew, Engeland:
Register nr. Z 407/132/17 en Z 5423/1698/17
Brief getekend Eric Phipps, Britse ambassade, Berlijn, 3 januari 1935
Dossier nr. CG503503184
Dossier: Premier 3/181/10

Politisches Archiv des Auswärtigen Amts, Deutsche Botschaft Paris, Politiek archief van het Duitse ministerie van Buitenlandse Zaken, Duitse ambassade, Parijs:
Akte 681c persattaché, 2 delen 1933-1936
Akte 681/5 c Paris IV persattaché, Dossier 1
Algemene activiteiten
Akte 1726

Services spéciaux, Frankrijk, inclusief:
Renseignements généraux
Sûreté nationale
Sûreté générale

Zwitserse federale en kantonale archieven, Bern, Zwitserland:
Dossiers nr. C.16.1373 1939-1940; 878995 1950

United States Department of State, Washington, D.C.:
RG 59, Central Decimal File 1940-1944, 800-20252/29 Lombardi, Vera

Archiefonderzoek voor de auteur, op de volgende plaatsen door de volgende personen uitgevoerd:

Verenigde Staten (Carolyn C. Miller)

National Archives and Records Administration, College Park, Maryland

United States Holocaust Memorial Museum, Washington, D.C.

Duitsland en Zwitserland (Michael Foedrowitz)

Aufstellung der benutzten Archive und Institutionen:
Militärgeschichtliches Forschungsamt MGFA, Potsdam
Politisches Archiv des Auswärtigen Amtes PAdAA, Berlijn
Stadtarchiv Hannover
Landesarchiv Berlijn
Bundesarchiv Berlijn
Bundesarchiv-Militärarchiv Freiburg BAMA
Stadtarchiv Kaufbeuren
Wehrmachtsauskunftstelle WAst, Berlijn
Archivgemeinschaft Gettorf
Landesarchiv Schleswig-Holstein LASH, Schleswig
Schweizerisches Bundesarchiv BAR, Bern
Freie Universität Berlin, Institut für Meteorologie
Archives cantonales vaudoises
Einwohnermeldeamt Gemeinde Berchtesgaden
Einwohnermeldeamt Gemeinde Schönau

Texas, Verenigde Saten (Milanne Hahn)

The Sybille Bedford Papers, Harry Ransom Center of the University of
Texas, Austin, Texas

Frankrijk (Sally Gordon-Mark)

Archives du Département du Var, Draguignon
Archives de la Préfecture de Police, Parijs
Archives de la Ville de Paris
Archives de la Ville de Sanary-sur-Mer
BDIC, Nanterre
Bibliothèque Municipale de la Ville de Toulon

Bibliothèque Nationale de France, Sites Mitterrand et Richelieu, Parijs
Cabinet du Ministre de l'Intérieur, Mission des Archives Nationales, Parijs
Centre d'Accueil et de Recherche des Archives Nationales, Parijs
Centre des Archives Contemporaines Fontainebleau
Centre Historique des Archives du Département de l'Armée de Terre Vincennes
Établissement de Communication et de Production Audiovisuelle de la Défense, Ivry-sur-Seine
La Mairie de la Ville de Nice
Service spécial, Parijs

Rome (Francesca Di Pasquale)

Archivio centrale dello Stato
Archivio della Direzione generale per il personale militare del Ministero della difesa
Archivio di Stato di Genova
Archivio di Stato di Roma
Biblioteca dell'Archivio centrale dello Stato
Biblioteca di storia moderna e contemporanea
Biblioteca Universitaria Alessandrina

Groot-Brittannië (Philip Parkinson)

British Library, Londen
British Library Newspaper Library, Londen
Churchill College, Cambridge
Hurlingham Polo Association, Little Coxwell, Faringdon
National Archives, Kew, Londen
Westminster Reference Library, Londen

Warschau (Joanna Beta)

Archiwum Akt Nowych
Archiwum Państwowe m. st. Warszawy
Instytut Pamięci Narodowéj

Abramovici, Pierre. Parijs, maart 2009.

Almeida, Fabrice d'. Historicus en directeur van l'Institut d'Histoire du Temps Présent. April 2009.

Arnim, Alexandra, en baron Volkmar von. 11 en 16 augustus 2008. Interview door Michael Foedrowitz.

Baudel, Jules-Marc. Avocat Honoraire, Ancien Membre du Conseil de l'Ordre. Over juridische kwesties in verband met de dagvaarding van Chanel en de rechtszaak tegen Louis de Vaufreland. Parijs, 3 maart 2010.

Charles-Roux, Edmonde. 21 april 2009, Parijs, Frankrijk. Telefonische interviews in de loop van 2010.

Engelhardt, baron Wilfried von. Hinterstoder, Oostenrijk, 3 juli 2009. Interview door Sally Gordon-Mark.

Flügge, Manfred. Parijs, december 2009.

Foedrowitz, Michael. Berlijn en Parijs, augustus 2008. Persoonlijke contacten met de auteur en telefonische consultaties, 2008-2010.

Griffith, Aline, gravin Romanones. Januari 2008.

Higham, Charles. Telefonisch interview met Philip Parkinson, research-assistent. Londen, april 2008.

Klarsfeld, Serge. L'Association des fils et filles des déportés juifs de France, correspondentie, 2008.

Labrunie, Gabrielle Palasse. Interviews ter plekke en telefonische interviews, april 2009-april 2010, Yermenonville, Frankrijk.

De familie Momm. Interview door Michael Foedrowitz, februari-maart 2010.

Muller, Florence. Modehistorica. Maart 2009.

Munchhausen, Ernst-Friedemann Freiherr von. 8 augustus 2008.

Ozanam, Yves. Interview door Michael Foedrowitz, 4 maart 2010, in het Palais de Justice, Parijs.

Roese, Manfred. Archivgemeinschaft Gettorf, Duitsland, 7 augustus 2008. Interview door Michael Foedrowitz.

Schmidt, Eric, 6 juni 2009.

Schoenebeck, baron André von. Hinterstoder, Oostenrijk, 3 juli 2009. Interview door Sally Gordon-Mark.

Sichel, Peter. Telefoongesprekken en e-mails met de auteur. New York, 2007-2010.

Testa, Eleanor. Archiviste van het Mémorial de la Shoah, 11 juni 2008, Parijs.

Tiedt, Marietta. Hinterstoder, Oostenrijk, 3 juli 2009. Interview door Sally Gordon-Mark.

TELEVISIE-UITZENDINGEN

'Chanel: A Private Life', BBC 2-documentaire, eerste uitzending januari 1995.

ARTIKELEN

Abescat, Bruno, en Yves Stavridès. 'Derrière l'empire Chanel', *L'Express*, 4-12 juli 2005.

Angus, Christophe. 'Chanel: un parfum d'espionage', *L'Express*, 16 maart 1995.

Arnaud, Claude. 'Mademoiselle L'oeil noir frondeur, un petit tailleur mythique, un jersey enchanteur, un N° 5 universel, une allure libérée mais disciplinée, des rencontres inouïes, Cocteau, Diaghilev ou Renoir... Portrait impressioniste de Gabrielle Chanel', *Vogue*, maart 2009.

'Ascot's Brilliant Pageant – Brilliant in Spite of Rain Threat', *The Daily Mail*, 20 juni 1934.

'Battle of Births', *Time*, 5 februari 1940.

Berman, Phyllis, en Zina Sewaya. 'The Billionaires behind Chanel', *Forbes*, 3 april 1989, 165.

Bernstein, Richard. 'An Archive Puts Faces on Nazis' Young Victims', *New York Times*, 18 december 1984, A2.

Berton, Gilles. 'Au ban de la nationale', *Le Monde*, 7 november 2008.

'Black List', *Life*, 24 augustus 1942, 86.

'Blum's Debut', *Time*, 15 juni 1936.

Blumenthal, Ralph. 'U.S. Suit Says French Trains Took Victims to the Nazis', *New York Times*, 13 juni 2001.

Bower, Brock. 'Chez Chanel', *Smithsonian*, juli 2001, 60.

Brady, James. 'The Truth About Chanel from Her Last Amour', *Crain's New York Business*, 25 april 2005, 3.

'Brunner Tried in Absentia for Sending Orphans to Deaths', *Toronto Star*, 3 maart 2001.

Cannell, Kathleen. 'Gems of Far East Blend with Gowns', *New York Times*, 6 mei 1940.

Ceaux, Pascal. 'Soixante ans de douleur dans une valise', *Le Monde*, september 2006, 3.

Chauffour, Celia. 'Le Musée d'Auschwitz doit préserver la mémoire collective', *Le Monde*, september 2006, 3.

'Chanel Arrives, Perfumed and Wearing Pearls!', *Illustrated Daily News*, 17 maart 1931, 12.

'Chanel étudie une réorganisation mondiale' en 'Chanel renouvelle ses dirigeants et revoit ses structures', *Les Echos*, 16 januari 2008.

'Chanel l'album de sa vie, de sa fortune et de sa gloire', *Paris Match*, 23 januari 1971.

'Chanel, the Couturier, Dead in Paris', in memoriam, *New York Times*, 11 januari 1971.

'Chanel Visits America', *New York Times*, 8 maart 1931.

Churchill, Randolph. 'Mlle Chanel's Tribute', *Daily Mail*, 20 juni 1934.

'Coco, encore et toujours', *Vogue*, maart 2009, 150.

'Concentration Camp Near Paris Is Closed', *New York Times*, 10 september 1945.

Cousteau, Patrick. 'Coco Chanel vue par les RG', *Minute*, 29 april 2009.

Cox, Edwin. 'Private Lives', *Los Angeles Times*, 27 maart 1940, A14.

Coyle, Gene. 'Spy vs. Spy', *The Intelligencer: Journal of U.S. Intelligence Studies* 17, nr. 2 (najaar 2009): 61.

Davies, Lizzy. 'Coco Chanel Back in Vogue as France Celebrates an Icon', *Guardian*, 25 augustus 2008.

Delavoie, Sophie. 'De Fulco pour Coco', *Vogue*, maart 2009, 245.

Dethomas, Bruno. 'Coco Chanel et son maître d'hôtel', *Le Monde*, 23 maart 1973.

Dixon, Jane. 'Women Behind the News', *Los Angeles Times*, 1 februari 1931, A4.

Dorsey, Hebe. 'Looking Back on the Life of Chanel', *International Herald Tribune*, 26 september 1972.

Drapac, Vesna. 'A King Is Killed in Marseille: France and Yugoslavia in 1934', in 'French History and Civilization', lezing op de conferentie van de Georges Rude Society in 2005. http://www.h-france.net/rude/2005conference/Drapac2.pdf

'Erich Vermehren', *The Independent*, 3 mei 2005.

Flanner, Janet. '31 Rue Cambon', *The New Yorker*, 14 maart 1931, 25.

'France Admits Guilt but Says "Jews Have Been Given Enough"', *Times of London*, 17 februari 2009.

'Free Trade', *Time*, 12 oktober 1936.

'French Jews Sent to a Nazi Oblivion', *New York Times*, 1 april 1943.

Frudenheim, Milt. 'Chanel's Past Haunts Exhibit', *Salt Lake Tribune*, 29 september 1972, 20.

'Germany Cornered', *Time*, 22 april 1940.

'Gestapo über alles', *Vendémiaire*, 4 september 1935.

Gildea, Robert. 'How to Understand the Dreyfus Affair', *New York Review of Books*, 10 juni 2010, 43-44.

Grassin, Sophie. '"Chanel aurait été folle de vous!" Edmonde Charles-Roux à Audrey Tautou', *Mme Figaro*, 18 april 2009, 84.

–. '"Coco Avant Chanel": Portrait de Femme', *Mme Figaro*, 18 april 2009, 80.

Grimes, William. 'Recovering Lost Relatives from Holocaust Oblivion', *New York Times*, 20 september 2006.

Guerrin, Michel. 'André Malraux, la culture en solitaire', *Le Monde*, 25 juni 2010.

'Half-Year Mark', *Time*, 11 maart 1940.

'H. Gregory Thomas, Chanel Executive, 82', in memoriam, *New York Times*, 10 oktober 1990.

Hilberg, Raul. '"C'est un travail sans fin"...', interview met Thomas Wieder, *Le Monde*, 20 oktober 2006.

'Hitler Endorsed by 9 to 1 in Poll on His Dictatorship, But Opposition Is Doubled', *New York Times*, 19 augustus 1934.

'If Blonde, Use Blue Perfume, says Chanel', *Los Angeles Examiner*, 17 maart 1931, 5.

Jungius, Martin, en Wolfgang Seibel. 'The Citizen as Perpetrator: Kurt Blanke and Aryanization in France, 1940-1944', *Holocaust and Genocide Studies* 22, nr. 3 (winter 2008): 441-474.

Katz, Yaakov. 'Int'l Hunt on for Top Nazi Fugitive', *Jerusalem Post*, 28 december 2005.

'King of Perfume', *Time*, 14 september 1953.

Krick, Jessa. 'Gabrielle "Coco" Chanel 1883-1971 and the House of Chanel', The Costume Institute, The Metropolitan Museum of Art, oktober 2004, www.metmuseum.org

'La fébrile activité de "la Gestapo" en France', *Vendémiaire*, 11 september 1935.

Lambauer, Barbara. 'Francophile contre vents et marée? Otto Abetz et les Français, 1930-1958', *Bulletin du Centre de Recherche Français de Jérusalem* 18 (2007), 153-160.

Le Bars, Stéphanie. 'Institutions juives, Cimenter une communauté dispersée', *Le Monde*, 23 juni 2008.

Long, Tanya. 'Paris Purge Jails Many by Mistake', *New York Times*, 8 september 1944.

'Mademoiselle Chanel Here, Hollywood-Bound', *New York Times*, 5 maart 1931.

Mandelbaum, Jacques. 'Nuit et brouillard, affaire trouble', *Le Monde*, 22 augustus 2006.

Marguin-Hamon, Elsa. 'Une campagne anti-sémite en 1290', *Historia*, oktober 2006.

Maurus, Véronique. 'No. 5, l'éternel parfum de femme', *Le Monde*, 20 april 1997.

Merrick, Mollie. 'Hollywood in Person', *Los Angeles Times*, 19 december 1932, A5.

Miller, Margaux. 'Audrey Tautou, ou le fabuleux destin de Coco', *Mme Figaro*, 13 december 2008, 92.

'Mlle Chanel, New Czarina of Film Fashions, Arrives', *Hollywood Daily Citizen*, 17 maart 1931, 4.

'Mlle Chanel, Paris Stylist, Meets Stars', *Los Angeles Evening Herald*, 17 maart 1921, A-15.

'Mlle Chanel to Wed Her Business Partner; Once Refused the Duke of Westminster', *New York Times*, 19 november 1933.

'Mme Chanel', *New York Times*, 15 maart 1931.

Moore, Beth. 'Two for the Runway', *Los Angeles Times*, 4 mei 2005, E-1.

De Moubray, Jocelyn. 'Obituary: Jacques Wertheimer', *The Independent*, 10 februari 1996.

Necrologie van Vera Lombardi Arkwright, *Il Messaggero*, 24 mei 1947.

'No, Without Bayonets', *Time*, 20 juli 1936.

Nye, Myra. 'Society of Cinemaland', *Los Angeles Times*, 22 maart 1931, 24.

'On and Off the Avenue, Feminine Fashions', *The New Yorker*, 19 maart 1932 en 27 augustus 1932.

'Parfums Chanel Sued by Designer', *New York Times*, 3 juni 1946.

Paris Letter-column. *The New Yorker*, 3 december 1933.

'Perfume Industry Hit by Lack of Oils', *New York Times*, 12 februari 1941.

Philip, P.J. 'France Crippled by Wild Cat Strikes; Blum Is in Power', *New York Times*, 5 juni 1936.

–. 'Paris Ends Strikes', *New York Times*, 18 september 1936.

–. '300.000 on Strike in France as Blum Prepares to Rule', *New York Times*, 4 juni 1936.

'Present & Future Plans', *Time*, 8 april 1940.

'Return of Welles', *Time*, 8 april 1940.

Riding, Alan. 'The Fight Over a Suitcase and the Memories It Carries', *New York Times*, 16 september 2006.

Roberts, Glenys. 'Movie-makers Fight over Coco's Life Story – from Chanel No. 5 to Nazi Spy', *Prada's Meadow*, 9 juni 2007, www.forum.purseblog.com

Ross, Lillian. 'The Strong Ones', *The New Yorker*, 28 september 1957.

Salsman, Richard M. 'The Cause and Consequences of the Great Depression, Part 1: What Made the Roaring '20s Roar', *The Intellectual Activist* 18, nr. 6 (juni 2004), 16.

Savigneau, Josyane. 'Le Vel' d'Hiv avant le désastre', *Le Monde*, 31 oktober 2008.

Schultz, Jeff. 'Paris Memories Horrible, Indelible', *Atlanta Journal-Constitution*, 7 augustus 2005, B1.

Sischy, Ingrid. 'The Designer Coco Chanel', *Time*, 8 juni 1998.

Skidelsky, Robert. 'The Remedist', *New York Times*, 12 december 2008.

'Strong Nerves', *Time*, 19 juni 1936.

'Studies Cosmetic Needs', *New York Times*, 18 augustus 1940.

'Style Creator Tells How to Become "Chic"', *Los Angeles Times*, 18 maart, 1931, A1.

Thurman, Judith. 'Scenes from a Marriage: The House of Chanel at the Met', *The New Yorker*, 23 mei 2005.

'Tradition Upheld by Noted Star' en 'Style Creator Praises Modes?', *Los Angeles Times*, 2 december 1931, 7.

Trescott, Jacqueline. 'Detention Camp Archive Donated by Red Cross to Holocaust Museum', *Washington Post*, 3 juli 1998, D-2.

Updike, John. 'Qui qu'a vu Coco?', *The New Yorker*, 21 september 1998.

Whitaker, Alma. 'Sugar and Spice', *Los Angeles Times*, 29 maart 1931, 21.

Wieder, Thomas. 'Découverte du projet de "statut des juifs"', *Le Monde*, 5 oktober 2010, 10.

Wildman, Sarah. 'Paris' Dirty Secret', *Jerusalem Report*, 1 november 2004, 26.

BOEKEN

Abramovici, Pierre. *Un rocher bien occupé. Monaco pendant la guerre 1939-1945*. Parijs: Éditions du Seuil, 2001.

Alanbrooke, Field Marshal Lord. *War Diaries*. Londen: Weidenfeld & Nicholson, 2001.

Allard, Paul. *Quand Hitler espionne la France*. Parijs: Les Éditions de France, 1939.

Ambrose, Stephen E. *The Supreme Commander: The War Years of General Dwight D. Eisenhower*. Garden City, New York: Doubleday & Company, 1969.

Amouroux, Henri. *La Vie des Français sous l'Occupation*. Parijs: Librairie Arthème Fayard, 1990.

Annuaire de la Magistrature. Frankrijk: Sofiac, 1996.

Arthaud, Christian. *La Côte d'Azur des écrivains*. Aix-en-Provence: Edisud, 1999.

Assouline, Pierre. *Simenon: A Biography*. Engelse vertaling Jon Rothschild. New York: Alfred A. Knopf, 1997.

Atelier vidéo-histoire du Lycée Jean-Baptiste-Say. *Paris, carrefour des résistances*. Parijs: Paris-Musées, 1994.

Barth, Jack. *International Spy Museum Handbook of Practical Spying*. Voorwoord Peter Earnest. Washington, D.C.: National Geographic Society, 2004.

Bedford, Sybille. *Jigsaw*. Londen: Penguin Books, 1990.

–. *Quicksands: A Memoir*. Londen: Penguin Books, 2006.

Beevor, Antony, en Artemis Cooper. *Paris After the Liberation, 1944-1949*. Londen: Penguin Books, 2007.

Berg, A. Scott. *Goldwyn: A Biography*. New York: Riverhead Trade, 1998.

Bloch, Michael. *The Secret File of the Duke of Windsor: The Private Papers, 1937-1972*. New York: Harper & Row, in samenspraak met Bantam Press in Groot-Brittannië, 1988.

Bothorel, Jean. *Louise, ou, la vie de Louise de Vilmorin*. Parijs: Éditions Grasset & Fasquelle, 1993.

Breward, Christopher. *Fashion*. New York: Oxford University Press, 2003.

Brissaud, André, Fabrice Laroche, Jean Mabire en François d'Orcival. *Histoire secrète de la Gestapo*, 4 delen. Genève: Éditions Farnot, 1974.

Brown, Frederick. *For the Soul of France: Culture Wars in the Age of Dreyfus*. New York: Alfred A. Knopf, 2010.

Brownell, Will, en Richard N. Billings. *So Close to Greatness: A Biography of William C. Bullitt*. New York: Macmillan Publishing Co., 1987.

Browning, Christopher. *The Origins of the Final Solution*. Lincoln: University of Nebraska Press, 2004.

Buisson, Patrick. *1940-1945 Années érotiques: Vichy ou les infortunés de la vertu*. Parijs: Éditions Albin Michel, 2008.

Bullock, Alan. *Hitler: A Study in Tyranny*. Londen: Penguin Books, 1962.

Burrin, Philippe. *France Under the Germans: Collaboration and Compromise*. New York: The New Press, 1998.

Cadogan, Sir Alexander. *The Diaries of Sir Alexander Cadogan, O.M. 1938-1945*. New York: G.P. Putnam's Sons, 1972.

Callil, Carmen. *Bad Faith: A Forgotten History of Family, Fatherland and Vichy France*. New York: Alfred A. Knopf, 2006.

Catherwood, Christopher. *Winston Churchill: The Flawed Genius of World War II*. New York: Berkeley Publishing Group, 2009.

Cave Brown, Anthony. *Bodyguard of Lies*. New York: Harper & Row, eerste druk, 1975.

Chambrun, René de. *Mission and Betrayal*. Stanford, Californië: Hoover Institution Press, 1993.

Charles-Roux, Edmonde. *Chanel*. Londen: Jonathan Cape, 1976.

–. *Le Temps Chanel*. Parijs: La Martinière/Grasset, 1979.

–. *L'Irrégulière ou mon itinéraire Chanel*. Parijs: Grasset, 1974.

Chauvy, Gérard. *Histoire secrète de l'Occupation*. Parijs: Éditions Payot, 1991.

Christophe, Francine. *Guy s'en va. Deux chroniques parallèles*. Parijs: l'Harmattan, zonder datum.

–. *Une Petite Fille privilégiée*. Parijs: l'Harmattan, zonder datum.

Cline, Sally. *Zelda Fitzgerald: Her Voice in Paradise*. New York: Arcade Publishing, 2003.

Cointet, Jean-Paul. *Expier Vichy: L'Épuration en France, 1943-1958*. Parijs: Perrin, 2008.

Coles, S.F.A. *Franco of Spain*. Londen: Neville Spearman Limited, 1955.

Collins, Larry, en Dominique Lapierre. *Is Paris Burning?* New York: Warner Books, 1991.

Cowles, Virginia. 'The Beginning of the End Flight from Paris: June 1940', in *Reporting World War II, Vol. 1: American Journalism 1938-1944*, Library of America. New York: Penguin Books, 1995, 53-62.

Crowe, David M. *Oskar Schindler.* New York: Basic Books, 2004.

Degunst, Sylviane. *Coco Chanel: Citations.* Parijs: Éditions du Huitième Jour, 2008.

Delay, Claude. *Chanel solitaire.* Parijs: Éditions Gallimard, 1983.

Doerries, Reinhard R. *Hitler's Intelligence Chief, Walter Schellenberg.* New York: Enigma Books, 2009.

–. *Hitler's Last Chief of Foreign Intelligence: Allied Interrogations of Walter Schellenberg.* Portland, Oregon: Frank Cass Publishers, 2003.

Dreyfus, Jean-Marc, en Sarah Gensburger. *Des camps dans Paris.* Parijs: Librairie Arthème Fayard, 2003.

Dubois, André-Louis. *À travers trois Républiques.* Parijs: Plon, 1972.

Du Plessix Gray, Francine. *Them.* Londen: Penguin Books, 2006.

Dutton, Ralph, en Lord Holden. *The Land of France.* New York: Scribner's, 1939.

Eder, Cyril. *Les Comtesses de la Gestapo.* Parijs: Grasset, 2006.

Edwards, Michael. *Perfume Legends: French Feminine Fragrances.* Carlsbad, Californië: Crescent House Publishing, juni 1998.

Escoffier, A. *L'Aide-mémoire culinaire.* Voorwoord Michel Escoffier. Parijs: Flammarion, heruitgave editie 1919.

Etherington-Smith, Meredith. *Patou.* Londen: Hutchinson & Co., 1983.

–. *Patou.* Uit het Engels vertaald door Marie-Françoise Vinthière. Parijs: Les Éditions Denoël, 1984.

Everett, Peter. *Matisse's War.* New York: Vintage Books, 1997.

Farago, Ladislas. *The Game of the Foxes.* Londen: Pan Books Ltd., 1973.

Field, Leslie. *Bendor, the Golden Duke of Westminster.* Londen: Weidenfeld and Nicolson, 1986.

Fiemeyer, Isabelle. *Coco Chanel: Un parfum de mystère.* Parijs: Petite Bibliothèque Payot, 1999.

Fleischhauer, Ingeborg, en Benjamin Pinkus. *The Soviet Germans Past and Present.* New York: St. Martin's Press, 1986.

Flügge, Manfred. *Amer Azur: Artistes et écrivains à Sanary.* Parijs: Éditions du Félin, 2007.

Foulon, Charles-Louis. *André Malraux et le rayonnement culturel de la*

France. Brussel: Éditions Complexe, 2004.

Fry, Varian. *La liste noire*. Franse vertaling Edith Ochs. Parijs: Éditions Plon, 1999. Oorspronkelijke uitgave: *Surrender on Demand*, New York: Random House, 1945.

Galante, Pierre. *Les Années Chanel*. Parijs: Mercure de France, 1972.

–. *Mademoiselle Chanel*. Chicago: Henry Regnery Company, 1973.

Gallet, Danielle. *Mme de Pompadour ou le pouvoir féminin*. Parijs: Librairie Arthème Fayard, 1985.

Gidel, Henry. *Coco Chanel*. Parijs: Éditions J'ai lu, Flammarion, 2000.

Glass, Charles. *Americans in Paris: Life and Death under Nazi Occupation, 1940-1944*. Londen: Harper's Press, 2009.

Gold, Arthur, en Robert Fizdale. *Misia*. Londen: Macmillan, 1980.

–. *Misia: La vie de Misia Sert*. Franse vertaling Janine Herisson. Parijs: Éditions Gallimard, 1981.

Goñi, Uki. *The Real Odessa*. Londen: Granta Books, 2002.

Grandjonc, Jacques, en Theresia Grundtner. *Zones d'ombres, 1933-1944: Exil et internement d'Allemands et d'Autrichiens dans le sud-est de la France*. Aix-en-Provence: Alinea, 1990.

Green, Nancy L. *Ready-to-wear and Ready-to-work: A Century of Industry and Immigrants in Paris and New York City*. Durham, North Carolina: Duke University Press, 1997.

Greene, Graham, en Hugh Greene. *The Spy's Bedside Book*. New York: Bantam Books, 2008.

Griffith, Aline, gravin Romanones. *The Spy Wore Red*. New York: Random House, 1987.

Haedrich, Marcel. *Coco Chanel*. Parijs: Pierre Belfond, 1987.

–. *Coco Chanel: Her Life, Her Secrets*. Engelse vertaling Charles Lam Markmann. Boston: Little, Brown and Company, 1972.

Hassell, Agostino von, en Sigrid MacRae. *Alliance of Enemies*. New York: Thomas Dunne Books, St. Martin's Press, 2006.

Higham, Charles. *The Duchess of Windsor: The Secret Life*. Somerset, New Jersey: John Wiley & Sons, Inc., 2005.

–. *Trading with the Enemy*. New York: Delacorte Press, 1983.

Hodson, James Lansdale. *Through the Dark Night*. Londen: Victor Gollancz Ltd., 1941.

Hoffman, Tod. *The Spy Within*. New York: Random House, 2008.

Hoisington, William A., Jr. *The Assassination of Jacques Lemaigre Dubreuil*. Londen en New York: RoutledgeCurzon, Taylor & Francis Group, 2005.

Ingrao, Christian. *Croire et détruire – les intellectuels dans la machine de guerre SS.* Parijs: Fayard, 2010.

Jenkins, Roy. *Churchill.* New York: Plume, 2002.

Josephs, Jeremy. *Swastika Over Paris.* New York: Arcade Publishing, 1989.

Kahn, David. *Hitler's Spies: German Military Intelligence in World War II.* Cambridge, Massachusetts: Da Capo Press Edition, 2000.

Kaplan, Justine, red. *Bartlett's Familiar Quotations,* 70e druk. New York: Little, Brown and Company, 2003.

Karbo, Karen. *The Gospel According to Coco Chanel: Life Lessons from the World's Most Elegant Woman.* Illustraties Chesley McLaren. Guilford, Connecticut: Globe Pequot Press, 2009.

Karski, Jan. *Mon témoignage devant le monde. Histoire d'un État clandestin.* Parijs: Robert Laffont, S.A., 2010.

Kersaudy, François. *De Gaulle et Roosevelt, le duel au sommet.* Parijs: Perrin, 2004.

Kirkland, Douglas. *Coco Chanel: Three Weeks 1962.* Voorwoord Judith Thurman. New York: Glitterati Incorporated, 2009.

Kitson, Simon. *The Hunt for Nazi Spies: Fighting Espionage in Vichy France.* Chicago: University of Chicago Press, 2007.

Kladstrup, Donald, en Petie Kladstrup. *Wine and War: The French, the Nazis, and the Battle for France's Greatest Treasure.* New York: Broadway Books, 2002.

Krauze, Jan, en Didier Rioux. *Le Monde: Les Grands Reportages, 1944-2009.* Parijs: Éditions Les Arènes, 2009.

Kurowski, Franz. *The Brandenburger Commandos: Germany's Elite Warrior Spies in WWII.* Mechanicsburg, Pennsylvania: Stackpole Books, 2005.

Lawford, Valentine. *Horst.* New York: Alfred A. Knopf, 1984.

Lazareff, Pierre. *Deadline: The Behind the Scenes Story of the Last Decade in France.* Engelse vertaling David Partridge. New York: Random House, 1942.

Leese, Elizabeth. *Costume Design in the Movies.* New York: Dover Publications, 1991.

Livre Troisième: Des crimes, des délits et leur punition, Code Pénal et Code de Justice. Parijs: Armée de Terre. Parijs: Librairie Dalloz, 1993.

Lloyd, Alan. *Franco.* New York: Doubleday & Company, 1969.

Luce, Clare Boothe. *Europe in the Spring.* New York: Alfred A. Knopf, 1940.

Madsen, Axel. *Chanel: A Woman of Her Own*. New York: Owl Books, Henry Holt and Company, 1990.

Manchester, William. *The Last Lion: Winston Spencer Churchill: Alone 1932-1940*. Boston, New York, Londen: Little, Brown and Company, 1988.

Marcus, Stanley. *Minding the Store*. Denton, Texas: University of North Texas Press, 2001.

Marrus, Michael R., en Robert O. Paxton. *Vichy France and the Jews*. Stanford, Californië: Stanford University Press, 1995.

Marty, Alain T. ' A Walking Guide to Occupied Paris: The Germans and Their Collaborators'. Ongepubliceerd manuscript.

Meyer-Stabley, Bertrand. *Les Dames de l'Élysée. Celles d'hier et de demain*. Parijs: Librairie Académique Perrin, 1999.

Mitchell, Allan. *Nazi Paris: The History of an Occupation, 1940-1944*. New York: Berghahn Books, 2008.

Montagnon, Pierre. *La France dans la guerre de 39-45*. Parijs: Pygmalion, 2009.

Morand, Paul. *L'Allure de Chanel*. Illustraties Karl Lagerfeld. Parijs: Hermann Éditeurs des sciences et des arts, 1996.

–. *The Allure of Chanel*. Vertaald uit het Frans door E. Cameron. Londen: Pushkin Press, 2008.

–. *Journal inutile, 1968-1972*. Parijs: Éditions Gallimard, 2001.

Murphy, Robert. *Diplomat Among Warriors*. New York: Doubleday & Company, 1964.

Nieradka, Magali. *Waiting Room by the Mediterranean: Marta and Lion Feuchtwanger in French Exile*. Zonder plaats en datum.

Norwich, John Julius. *The Duff Cooper Diaries 1915-1951*. Londen: Weidenfeld & Nicolson, Orion Publishing Group, 2005.

Ousby, Ian. *Occupation: The Ordeal of France 1940-1944*. Londen: Pimlico, 1999.

Padfield, Peter. *Himmler: Reichsführer-SS*. Londen: Macmillan London, 1990.

Paxton, Robert O. *L'Armée de Vichy*. Vertaald uit het Engels door Pierre de Longuemar. Parijs: Tallandier Éditions, 2004.

–. *Vichy France: Old Guard and New Order, 1940-1944*. New York: Alfred A. Knopf, 1972.

Paxton, Robert O., en Michael R. Marrus. *Vichy France and the Jews*. New York: Basic Books, 1981.

Peyrefitte, Roger. *Les Juifs*. Parijs: Flammarion, 1965.

Picardie, Justine. *Coco Chanel*. Londen: Harper Collins, 2010.

Porch, Douglas. *The French Secret Services: From the Dreyfus Affair to the Gulf War*. New York: Farrar, Straus & Giroux, 1995.

Pourcher, Yves. *Pierre Laval vu par sa fille*. Paris: Le Cherche Midi, 2002.

Poznanski, Renée. *Jews in France during World War II*. Waltham, Massachusetts: Brandeis University Press, 2002.

Pryce-Jones, David. *Paris in the Third Reich*. Londen: William Collins Sons & Co., 1981.

Rector, Frank. *The Nazi Extermination of Homosexuals*. New York: Stein & Day Publishers, 1981.

Reese, Mary Ellen. *General Reinhard Gehlen: The CIA Connection*. Fairfax, Virginia: George Mason University Press, 1990.

Reile, Oscar. *L'Abwehr, le contre-espionnage allemand en France de 1935 à 1945*. Parijs: Éditions France-Empire, 1970.

Richelson, Jeffrey T. *A Century of Spies: Intelligence in the Twentieth Century*. Oxford: Oxford University Press, 1997.

Ridley, George, met Frank Welsh. *Bend'Or, Duke of Westminster*. Londen: Robin Clark, Namara Group, 1985.

Robert-Diard, Pascale, en Didier Rioux. *Le Monde: Les Grands Procès 1944-2010*. Parijs: Éditions Les Arènes, 2010.

Roulet, Claude. *Ritz: A Story That Outshines the Legend*. Parijs: Quai Voltaire, 1998.

Roussel, Eric. *Le Naufrage*. Parijs: Gallimard, 2009.

–. *Paris libéré!* Parijs: Gallimard, 2002.

Sachs, Maurice. *La décade de l'illusion*. Parijs: Gallimard, 1950.

Sadosky, Louis, en Laurent Joly. *Berlin 1942: Chronique d'une détention par le Gestapo*. Parijs: CNRS Éditions, 2009.

Scheijen, Sjeng. *Diaghilev: A Life*. New York: Oxford University Press, 2009.

Schellenberg, Walter. *The Labyrinth*. Vertaling Louis Hagen. New York: Harper & Brothers, 1956.

Schwarberg, Günther. *The Murders at Bullenhuser Damm*. Vertaling Erna Baber Rosenfeld en Alvin H. Rosenfeld. Bloomington: Indiana University Press, 1984.

Shirer, William L. *Berlin Diary*. Baltimore, Maryland: Johns Hopkins University Press, 1941.

–. *The Rise and Fall of the Third Reich: A History of Nazi Germany*. New York: Simon and Schuster Paperbacks, 1990.

Smith, Richard Harris. OSS: *The Secret History of America's First Central Intelligence Agency*. Guilford, Connecticut: The Lyons Press, een imprint van The Globe Pequot Press, 2005.

Spotts, Frederic. *The Shameful Peace: How French Artists and Intellectuals Survived the Nazi Occupation*. New Haven, Connecticut: Yale University Press, 2008.

Steegmuller, Francis. *Cocteau: A Biography*. Boston: David R. Godine, 1992.

Templewood, Viscount. *Ambassador on Special Mission: Sir Samuel Hoare*. Londen: Collins, 1946.

Thompson, David. *A Biographical Dictionary of War Crimes Proceedings, Collaboration Trials and Similar Proceeding Involving France in World War II*. Geschreven en samengesteld voor de Grace Dangberg Foundation, Inc. http://reocities.com/Pentagon/bunker/7729/France/French_Trials.html, 1999-2002.

Trachtenberg, Joshua. *The Devil and the Jews: The Medieval Conception of the Jew and Its Relation to Modern Anti-Semitism*. Philadelphia: Jewish Publication Society, 2002.

Vaughan, Hal. *Doctor to the Resistance: The Heroic True Story of an American Surgeon and His Family in Occupied Paris*. Dulles, Virginia: Potomac Books, 2004.

–. *FDR's Twelve Apostles: The Spies Who Paved the Way for the Invasion of North Africa*. Guilford, Connecticut: The Lyons Press, een imprint van The Globe Pequot Press, 2006.

Veillon, Dominique. *La Mode sous l'Occupation, nouvelle édition revue et augmentée*. Parijs: Éditions Payot & Rivages, 2001.

–. *Vivre et survivre en France 1939-1947*. Parijs: Éditions Payot & Rivages, 1995.

Verheyde, Philippe. *Les mauvais comptes de Vichy: L'aryanisation des entreprises juives*. Parijs: Perrin, 1997.

Vilmorin, Louise de. *Mémoires de Coco*. Parijs: Éditions Gallimard, 1999.

Vreeland, Diana. *DV*. New York: Alfred A. Knopf, 1984.

Waite, Robert G.L. *Vanguard of Nazism: The Free Corps Movement in Postwar Germany, 1918-1923*. Cambridge, Massachusetts: Harvard University Press, 1952.

Wallach, Janet. *Chanel: Her Style and Her Life*. New York: Nan A. Talese, Doubleday, 1998.

Wistrich, Robert S. *Who's Who in Nazi Germany*. Londen: Routledge, 1995.

Zdatny, Steven. *Fashion, Work, and Politics in Modern France*. New York: Palgrave Macmillan, 2006.

WEBSITES

www.ancestry.com

www.camp-de-drancy.asso.fr

http://www.essortment.com/all/perfumefrench_rlot.htm

www.fmd.asso.fr

www.jpost.com

www.larousse.fr

www.lemonde.fr

www.lexpress.fr

www.meteo-paris.com/chronique/?d=1943

http://pagesperso-orange.fr/d-d.natanson/etoile.htm, Mémoire juive et éducation

www.press.uchicago.edu

http://pubs.acs.org/doi/abs/10.1021/cr950068a

www.sanarysurmer.com/culture/index.html

www.suite101.com/content /icons-chanel-no-5-perfume-a44263

www.thepeerage.com

www.usmbooks.com

Verantwoording

Ik ben veel dank verschuldigd aan de vrienden, collega's en assistenten die me geholpen hebben om nauwelijks bekende gegevens over het leven van Gabrielle Chanel boven water te krijgen. Mocht ik vergeten hebben iemand te bedanken, dan doe ik dat graag alsnog hier. Sommige personen die mij bij mijn werk hebben geholpen, willen niet bij name genoemd worden: voor hen een speciaal *merci messieurs!*

Ik vraag iedereen toegeeflijk te zijn: alle fouten in dit werk komen voor mijn rekening. Mijn dank gaat allereerst uit naar Edward Knappman en zijn echtgenote Elisabeth, naar Ernst Goldschmidt en naar Charles Robertson, al vele jaren mijn vrienden en collega's. Hun advies en assistentie zijn een buitenkans voor mij geweest. Mijn hartelijke dank gaat ook uit naar mijn researchassistenten. Een monumentaal *merci* verdienen Sally Gordon-Mark in Parijs, Michael Foedrowitz in Berlijn en Philip Parkinson in Londen voor hun toegewijde benadering van historisch onderzoek in de complexe doolhoven van nationale en familiearchieven. Susannah Kemple in New York is mij behulpzaam geweest met haar uitstekende vertalingen van materiaal over Dincklage en andere Duitse bronnen.

Mijn assistente in New York, Pamela Zimmerman, heeft mij inmiddels door drie boeken heen geholpen. Pam en haar echtgenoot Gerry: vele, vele malen bedankt. En aan dr. Alain T. Marty dank voor het delen van zijn ongepubliceerde, monumentale 'A Walking Guide to Occupied Paris: The Germans and Their Collaborators.'

Mademoiselle Chanels achternicht, Madame Gabrielle Palasse Labrunie, heeft mij een unieke blik geboden op Chanel. Haar warme, welwillende gastvrijheid heeft me geholpen het werk van Coco Chanel te waarderen en te bewonderen. Madame Labrunie wist dat ik het verhaal van Chanel zou volgen waarheen de documenten me maar zouden leiden.

Ik ben dank verschuldigd aan mijn advocaat John Logigian, mijn agent Tina Bennett bij Janklow & Nesbitt en aan juridisch raadsman Bennett Ashley, voor hun hulp bij allerlei netelige kwesties. In Frankrijk gaat mijn speciale dank uit naar procureurs André Schmidt, Jean-Marc Baudel en Wallace Baker, die me hebben geholpen ingewikkelde Franse juridische kwesties te ontrafelen; ook Yves Ozanam van het Palais de Justice in Parijs is hierbij behulpzaam geweest. Tevens ben ik dank verschuldigd aan mijn vriend en collega van CUI, de historicus Pierre de Longuemar.

Heel veel dank aan copyeditor Laura Starrett voor het fantastische werk dat ze heeft verricht. Woorden schieten tekort om Carmen Johnson bij Alfred A. Knopf te bedanken voor haar aandacht voor details en haar assistentie gedurende de laatste maanden van mijn werk.

Tot slot sta ik voor eeuwig in de schuld bij Victoria Wilson, senior editor en vicepresident van Alfred A. Knopf, voor haar steun tijdens de lange weg van het redigeren en voltooien van dit boek.

Ik had dit boek niet kunnen schrijven zonder de hulp van mijn vrouw, dr. Phuong Nguyen en B.B.B.

Register